D0982804

KWIAT
PUSTYNI

Waris Dirie
Cathleen Miller

KWIAT PUSTYNI

Z namiotu nomadów do Nowego Jorku

Z angielskiego przełożył
Marek Wrześniewski

ŚWIAT KSIĄŻKI

Tytuł oryginału
Desert Flower
Wydano po raz pierwszy nakładem William Morrow and Company Inc.,
Nowy Jork 1998

Redakcja
Piotr Jan Piegat

Redakcja techniczna
Lidia Lamparska

Korekta
Jacek Ring, Bożenna Burzyńska

Bertelsmann Media Sp. z o.o.
Świat Książki
Warszawa 2000

Skład KOLONEL

Druk i oprawa Rzeszowskie Zakłady Graficzne SA

ISBN 83-7227-280-8
Nr 2288

Mojej Mamie

Teraz wiem, że przetrwanie burz i huraganów niesionych przez życie często jest możliwe tylko dzięki sile woli. Dedykuję tę książkę mojej matce, Fattumie Ahmed Aden, której siła była niezłomna.

Pokazała nam, swoim dzieciom, że trzeba zachować wiarę nawet w obliczu najbardziej niewyobrażalnych przeciwności losu. Było nas dwanaścioro, lecz każdemu poświęcała się w równej mierze – co samo w sobie jest osiągnięciem niebywałym. Jej mądrość przytłoczyłaby najmądrzejszych.

Poświęcała się bez przerwy, skarżyła rzadko. Widzieliśmy, że oddaje nam bez wahania wszystko, co może dać. Mimo że nieraz zaznała bólu utraty dziecka, trwała przy pozostałych z niezmienną siłą i odwagą. Bogactwo jej ducha i piękno ciała pozostały niezrównane.

Mamo, kocham Cię, szanuję i podziwiam, i dziękuję Wszechmocnemu Allachowi, że dał mi Cię jako matkę. Moją modlitwą jest uszanowanie Twej spuścizny przez wychowanie własnego syna zgodnie z tym, co Ty nam wpajałaś.

Jesteś strojnym ubiorem wyśnionym przez chwata,
O ty, niczym warta całe krocie szata.
Czy ujrzę jeszcze twarz raz tylko widzianą?
Rozpadły się zasłony – jesteś jak stal kuta.
Jesteś niczym w Nairobi wyrzeźbione złoto,
Słońca wczesne promyki wschodzące co rano.
Czy ujrzę jeszcze twarz raz tylko widzianą?

ludowy poemat z Somalii

Nota autorska

Kwiat pustyni jest prawdziwą historią życia Waris Dirie. Ponieważ wszystkie przedstawione tu wydarzenia miały miejsce w rzeczywistości, osoby występujące w książce zostały – w trosce o zachowanie ich prywatności – w większości wypadków ukryte pod pseudonimami.

1

Ucieczka

Zbudził mnie jakiś szmer. Otworzyłam oczy: stał przede mną lew. Powieki rozwarły mi się tak szeroko, jakbym wzrokiem chciała go całego pochłonąć. Spróbowałam wstać, ale nie jadłam od tak dawna, że bezwładnie osunęłam się na ziemię pod drzewem, które miało mnie chronić przed bezlitosnym światłem południa afrykańskiej pustyni. Zamknęłam oczy, moja głowa powoli opadła do tyłu, aż poczułam szorstkość pokrywającej pień kory. Lew był tak blisko, że rozpalone powietrze przenikała jego ostra woń.

– To już koniec, Panie mój. Przyjmij mnie do siebie – rzekłam Allachowi.

Samotna wędrówka przez pustynię musiała się tak zakończyć. Nie miałam broni, nie miałam siły uciekać. Nawet gdybym była dość silna, żeby uciec na drzewo, nie miałam żadnych szans. Parę kroków i – cap! – sięgnąłby mnie łapą, której pazury były równie przydatne do wspinaczki, co i do zabijania. Już bez lęku otworzyłam oczy i powiedziałam:

– Bierz mnie, jestem gotowa.

Był to piękny samiec o złotej grzywie, młody i w pełni sił, miał jakieś pięć, sześć lat. Długi ogon leniwie smagał to jeden, to drugi bok, odganiając natrętne muchy. Wiedziałam, że może mnie zmiażdżyć w mgnieniu oka. I był królem. Ileż to razy widywałam ślady pościgu i śmierci zwierząt znacznie większych ode mnie.

Lew gapił się oczami koloru miodu, mrugając od czasu do czasu. Po chwili obejrzał się powoli za siebie.

– No już, zrób to!

Znowu popatrzył na mnie, znowu się obejrzał. W końcu oblizał wargi i przysiadł na zadzie. Zaraz wstał i zaczął się przede mną przechadzać tam i z powrotem, seksowny i elegancki. W końcu zawrócił i odszedł, stwierdziwszy zapewne, że na moich kościach jest zbyt mało mięsa, by zaprzątać sobie mną głowę. Pogalopował przez pustynię, aż płowe futro rozpłynęło się na tle piasku.

Kiedy zdałam sobie sprawę, że nie ma zamiaru mnie zabić, nie poczułam ulgi. Nie bałam się przecież, byłam gotowa na śmierć. Najwyraźniej zawsze przyjazny mi Bóg miał wobec mnie jakieś inne zamiary, jakiś powód, by pozostawić mnie przy życiu. Rzekłam więc:

– Co to znaczy? Weź mnie, kieruj mną.

I ruszyłam w drogę.

Początek całego tego koszmaru to ucieczka od ojca. Miałam wtedy 13 lat, żyłam na somalijskiej pustyni z moją rodziną, plemieniem nomadów. Pewnego dnia ojciec oznajmił, że postanowił o moim małżeństwie. Wiedziałam, że muszę działać szybko, zanim przyszły mąż zjawi się i porwie mnie znienacka*. Zwierzyłam się matce, że ucieknę; chciałam odnaleźć jej siostrę, mieszkającą w Mogadiszu, stolicy Somalii. Oczywiście nie byłam nigdy ani w Mogadiszu, ani w żadnym innym mieście. Nigdy też nie widziałam się z ciotką, ale dziecięcy optymizm kazał mi sądzić, że wszystko jakoś się ułoży.

---

* Wśród wielu plemion pustynnych istnieje tradycja porywania narzeczonej – zazwyczaj po uzgodnieniu tego z jej rodziną (przyp. tłum.).

Kiedy ojciec i reszta rodziny głęboko zasnęli, matka zbudziła mnie i powiedziała:

– Teraz idź.

Rozejrzałam się, żeby coś zabrać, ale niczego nie było – żadnej butelki wody, dzbana mleka ani koszyka z jedzeniem – więc bosa i odziana tylko w udrapowaną chustę ruszyłam w czerń pustynnej nocy.

Nie znałam drogi do Mogadiszu, po prostu pobiegłam przed siebie. Z początku niezbyt szybko, bo nic nie widziałam – kluczyłam i potykałam się o korzenie. W końcu postanowiłam usiąść i doczekać świtu. W Afryce węże są wszędzie, a ja bałam się ich potwornie, każdy nadepnięty korzeń wydawał mi się przyczajoną kobrą. Kiedy słońce wytoczyło się ponad horyzont, pognałam jak gazela. Biegłam i biegłam godzinami.

Do południa zapędziłam się daleko w czerwone piaski i głęboko we własne myśli. Dokąd, u diabła, tak gonię? Nie wiedziałam, dokąd iść. Pejzaż wydawał się ciągnąć w nieskończoność, piasek znaczyły tylko pojedyncze akacje i kolcorośle. Głodna, spragniona i zmęczona, zwolniłam i zaczęłam iść noga za nogą. Wlokłam się znudzona dumając, jak potoczy się moje nowe życie, co nowego mi się przydarzy.

Kiedy tak roztrząsałam te kwestie, wydało mi się, że słyszę wołanie:

– Waris!... W-a-a-a-ris!.

To był głos ojca!!! Zaczęłam się miotać wokoło, wypatrując, skąd dochodzi wołanie, ale nie zobaczyłam nikogo. Z początku zdawało mi się, że uległam złudzeniu, ale to „Waris!... W-a-a-a-ris!" tłukło się echem coraz bliżej. Ton był błagalny, lecz mój lęk wcale nie stał się przez to mniejszy. Nic mi się nie zdawało, to naprawdę był ojciec, z pewnością podążył po moich śladach na piasku. Jeśli mnie złapie, zabierze z powrotem i nie dość, że wyda za tego faceta, to jeszcze zbije. Mimo że byłam w drodze od wielu godzin, zaczęłam biec tak szybko, jak tylko się dało.

Nie dogoni mnie – myślałam – bo jest stary, a ja młoda i szybka. W mych dziecięcych wyobrażeniach ojciec był człowiekiem starym. Teraz wydaje mi się to śmieszne, miał wtedy nieco ponad trzydzieści lat. Wszyscy byliśmy niebywale sprawni, bo wszędzie i zawsze trzeba było biegać, nie mieliśmy samochodu ani żadnego innego środka transportu. A ja zawsze byłam bardzo szybka, czy to gdy ścigałam zwierzęta, czy to szukając wody, czy to biegnąc w stronę domu po zmierzchu, by dopaść bezpiecznego schronienia, zanim zapadną ciemności.

Po pewnym czasie wołanie ustało, zwolniłam więc do marszu. Pomyślałam, że wystarczy być stale w ruchu, aby ojciec zmęczył się i zawrócił do domu. Obejrzałam się i zobaczyłam go, jak zbliża się po stoku wzgórza piętrzącego się za moimi plecami. Przerażona, zaczęłam biec coraz szybciej. To było jak surfing po piaskowych falach: wspinałam się mozolnie na kolejne wzgórze, a on ześlizgiwał się ze zbocza poza mną. Trwało to przez całe godziny, aż w końcu zgubiłam go z oczu. Już nikt mnie nie wołał. Serce biło mi jak szalone, więc przystanęłam za jakimś krzakiem i zaczęłam się rozglądać. Nic, żadnego dźwięku, żadnego ruchu. Nie chciałam powtórzyć błędu poprzedniej nocy i zboczyłam na skały, gdzie nikt nie mógł dojrzeć moich śladów. Żeby jeszcze bardziej utrudnić ojcu zadanie, zmieniłam kierunek marszu.

Słońce zaczęło chylić się ku zachodowi, byłam więc przekonana, że ojciec zawrócił. I tak musiał poszukiwać domu w ciemnościach, nasłuchując odgłosów nocnego życia: dziecięcych okrzyków i śmiechu, muczenia krów i beczenia kóz. Wiatr niósł te głosy daleko po pustyni. To były nasze latarnie morskie, gdy zgubiliśmy się w mroku nocy.

Zmieniłam kierunek marszu, ale było to bez znaczenia, bo nie miałam pojęcia, którędy iść do Mogadiszu. Biegłam aż do zachodu słońca, biegłam, aż nie mogłam już nic przed sobą zobaczyć. Byłam głodna, myślałam tylko o jedzeniu. Moje stopy krwawiły. W końcu siadłam pod drzewem i zasnęłam.

Obudziło mnie palące słońce poranka. Otworzyłam oczy i zobaczyłam liście wspaniałego eukaliptusa pnącego się ku niebu*. Powoli docierało do mojej świadomości, w jakiej sytuacji się znalazłam: „Mój Boże, jestem sama. Co mam robić?". Wstałam i znowu pobiegłam. Biegłam tak przez wiele dni. Jak długo? – Nie wiem. Czas przestał istnieć. Były tylko głód, pragnienie, strach i ból. Gdy wieczór dojrzewał zupełnym mrokiem, zatrzymywałam się i zasypiałam. W południe, gdy skwar stawał się nie do zniesienia, siadałam pod drzewem i zażywałam czegoś w rodzaju sjesty.

To właśnie podczas kolejnej takiej sjesty zbudził mnie ze snu lew. Do tego momentu nie myślałam wcale o wolności. Jedyne, czego chciałam, to wrócić do mamy. Chciałam tego bardziej niż jedzenia i wody. Byliśmy przyzwyczajeni obywać się bez wody i jedzenia przez dzień lub dwa, ale wiedziałam, że nie da się przetrwać dużo dłużej. Stałam się tak słaba, że ledwo udawało mi się poruszać. Stopy popękały i pokryły się ranami, każdy krok był straszliwą udręką. Kiedy lew oblizywał się na mój widok, było mi już wszystko jedno – w gruncie rzeczy z wdzięcznością myślałam o szybkim zakończeniu tej męczarni.

Lew jednak popatrzył na kości sterczące przez skórę, na zapadłe policzki i wytrzeszczone oczy – i poszedł sobie. Nie wiem, czy poczuł litość na widok tak udręczonej istoty, czy była to czysto praktyczna decyzja, że kiepski ze mnie kąsek, czy też Bóg wstawił się za mną. Doszłam wszakże do wniosku, że Bóg nie mógłby być tak bezlitosny, żeby ocalić mnie przed lwem tylko po to, by następnie pozwolić mi zginąć jakże okrutniejszą śmiercią głodową. Miał w tym widocznie jakiś cel, więc zwróciłam się ku Niemu: „Weź mnie, kieruj mną". Trzymając się drzewa, aby nie upaść, błagałam Go o pomoc.

---

* Eukaliptus ustawia liście równolegle do słońca, więc jego cień słabo przed nim chroni (przyp. tłum.).

Znowu zaczęłam iść. Po paru minutach zobaczyłam pastwisko pełne wielbłądów. Podbiegłam do wielbłądzicy z najbardziej nabrzmiałym wymieniem i zaczęłam ssać mleko jak cielę. Dostrzegł mnie pasterz i wrzasnął:

– Wynocha, ty mała suko!

– Usłyszałam świst i trzask bykowca, ale byłam tak zdesperowana, że ssałam dalej, szybko i mocno jak tylko się dało. Pastuch biegł, wrzeszcząc wniebogłosy. Wiedział, że jeśli mnie nie odpędzi, bezcenne mleko przepadnie. Nie zdążył: nasyciłam się i ruszyłam do biegu. Gonił mnie jeszcze, usiłując dosięgnąć biczem, ale byłam szybsza. Stanął bezradnie w popołudniowym słońcu i miotał przekleństwa.

Zatankowałam pod korek; byłam teraz pełna energii. Biegłam więc dalej i dalej, aż dotarłam do wioski. Nigdy przedtem nie byłam w podobnym miejscu: były tu domy i ulice z ubitej na kamień ziemi. Szłam sobie środkiem takiej ulicy, przekonana, że tak właśnie należy robić. Spacerowałam, gapiąc się na wszystko dokoła. Przechodząca kobieta obrzuciła mnie wzrokiem i zawołała:

– Głupku jeden, skądżeś się tu wzięła? – A potem wrzasnęła do innych wieśniaków: – O Boże! Popatrzcie na jej stopy! – zdumiona widocznymi na nich ranami i strupami. – Mój Boże, to musi być jakiś przygłup z zapadłej wiochy! – poznała się na mnie. – Dziewczyno, jeśli chcesz żyć, zejdź z ulicy. Złaź z jezdni! – Zepchnęła mnie na pobocze i zaśmiała się.

Zdawałam sobie sprawę, że wszyscy ją słyszą i bardzo się wstydziłam. Opuściłam głowę, ale dalej maszerowałam środkiem drogi, bo nie miałam pojęcia, o co tej babie chodzi. Wkrótce się dowiedziałam. Biiip! biiip! – nadjechała ciężarówka. Gdybym nie odskoczyła, zmiażdżyłaby mnie na pewno. Zaczęłam więc iść brzegiem drogi, wystawiając rękę w nadziei, że ktoś się zatrzyma i pomoże mi. Trudno powiedzieć, że zdecydowałam się na podróż autostopem, bo nie miałam wtedy pojęcia, co to oznacza. Wreszcie stanęłam i wystawiłam rękę na drogę. Następny samochód przejechał tak blisko, że o mało mi jej nie urwał. Targnęłam ręką ku sobie, po czym wystawiłam ją już znacznie ostrożniej i zaczęłam powoli iść dalej. Wpatrywałam się w twarze ludzi za szybami samochodów, błagając w duchu, by któryś się zatrzymał. No i jeden się zatrzymał. Nie bardzo chce mi się chwalić, co z tego wynikło, ale cóż na to poradzę? Mogę jedynie opowiedzieć całą prawdę. Do dzisiaj, kiedy tylko to sobie przypomnę, chciałabym ponownie móc zawierzyć swoim przeczuciom i za nic w świecie nie skorzystać z tej okazji.

Ciężarówka była wyładowana kamieniami wielkości piłki tenisowej. W szoferce siedziało dwóch mężczyzn. Kierowca otworzył drzwi i rzucił po somalijsku:

– Wskakuj, kochanie!

Uczucie bezradności i strach przyprawiły mnie o mdłości.

– Jadę do Mogadiszu – wykrztusiłam.

– Zabiorę cię, gdzie tylko zechcesz – powiedział kierowca i wyszczerzył zęby w uśmiechu.

Znałam ten czerwony uśmiech. Kierowca miał zęby czerwone od khatu – narkotycznej rośliny podobnej w działaniu do liści koki; mój ojciec też jej zażywał od czasu do czasu. Kobietom w ogóle nie pozwalano używać khatu, i bardzo dobrze, bo po khacie mężczyźni dostawali kręćka, stawali się podnieceni i agresywni. Wielu z nich khat wręcz zniszczył życie.

Przeczuwałam, że coś jest nie tak, ale nie bardzo wiedziałam, co dalej ze sobą robić, więc przystałam na propozycję. Kierowca kazał mi się wspiąć na skrzynię z ładunkiem. Odetchnęłam z ulgą, że będę z dala od tych dwóch w szoferce. Wcisnęłam się w kąt, próbując sobie wmówić, że jest mi bardzo wygodnie na kupie kamieni. Zapadł już zmrok i jak to na pustyni, od razu zrobiło się bardzo chłodno. Ciężarówka gnała naprzód, a ja rozciągnęłam się na kamieniach poza zasięgiem lodowatego wiatru.

Nagle zdałam sobie sprawę, że klęczy koło mnie towarzysz

kierowcy. Miał koło czterdziestki i był po prostu obrzydliwy. Jego czaszka pozbyła się już mnóstwa włosów i próbował to sobie wynagrodzić idiotycznym wąsikiem. Mocno przerzedzone, pokryte czerwonym nalotem khatu zęby rosły każdy w inną stronę – szczerzył je teraz obleśnie. Choćbym żyła dwieście lat, nie zapomnę tej gęby. Do tego był tłusty, co stało się jeszcze bardziej oczywiste, gdy ściągnął spodnie. Jego wyprężone prącie dyndało w mroku, gdy zaczął siłą rozwierać moje uda.

– Nie, proszę, nie! – błagałam.

Zaplotłam patykowate nogi, jakbym chciała z nich zrobić precel, i nie puszczałam. Wściekły, że nie może sobie ze mną poradzić, trzasnął mnie ręką w twarz. Mój skowyt pochłonął wicher szalejący po skrzyni ciężarówki pędzącej przez noc.

– Rozsuń nogi!

Walczyliśmy zawzięcie; jego ciężar przygniatał mi plecy do kanciastych kamieni. Znowu podniósł ramię i chlasnął mnie na odlew, tym razem mocniej. Otrzeźwiło mnie to na tyle, że pomyślałam o zmianie taktyki – był zbyt silny, żeby stawiać mu opór na oślep. Najwyraźniej miał wprawę w tym, co robił. W odróżnieniu ode mnie, był w takiej walce doświadczony i bez wątpienia zgwałcił już niejedną kobietę; niewiele brakowało, aby i ze mną mu się powiodło. Chciałam go zabić. Zabić! Nie miałam jednak żadnej broni. Zaczęłam więc udawać pożądanie:

– No dobrze, dobrze. Ale pozwól mi najpierw zrobić siusiu – zadyszałam słodko.

Jeszcze bardziej się podniecił:

– Hej! ta mała chce tego! – i puścił mnie.

Popełzłam w drugi kąt mrocznej paki i kucnęłam, udając, że oddaję mocz. Miałam parę chwil wytchnienia i namysłu. Chwyciłam największy kamień, jaki zdołałam wymacać, wróciłam i położyłam się obok niego.

Kiedy wlazł na mnie, zebrałam wszystkie siły i trzasnęłam go w skroń. Zachwiał się. Walnęłam znowu. Osunął się bez czucia. Poczułam w sobie niespożytą siłę. Nie znasz takiej siły, dopóki cię ktoś nie zaatakuje, nie spróbuje cię zabić, zniewolić. Dopóki coś takiego się nie wydarzy, nikt nie wie, jak może być silny. Kiedy tak leżał, uderzyłam go znowu i zobaczyłam, że z jego ucha płynie krew. Kumpel prowadzący ciężarówkę widział wszystko w lusterku.

– Co tam się dzieje?!!! – wrzasnął i zwolnił, szukając w buszu miejsca na przystanek.

Wiedziałam, że jeśli mnie złapie, to będzie mój koniec. Kiedy dostatecznie zwolnił, poczołgałam się na koniec skrzyni i wykonałam koci skok. Pobiegłam, wiedząc doskonale, że chodzi o moje życie.

Kierowca nie był już młody. Wyskoczył z kabiny i zaczął się drzeć:

– Zabiłaś mojego kumpla! Wracaj! Zabiłaś go!

Gonił mnie jakiś czas przez krzaki, aż wreszcie dał sobie spokój. Przynajmniej tak mi się wydawało.

Wskoczył do kabiny, zapalił silnik i zaczął mnie ścigać przez pustynię. Światła ciężarówki oświetlały wszystko dokoła. Słyszałam ryk silnika tuż za uchem; biegłam tak szybko, jak tylko mogłam, ale ciągle był za mną. Zaczęłam kluczyć i uskakiwać w mrok. Kiedy zgubił mnie z zasięgu reflektorów, dał w końcu za wygraną i zawrócił na szosę.

Biegłam jak zwierzę ścigane przez drapieżnika. Przez pustynię, przez las, potem znowu przez pustynię – nie miałam pojęcia, gdzie jestem. Kiedy podniosło się słońce, pobiegłam dalej. W końcu dotarłam do innej szosy. Mimo że robiło mi się niedobrze na myśl o tym, co jeszcze może się wydarzyć, znowu zaczęłam łapać okazję. Wiedziałam, że trzeba się jak najbardziej oddalić od znanej mi już ciężarówki i jej załogi. Nigdy nie dowiedziałam się, jakie były losy napastnika, ale wiedza ta była i jest ostatnią rzeczą, jakiej bym pragnęła.

Musiałam wyglądać cudnie, kiedy tak stałam w słońcu poranka. Okrywający mnie zawój był skłębioną szmatą. Po całych dniach biegu przez piaski moja skóra i włosy były pokryte zlepionym kurzem, ręce i nogi wyglądały jak gałązki, które może złamać byle podmuch wiatru. Moje stopy były poranione i zniekształcone jak u trędowatej. Wystawiałam rękę na drogę, aż w końcu napatoczył się mercedes. Elegancki mężczyzna zjechał na pobocze i zatrzymał się przy mnie. Wśliznęłam się do środka i wprost zatkało mnie na widok luksusu panującego we wnętrzu.

– Dokąd jedziesz? – zapytał kierowca.

– Tam – wskazałam kierunek, gdzie jechał. Mężczyzna aż zaniósł się od śmiechu, pokazując piękne, białe zęby.

2

Dorastanie wśród zwierząt

Zanim uciekłam z domu, żyłam w rodzinie harmonijnie związanej z naturą, a zwłaszcza ze zwierzętami utrzymującymi nas przy życiu. Kiedy wspominam najwcześniejsze lata, znowu zanurzam się w świat dzielony z innymi dziećmi, we wszystko, co nas otaczało. Pierwsze moje wspomnienie to mój skarb – koziołek Billy. Zapewne kochałam go aż tak mocno, bo jak ja był maluchem. Zdobywałam dla niego najsmaczniejsze kąski, aż stał się najtłustszą i najszczęśliwszą kózką z całego stada. Matka nie mogła się nadziwić: „Dlaczego on jest taki gruby? Przecież inne to istne straszydła!". Opiekowałam się nim bez przerwy, ciągnęłam go wszędzie ze sobą, głaskałam go i przemawiałam do niego całymi godzinami.

Sposób, w jaki odnosiłam się do Billy'ego, był w warunkach somalijskiego życia czymś nieomal oczywistym. Los mojej rodziny splatał się nierozerwalnie z losem naszych trzód. Ścisła zależność od zwierząt powodowała, że mieliśmy dla nich wielki szacunek, co znajdowało odbicie prawie we wszystkim, co robiliśmy. Każde dziecko, odkąd tylko było w stanie chodzić, opiekowało się jakimś zwierzęciem. Kiedy zwierzętom dobrze się wiodło, to i nam było dobrze; kiedy one cierpiały, cierpieliśmy i my. Gdyby padły, groziła nam śmierć. Hodowaliśmy bydło, owce i kozy, ale chociaż moim ulubieńcem stał się koziołek, bez wątpienia najważniejsze były nasze wielbłądy.

W Somalii wielbłąd to zwierzę–legenda. Żyje tam więcej wielbłądów niż w jakimkolwiek innym kraju na świecie, więcej niż ludzi. W moim ojczystym kraju ogromnie długą tradycję ma poezja przekazywana ustnie, a znaczna część jej strof poświęcona jest wielbłądom. Mama często śpiewała starą pieśń, której treść z grubsza brzmiała tak: „Mój wielbłąd zniknął ze złoczyńcą – zabił go albo skradł. Błagam i modlę się – zwróć mi wielbłąda". Znaczenie wielbłądów wpajano mi od wczesnego dzieciństwa. Były dla naszej społeczności czymś bezcennym, bo na pustyni nie da się bez nich żyć. Jak to ujął somalijski poeta:

Wielbłądzica to matka
temu, kto ją ma.
Wielbłąd to tętnica,
w której życie gra.

To prawda. Wielbłąd jest nawet miarą ludzkiego życia: gdy zostanie popełnione zabójstwo, klan zabójcy musi oddać klanowi ofiary sto wielbłądów. Jeżeli tak się nie stanie, klan ofiary ma prawo pozbawić zabójcę życia. Zwyczajowa opłata za narzeczoną też jest uiszczana w wielbłądach. Na co dzień wielbłądy zwyczajnie utrzymywały nas przy życiu. Żaden inny gatunek zwierzęcia nie jest równie dobrze przystosowany do życia na pustyni. Choćby i w najwyższych temperaturach wielbłąd nie traci płynów. Wielbłądzica potrzebuje wody tylko raz na tydzień, ale wytrzyma bez niej nawet miesiąc, a i tak będzie dawać mleko, które pozwoli ludziom przetrwać okres suszy. Do tego jeszcze wielbłądy żywią się suchymi badylami i krzakami, zostawiając trawę innym zwierzętom.

Hodowaliśmy wielbłądy, żeby dźwigały nas i nasz dobytek oraz byśmy mogli spłacać nasze długi. Gdzie indziej można wskoczyć w samochód i śmignąć w dal, ale na pustyni jedynym środkiem transportu jest zazwyczaj wielbłąd.

Usposobieniem przypomina konia: przywiązuje się do swojego pana i potrafi robić na jego polecenie rzeczy, których nigdy nie wykona dla nikogo innego. Ujeżdżanie młodego wielbłąda, naginanie go do siodła i uzdy nie jest zajęciem bezpiecznym. Trzeba to robić pewnie i mocno. Kiedy wielbłąd wyczuje słabość jeźdźca, zrzuca go natychmiast i kopie bez litości.

Jak większość Somalijczyków, wiedliśmy sielskie życie pasterzy. Mimo że ciągle trzeba było walczyć o przetrwanie, posiadane stada wielbłądów, krów i kóz pozwalały nam żyć na poziomie wysokim jak na warunki naszego kraju. Zgodnie z tradycją bracia zajmowali się dużymi zwierzętami, a my, dziewczęta, dbałyśmy o mniejsze.

Naszym domem była chata pokryta plecionką z trawy, równie poręczna jak namiot. Budowę zaczynało się od ustawienia szkieletu z prętów, który obkładaliśmy matami z trawy utkanymi przez matkę. Powstawała z tego kopuła wysoka prawie na dwa metry. Kiedy nadeszła pora przeprowadzki, rozbieraliśmy maty i szkielet, po czym juczyliśmy nimi i pozostałym nielicznym sprzętem domowym wielbłądy. Najmniejsze dzieci wspinały się na te niespożyte zwierzęta, by odbyć na nich drogę do następnego postoju. Reszta rodziny szła pieszo, poganiając trzody. Kiedy napotkaliśmy źródło wody i wystarczająco duże pastwiska, obóz był rozbijany na nowo.

Chata była schronieniem dla najmniejszych dzieci, oazą cienia, gdzie przechowywano świeże mleko. Pozostali członkowie rodziny nocowali poza chatą, pod gwiazdami. Kładliśmy się na matach, przytuleni ciasno jedno do drugiego. Po zachodzie słońca na pustyni robiło się chłodno. Nie było tylu kołder, żeby każdy miał własną, do tego jeszcze nasze ubrania były więcej niż skromne, więc żeby nie zmarznąć, korzystaliśmy ze wspólnego ciepła. Ojciec spał z brzegu – jak strażnik i obrońca całej rodziny.

Wstawaliśmy ze wschodem słońca. Aby zwierzęta nie pogubiły się w nocy, robiliśmy w każdym miejscu postoju płot z suchych gałęzi i przeróżnych patyków. Najpierw trzeba było pójść do takiej zagrody i wydoić mleczne samice; oseski trzymaliśmy osobno, inaczej wszystko by przez noc wyssały. Jednym z moich zadań było dojenie krów. Musiałam zostawić dość mleka, żeby go starczyło dla cieląt. Z tego, co udoiłam, matka robiła masło. Dopiero po dojeniu dopuszczałyśmy młode sztuki do wymion. Potem dostawaliśmy śniadanie z wielbłądziego mleka. Ma ono największe wartości odżywcze spośród wszystkich rodzajów mleka, zawiera bowiem witaminę C. Mieszkaliśmy na obszarach zbyt suchych, żeby uprawiać jakiekolwiek rośliny, nie było więc mowy o chlebie czy jarzynach. By uzupełnić naszą dietę, podążaliśmy czasami tropem guźców, wielkich dzikich świń afrykańskich, które potrafiły wywęszyć pod ziemią jadalne korzenie.

Zabijanie zwierząt na mięso uważaliśmy za marnotrawstwo. Ubój był ostatecznością, usprawiedliwioną tylko przez groźbę głodu lub szczególną okazję, na przykład wesele. Zwierzęta były zbyt cenne, żeby je tak po prostu zabijać i zjadać. Hodowaliśmy je dla mleka i w celu wymiany na inne potrzebne nam dobra. Wielbłądzie mleko było w zasadzie jedynym składnikiem dwu głównych posiłków dnia, śniadania i kolacji. Czasami brakowało go dla wszystkich, wtedy pierwsze jadły najmłodsze dzieci, potem starsze i tak dalej. Matka nie tknęła jedzenia, zanim wszystkie się nie najadłyśmy. Tak naprawdę to trudno mi sobie przypomnieć, żebym ją kiedykolwiek widziała przy jedzeniu, chociaż wiem, że przecież coś jeść musiała. Ale nawet jeśli na kolację nie było nic, mało kto robił z tego problem, płakał czy też się skarżył. Płakać mogły tylko małe dzieci; starsze znały zasady gry i po prostu szły spać. Staraliśmy się zachować pogodę ducha, ciszę i spokój, bo przecież z boską pomocą jakoś się temu w końcu zaradzi. *In'shallach*, czyli: jeśli Bóg zechce – to była nasza filozofia. Wiedzieliśmy, że nasze życie zależy od sił natury, a to przecież Bóg nad nimi panuje, a nie my.

Kiedy ojciec przynosił worek ryżu, było to wydarzenie, które da się porównać chyba tylko do świątecznej uczty w innych częściach świata. Od czasu do czasu ojciec zamieniał kozę na ziarno uprawiane w bardziej wilgotnych częściach Somalii. Robiliśmy z ryżu potrawy z mlekiem albo prażyliśmy go na patelni nad ogniskiem. Można było wreszcie użyć masła robionego przez wytrząsanie krowiego mleka w koszyczku wyplecionym rękami matki. Kiedy miejsce postoju wypadło w pobliżu innych rodzin, dzieliliśmy się jedzeniem z sąsiadami. Jeśli ktoś miał daktyle lub jadalne korzenie albo zabił swoje zwierzę na mięso, rozdzielano to wszystkim po równo. Dzieliliśmy się naszym szczęściem z innymi, bo choć przeważnie jedna lub dwie rodziny podróżowały osobno, to wszyscy byliśmy cząstkami większej społeczności. Miały też znaczenie względy czysto praktyczne: nie mieliśmy lodówek, więc mięso i wszystko, co mogło się zepsuć, musiało być zjedzone od razu.

Po śniadaniu trzody były wypędzane z zagród. Kiedy skończyłam sześć lat, dostałam pod opiekę stado sześćdziesięciu czy siedemdziesięciu owiec i kóz. Brałam długi kij i chodziłam z nimi sama na pustynne pastwiska, nucąc pod nosem piosenki. Kiedy jakaś sztuka oddzieliła się od stada, zaganiałam ją z powrotem. A rozbiegały się chętnie, bo po wyjściu z zagrody każda chciała się najeść. Najważniejsze było to, żeby wyjść ze stadem jak najszybciej. Im wcześniej się wyszło, tym większa była szansa na znalezienie trawy i wody przed innymi pasterzami. Gleba wysuszana podnoszącym się w górę słońcem wypijała każdą kroplę. Musiałam zapewnić moim zwierzętom tyle wody, żeby napiły się do syta, bo mógł upłynąć cały tydzień, zanim miałyby po temu następną okazję. Tydzień albo dwa, a może trzy – któż mógł to przewidzieć. Najsmutniej było patrzeć, jak zwierzęta giną z pragnienia. Czasami szliśmy w poszukiwaniu wody coraz dalej i dalej, aż w końcu nie było już komu iść. Widok padających zwierząt rodził najokropniejsze ze wszystkich uczucie bezradności – wiedziałeś, że to już koniec i nic więcej nie da się zrobić.

Trawiaste somalijskie przestrzenie nie miały właścicieli. To od sprytu, zmyślności pasterza zależało, jak dużo paszy dostaną jego kozy i owce. Bez przerwy wypatrywałam na niebie chmur obiecujących deszcz. Gdy się zbliżał, dawały mi o tym znać i inne zmysły: pojawiał się wtedy szczególny zapach i jakieś napięcie w powietrzu.

Kiedy zwierzęta szczypały trawę, rozglądałam się za drapieżnikami, które w Afryce można spotkać wszędzie. Na sztuki oddalające się od stada czyhały hieny. Bałam się też lwów i dzikich psów włóczących się całymi stadami. A ja byłam sama.

Patrząc wciąż w niebo i wokół siebie, musiałam bardzo uważać, żeby odejść od obozu tylko tak daleko, aby zdążyć wrócić przed zmrokiem. Jednak wiele razy zdarzyło mi się przeliczyć i wtedy dopiero mogłam mieć prawdziwe kłopoty. Najgorsze były hieny, bo gdy polują, nie spoczną, dopóki nie dopadną upatrzonej ofiary. A w mroku atakują śmielej niż za dnia, bo wiedzą, że mało które zwierzę je widzi. Nawet gdybym zdzieliła jedną czy drugą kijem i odpędziła od stada, to i tak w pobliżu czaiła się reszta zgrai. Kiedy wieczorem wpuszczałam moje kozy i owce do zagrody, liczyłam je po kilka razy, by mieć pewność, że żadna nie została na zewnątrz. Pewnego razu, a była to już głęboka noc, zauważyłam brak jednej kozy. Policzyłam jeszcze raz, i jeszcze raz. Nagle zdałam sobie sprawę, że nie widzę Billy'ego. Wpadłam do zagrody, szukając go jak w gorączce, ale nie znalazłam. Pobiegłam do matki z krzykiem:

– Mamo, Billy się zgubił. Co mam robić?

Oczywiście było za późno, żeby zrobić cokolwiek, więc matka tylko przytuliła mnie, a ja zaczęłam rozpaczliwie łkać. Zdałam sobie sprawę, że hieny właśnie zjadają mojego małego tłuścioszka.

Cokolwiek by się jednak wydarzyło, trzeba było myśleć o żywym inwentarzu. To było nasze naczelne zadanie, choćby wokół panowały susza, choroby czy wojna. Ciągłe zamieszanie polityczne w Somalii powodowało straszne problemy w miastach, ale my byliśmy od tego tak daleko, że nikt się o to nie troszczył. Żołnierzy unikaliśmy jak zarazy. Nie miało znaczenia, czy byliby to żołnierze somalijscy, czy żołnierze z Marsa – po prostu nie należeli do naszego ludu, nie byli nomadami. Słyszeliśmy też historie o gwałceniu dziewcząt, które oddaliły się od rodzinnego obozowiska; sama znałam jedną z nich. Kiedy miałam jakieś dziewięć lat, w pobliżu naszego obozu pojawiła się cała armia. Tego poranka ojciec kazał mi napoić wielbłądy, popędziłam więc stado do wodopoju. Kiedy uszłam już kawał drogi, zobaczyłam w dolinie ogromny obóz wojskowy. Zapewne przybyli tu ostatniej nocy, a teraz jak okiem sięgnąć rozciągały się ich namioty i ciężarówki. Ukrywszy się za drzewem, obserwowałam kłębiących się w dole umundurowanych mężczyzn. Przypomniałam sobie zgwałconą dziewczynę i zamarłam z przerażenia. Byłam sama; ci faceci mogli ze mną zrobić, cokolwiek by chcieli. Znienawidziłam ich od pierwszego spojrzenia. Znienawidziłam ich mundury, samochody i karabiny. Nigdy się nie dowiedziałam, co tam robili, ale nawet gdyby mieli zbawić Somalię, moja niechęć nie byłaby mniejsza. Tymczasem wielbłądy potrzebowały wody, a jedyna droga omijająca obóz wojskowy w bezpiecznej odległości była zbyt długa i kręta, więc zdecydowałam się puścić zwierzęta luzem, mając nadzieję, że same trafią do wodopoju. I poszły przez sam środek obozu, między żołnierzami, a ja, ukrywając się za krzakami i drzewami, pobiegłam naokoło, aż spotkałam je znowu przy źródle. Kiedy niebo zaczęło szarzeć, powtórzyliśmy wszystko w odwrotnym kierunku i przed zmrokiem dotarliśmy bezpiecznie do domu.

Każdego wieczora, kiedy zagnałam już swoje stado do zagrody, nadchodziła znowu pora udoju. Na szyjach wielbłądów wieszaliśmy drewniane dzwonki. Podczas dojenia pobrzękiwały głęboko, a ich dźwięk był prawdziwą muzyką dla ucha każdego nomada. Wielbłądzie dzwonki były jak światła pozycyjne obozowiska, pozwalające zagubionym w mroku wędrowcom odnaleźć drogę do domu. Rytuał wieczornego obrządku odbywał się pod ciemniejącym sklepieniem pustynnego nieba, a sygnałem do zakończenia pracy było pojawienie się nad horyzontem jasnej plamki dalekiej planety. Inne narody nazywają tę planetę imieniem Wenus, bogini miłości, ale w moim kraju nazywaliśmy ją *maqual hidhid*, co znaczy: chowanie jagniąt.

O tej porze często przytrafiały mi się różne przykrości. Po

pracy trwającej bez przerwy od wschodu słońca nie mogłam już zazwyczaj patrzeć na oczy i zdarzało mi się nagle zasnąć. Gdy byłam w marszu, budziły mnie skaczące na mnie kozy. Musiałam się też pilnować, żeby ojciec nie zobaczył, jak podczas dojenia kiwa mi się głowa, a mleko kapie na ziemię. Kocham go, ale to straszny gwałtownik; kiedy przyłapał mnie śpiącą podczas pracy, dostawałam lanie, żebym w przyszłości traktowała swoje zadania poważniej i z większą starannością.

Po obrządku dostawaliśmy kolację z wielbłądziego mleka. Potem zbieraliśmy drwa na wielkie ognisko i siadaliśmy kręgiem w jego cieple, gwarząc i śmiejąc się aż do zaśnięcia. Te wieczory to moje ulubione wspomnienia z Somalii. Siedziałam z matką i ojcem, siostrami i braćmi, każdy był syty, wszyscy się śmiali. Staraliśmy się być zawsze w dobrym nastroju. Nikt się nie skarżył i nie jęczał, nikomu nie przyszło na myśl, żeby na przykład rzucić propozycję: no to porozmawiajmy sobie o śmierci. Żyło się nam ciężko, przetrwanie wymagało wytężania wszystkich sił, a pesymizm tylko by osłabiał naszą życiową energię.

Chociaż żyliśmy z dala od ludzkich skupisk, nigdy nie czułam się samotna. Miałam starszego brata, dwie starsze siostry i kilkoro młodszego rodzeństwa. Ganialiśmy się bez ustanku, wspinaliśmy na drzewa jak małpy, graliśmy w kółko i krzyżyk rysując palcami po piasku, ryliśmy dołki w ziemi i zbierali kamienie, żeby grać w afrykańską grę zwaną mancala. Mieliśmy również własną odmianę jacks*, tyle że zamiast gumowej piłki i metalowych kostek też używaliśmy kamieni. To zresztą moja ulubiona gra, bo byłam w niej świetna, i zawsze próbowałam namówić młodszego brata Alego, żeby się ze mną zmierzył.

Największą przyjemnością było jednak po prostu życie dziecka natury, swoboda bycia jej cząstką, doświadczanie wciąż nowych widoków, dźwięków i zapachów. Wypatrywaliśmy grupki lwów wylegujących się w słońcu, patrzyliśmy, jak przewalały się z boku na bok, rycząc i prężąc łapy. Ich maluchy goniły się i bawiły

---

* Gra przypominająca nasze swojskie „ciupy" (przyp. tłum.).

zupełnie jak my. Biegaliśmy za żyrafami, zebrami i lisami. Szczególnie lubiliśmy góralki*, zwierzątka wielkości królika, choć w rzeczywistości najbliższych krewnych słoni. Czekaliśmy cierpliwie przed ich norami, a kiedy pokazywały malutkie mordki, ścigaliśmy je po piasku.

Podczas jednej z takich wypraw znalazłam strusie jajo i zachciało mi się je zabrać, żeby wyhodować sobie małego strusia na własny użytek. Takie jajo ma wielkość bliską kuli do kręgli. Wydłubałam je z piasku i zaczęłam dźwigać do domu, kiedy pojawiła się mama struś i pognała za mną, a wierzcie mi, strusie są szybkie, mogą biegać nawet sześćdziesiąt pięć kilometrów na godzinę. Od razu mnie dopadła i zaczęła dziobać w głowę. Łup! łup! łup! Miałam wrażenie, że rozłupie mi czaszkę jak skorupkę jajka, zostawiłam więc jej dziecko i umknęłam, ratując życie.

Rzadko zbliżaliśmy się do terenów zalesionych, ale kiedy tak się zdarzyło, uwielbialiśmy z ukrycia w koronach drzew podglądać słonie. Już z daleka słychać było ich potężne trąbienie. Tak jak lwy, małpy i ludzie, słonie żyją we wspólnotach. Każdy dorosły słoń, czy to kuzyn, wuj, ciotka, siostra, czy matka, dba o to, żeby nikt się nie zbliżył do małego słonika, więc my, ludzkie dzieci, musiałyśmy się wspinać bardzo wysoko.

Szczęśliwe chwile z rodziną odchodziły jednak stopniowo w przeszłość. Starsza siostra uciekła z domu, brat poszedł do szkoły w mieście. Zaczynałam się orientować w różnych nieprzyjemnych aspektach życia mojej rodziny i życia w ogóle. Deszcz przestał padać. Opieka nad trzodami stawała się coraz trudniejsza. Życie stawało się coraz trudniejsze. A ja razem z nim.

Byłam coraz bardziej harda, po części dlatego, że widziałam śmierć moich braci i sióstr. Urodziło się nas dwanaścioro, ale pozostała szóstka. Matka urodziła bliźnięta, które umarły zaraz po porodzie. Była też śliczna siostrzyczka, która przeżyła tylko

---

* Najmniejsze ssaki kopytne (przyp. tłum.).

sześć miesięcy. Cały czas była silna i zdrowa, aż kiedyś usłyszałam krzyk matki:

– Waaaris!!!

Przybiegłam natychmiast i zobaczyłam, że matka klęczy nad nią. Byłam małą dziewczynką, lecz wiedziałam, że dzieje się tu coś strasznego – siostrzyczka wyglądała okropnie.

– Waris, przynieś wielbłądziego mleka – zarządziła matka.

Ale ja nie mogłam ruszyć się z miejsca.

– No, pospiesz się!

Stałam i gapiłam się na siostrę jak w transie.

– Co się z tobą dzieje!? – wydarła się matka.

Wreszcie poszłam, wiedząc dobrze, co zobaczę po powrocie. Przyniosłam mleko, ale siostra nadal była okropnie spokojna – widziałam, że jest martwa. Kiedy na nią patrzyłam, matka uderzyła mnie z całej siły.

Jeszcze długo potem obwiniała mnie o jej śmierć, wierząc, że mam jakąś czarodziejską moc, która przez samo wpatrywanie się może zabić dziecko. Ja nie miałam żadnych nadnaturalnych zdolności, ale jeden z młodszych braci był kimś niezwykłym – wszyscy to przyznawali. Nazywaliśmy go Starcem, bo kiedy miał sześć lat, cały osiwiał. Był niesamowicie inteligentny i wkrótce wszyscy mieszkający akurat w pobliżu zaczęli zgłaszać się do niego po poradę. Przychodził taki ktoś i mówił:

– Gdzie jest stary człowiek?

Potem sadzał siwowłosego chłopczyka na kolanach i pytał:

– Czy sądzisz, że deszcz spadnie jeszcze w tym roku?

I klnę się na Boga, że choć mój brat, sądząc z jego wieku, był dzieckiem, nie zachowywał się jak dziecko. Siadał, myślał, mówił i poruszał się jak mądry starzec pełen godności. Mimo że każdy go szanował, wszyscy się bali, bo było oczywiste, że nie jest taki jak inni. Jednak choć biologicznie młody, Starzec umarł bardzo wcześnie – zupełnie jakby w ciągu tych paru lat chciał zamknąć cały ludzki cykl życia. Nikt nie wiedział, dlaczego tak się stało, ale każdy czuł, że jego odejście świadczyło o tym, iż nie należał do tego świata.

Jak to często bywa w dużych rodzinach, każdemu z nas przypisywano jakąś rolę. Ja byłam buntowniczką. Na taką opinię zapracowałam sobie mnóstwem poczynań – dla mnie zupełnie oczywistych i usprawiedliwionych okolicznościami – które w oczach dorosłych, a zwłaszcza ojca, były szokujące. Siedzieliśmy sobie kiedyś pod drzewem z młodszym bratem Alim, jedząc bielutki ryż z wielbłądzim mlekiem. Ali pożarł swoją porcję od razu z wilczym apetytem, a ja smakowałam z wolna tak rzadki dar losu. Choć w zasadzie jedzenie nie było przez nas uważane za coś nadzwyczajnego, to ja zawsze cieszyłam się każdym kęsem. Kiedy została mi już w misce tylko resztka, wstrzymałam się na chwilę z jedzeniem, żeby porozkoszować się nim jeszcze. Ali znienacka sięgnął swoją łyżką i nie zostało mi nic, nawet ziarenko. Bez namysłu chwyciłam leżący w pobliżu nóż i wbiłam go bratu w udo. Ten wrzasnął, ale zaraz wyciągnął ostrze i wbił mi je dokładnie w to samo miejsce. Oboje padliśmy ranni, ale oczywiście wina była po mojej stronie, bo to ja uderzyłam go najpierw. Do dzisiaj nosimy z Alim ślady tej naszej uczty.

Jeden z pierwszych wybuchów otwartego buntu wiązał się z moim pragnieniem posiadania butów. Całe życie mam obsesję na ich punkcie. Mimo że jestem modelką, nie mam wielu ubrań, jakieś tam dżinsy i podkoszulki, ale moje szafy wypchane są sandałkami, czółenkami, szpilkami, tenisówkami i kozakami, do których – o ironio! – przeważnie nie mam co założyć. Jako dziecko rozpaczliwie chciałam mieć buty, choć nie wszystkie dzieci w naszej rodzinie miały własne ubrania, a już na pewno nie było na te buty pieniędzy. Ja jednak marzyłam, że tak jak moja matka noszę piękne skórzane sandały. Chciałam zakładać je przed wyjściem na wypas i nie przejmować się już więcej kamieniami, cierniami, wężami i skorpionami. Moje stopy były zawsze podrapane i posiniaczone, do dzisiaj mam na nich blizny. Nieraz przebiłam sobie stopę cierniem, który czasami łamał się i zostawał pod skórą, a lekarzy ani lekarstw na pustyni nie było.

Musiałam dalej maszerować, bo wymagała tego opieka nad zwierzętami. Nikt nie mówił: nie dam rady. Każdy wstawał skoro świt i kuśtykał, najlepiej jak umiał.

Ahmed, jeden z braci ojca, był bardzo zamożny. Wuj żył w mieście Galcaio*, a my opiekowaliśmy się jego stadami. Zostałam wybrana do pasienia jego kóz, bo robiłam to doskonale, potrafiłam znaleźć zwierzętom wodę i paszę, ustrzec je przed drapieżnikami. Miałam mniej więcej siedem lat, kiedy podczas kolejnej wizyty zagadnęłam wuja Ahmeda:

– Słuchaj, chcę żebyś mi kupił buty!

Popatrzył na mnie i zaśmiał się.

– No dobra, dobra. Dostaniesz buty.

Kiedy usłyszałam od ojca, że wuj pojawił się znowu, zadrżałam z podniecenia – oto dziś dostanę swoje pierwsze buty. Gdy tylko nadarzyła się okazja, wyrzuciłam z siebie pytanie:

– No i co, przywiozłeś je?

– Tak, tak, mam je tutaj – odpowiedział i wręczył mi paczkę.

Wydobyłam swój prezent i oniemiałam: to były gumowe klapki. Nie piękne skórzane sandały, jakie nosiła mama, ale taniocha, żółte klapki. Wprost nie mogłam w to uwierzyć.

– To są moje buty?!!! – wrzasnęłam i cisnęłam klapkami w wuja Ahmeda.

Kiedy odbiły się od jego twarzy, ojciec z początku próbował się zdenerwować, ale tym razem mu się nie udało, zaczął się skręcać ze śmiechu. Wuja zatkało i wykrztusił tylko:

– Nie do wiary. Jak ty chowasz swoje dzieci!

Rzuciłam się na niego wymachując rękami, bo rozczarowanie doprowadziło mnie do prawdziwego szału.

– To ja tak harowałam na takie nic? – darłam się. – Coś takiego za tyle roboty? Tfu! Wolę chodzić boso, aż mi się stopy zakrwawią, niż nosić takie śmieci!

---

* Miasto w prowincji Mudug w środkowej Somalii, około 600 km od Mogadiszu. Inna pisownia nazwy: Gallakajo, Gaalkacyo (przyp. tłum.).

Wuj Ahmed popatrzył na mnie, wzniósł oczy do nieba i westchnął:
– O Allachu!
Przygarbił się, podniósł swoje klapki i zabrał je do domu. Nie uważałam, że sprawa jest załatwiona. Każdego krewnego, znajomego i nieznajomego, który udawał się do Galcaio, prosiłam o przekazanie wujowi jednej wiadomości: „Waris chce butów!". Na spełnienie marzenia przyszło mi jednak czekać jeszcze wiele lat. Tymczasem trzeba było dalej opiekować się kozami Ahmeda i resztą rodzinnych stad, przemierzając tysiące mil na bosaka.

Na długo przed historią z klapkami, kiedy miałam około czterech lat, odwiedził nas pewnego razu Guban, dobry znajomy ojca. Zaglądał do nas dość często. Stał sobie, gwarząc z rodzicami, w zapadającym zmroku, aż w końcu matka spojrzała w niebo na wynurzającą się jasną plamkę *maqual hidhid* i zauważyła, że czas zapędzić jagnięta do zagrody. Guban na to:
– Och, dlaczego nie miałbym tego zrobić dla ciebie. Waris mi pomoże.
Poczułam się bardzo ważna – przyjaciel taty wybrał mnie, a nie któregoś z braci. Wziął mnie za rękę, wyszliśmy z chaty i zaczęliśmy zaganiać stado. Zazwyczaj przy takich okazjach biegałam dziko to tu, to tam, ale robiło się coraz ciemniej, więc ze strachu trzymałam się blisko Gubana. Ten zaś ni stąd, ni zowąd zdjął kurtkę, położył na piasku i przysiadł na jej brzegu. Przyglądałam się temu ze zdziwieniem i zaprotestowałam:
– Czemu siadasz? Robi się ciemno, musimy się zająć zwierzętami.
Guban na to:
– Mamy czas. Zajmiemy się nimi za chwilę. – Wyciągnął się na kurtce i klepnął wolne miejsce obok. – Chodź tu i usiądź.
Podeszłam z wahaniem, ale jako dziecko uwielbiałam bajki, więc wydało mi się, że to świetna okazja, by jakiejś posłuchać.

– Opowiesz mi bajkę? – spytałam.

Guban znowu klepnął kurtkę, mówiąc:

– Opowiem, jak usiądziesz.

Kiedy tylko to zrobiłam, popchnął mnie, jakby chciał, żebym się położyła.

– Nie chcę leżeć. Chcę bajki! – nalegałam uparcie, zrywając się przy tym na równe nogi.

– No chodź, chodź – zamruczał i przytrzymał mnie mocno za ramię. – Kładź się i patrz w gwiazdy, a ja opowiem ci bajkę.

Położyłam się z głową na kurtce, wbijając stopy w chłodny piasek, i wpatrzyłam się w migoczącą Drogę Mleczną. Kolor nieba przechodził od indygo do czerni, jagnięta skakały gdzieś w ciemnościach, a ja czekałam z niepokojem na początek opowieści. Nagle Drogę Mleczną przesłoniła mi twarz Gubana. Kucnął między moimi udami i zerwał szeroką szarfę przepasującą mnie w biodrach. Potem poczułam, że coś twardego i mokrego usiłuje mi się wcisnąć w krocze. Zamarłam w bezruchu – nie wiedziałam, co się dzieje, ale przeczuwałam, że to nic dobrego. Ucisk był coraz silniejszy, aż w końcu poczułam straszny ból.

– Chcę do mamy!!!

Nagle obryzgał mnie jakiś ciepły płyn, a nocne powietrze przeniknął mdły smród.

– Zesikałeś się na mnie! – wrzasnęłam przerażona. Zerwałam się i przepaską zaczęłam ścierać z nóg cuchnące paskudztwo.

– No już dobrze, wszystko w porządku – zaszemrał uspokajająco Guban. – Próbowałem tylko opowiedzieć ci bajkę.

Odzyskawszy swobodę ruchów, natychmiast pobiegłam do domu, a Guban za mną, usiłując mnie po drodze schwytać. Zobaczyłam, że mama stoi przy ognisku, z oświetloną na pomarańczowo twarzą. Przypadłam do niej i wczepiłam się kurczowo w jej nogi.

– Co się dzieje, Waris? – spytała zaalarmowana.

Wkrótce przybiegł zdyszany Guban. Matka popatrzyła na niego uważnie:

– Co jej się stało?

Roześmiał się swobodnie i pomachał mi ręką.

– Oj, oj, próbowałem opowiedzieć jej bajkę i się przestraszyła.

Trzymałam matkę w żelaznym uścisku. Chciałam powiedzieć, co zrobił mi przyjaciel taty, ale nie mogłam znaleźć właściwych słów, bo nie wiedziałam, co tak naprawdę zrobił. Patrzyłam na gębę śmiejącą się w świetle ogniska, gębę, która przypominała mi się raz po raz przez całe lata, i wiedziałam, że będę go nienawidziła do końca życia.

Matka oderwała moją głowę od swojego uda, pogłaskała mnie i rzekła:

– Już dobrze, Waris. To była tylko bajka, dziecino. To się nie działo naprawdę.

A potem odwróciła się do Gubana i spytała: – Co z jagniętami?

3

Życie koczownika

Wychowawszy się w Afryce, nie nabrałam poczucia historii, które wydaje się tak ważne w innych częściach świata. Aż do roku 1973 język somalijski nie miał pisemnej formy przekazu, więc nie uczyliśmy się ani czytać, ani pisać. Wiedza była przekazywana z pokolenia na pokolenie ustnie – przez poezję i klechdy ludowe – oraz, co najważniejsze, dzięki temu, że uczono dzieci sztuki przeżycia na pustyni. Na przykład matka nauczyła mnie wyplatać z wysuszonej trawy naczynia o tak ścisłym splocie, że nie wylewało się z nich mleko. Ojciec nauczył mnie, jak opiekować się zwierzętami i jak rozpoznawać, czy są zdrowe. Nie mówiliśmy dużo o przeszłości, bo nikt nie miał na to czasu. Dzień dzisiejszy był wszystkim, więc mówiło się przede wszystkim o tym, co jest do zrobienia dzisiaj: czy wszystkie dzieci wróciły do chaty? czy zwierzęta są bezpieczne? co będziemy dziś jedli? gdzie można znaleźć wodę?

Żyliśmy w Somalii życiem naszych przodków, tak samo od tysięcy lat, bez żadnych dramatycznych zwrotów. Koczownicy nie mieli elektryczności, telefonów, samochodów; że już nie wspomnę o komputerach, telewizji i podróżach kosmicznych. Dlatego wspólne nam wszystkim poczucie czasu miało zupełnie inny charakter niż panujące w krajach Zachodu.

Tak jak i reszta mojej rodziny, nie wiedziałam, ile mam lat – mogłam tylko przypuszczać. Dziecko rodzące się w moim kraju miało niewielkie szanse na to, że dożyje roku, więc nie uważano, aby zapisywanie daty jego urodzenia było szczególnie istotne. Żyliśmy wtedy poza sztucznymi ramami czasu, tworzonymi przez zegary, kalendarze i rozkłady jazdy. Bieg czasu wyznaczało słońce i pory roku. Nasze plany zależały od deszczu i od tego, ile dnia pozostało do zmroku. Kiedy mój cień wyciągał się w stronę zachodu, znaczyło to, że jest poranek; kiedy kładł się na moje stopy – było południe; kiedy przechodził na przeciwną stronę – zbliżał się koniec dnia. Kiedy cienia zaczynało szybko przybywać, należało szukać drogi powrotnej do domu, żeby nie zostać samemu w ciemnościach.

Gdy wstało się rano, trzeba było postanowić, co jest dziś do zrobienia, i robić to, najlepiej jak się potrafi, aż się skończyło albo aż było zbyt ciemno, żeby cokolwiek zobaczyć. Nikomu nie przychodziło do głowy, żeby planować sobie dokładnie pory poszczególnych zajęć. W Nowym Jorku bez przerwy spotykam się z ludźmi, którzy wyciągają terminarze i pytają: Masz czas w porze lunchu czternastego – albo może piętnastego? Odpowiadam im na to: Dlaczego, jeśli chcesz się ze mną umówić, po prostu nie zadzwonisz dzień wcześniej? Ilekroć notuję w swoim kalendarzu te wszystkie spotkania, tylekroć uświadamiam sobie, że nie potrafię się przyzwyczaić do samego pomysłu tworzenia takiego spisu. Kiedy po raz pierwszy przyjechałam do Londynu, nie mogłam zrozumieć, o co chodzi ludziom, którzy wbijają wzrok w nadgarstek i wołają: No to muszę lecieć! Zdawało mi się, że wszyscy wszędzie się spieszą, że każde działanie musi się skończyć jak najszybciej. Czas afrykański płynie powoli i spokojnie. Kiedy mówisz: Zobaczymy się jutro koło południa – to znaczy, że nie wcześniej niż o czwartej, piątej. Nawet dzisiaj odmawiam zakładania zegarka.

W moich latach dziecięcych w Somalii nigdy nie zdarzyło mi się zapędzać myślami daleko w przyszłość albo zanurzać w przeszłość wystarczająco głęboką, żeby pytać: mamo, jak to było, kiedy byłaś dzieckiem? Z tego też powodu niewiele wiem o przeszłości mojej rodziny, zwłaszcza że opuściłam ją w tak młodym wieku. Ciągle chciałabym móc wrócić i dowiedzieć się, jak wyglądało życie mamy, kiedy była małą dziewczynką, skąd pochodziła jej matka albo jak umarł jej ojciec. Doskwiera mi świadomość, że pewnie nigdy się tego nie dowiem.

Jedno wiem o mojej matce na pewno: była piękna. Zdaję sobie sprawę, że brzmi to jak typowe gadanie córki zapatrzonej w mamusię, ale tak było naprawdę. Jej twarz przypominała rzeźby Modiglianiego*; skórę miała tak ciemną i gładką, że wydawała się doskonale wycyzelowana z czarnego marmuru. Głęboka czerń skóry i olśniewająca biel zębów powodowały, że kiedy śmiała się w nocy, to widać było tylko te błyszczące, jakby zawieszone w mroku zęby. Włosy miała długie i proste, bardzo miękkie; jedynie wygładzała je palcami, nigdy bowiem nie splatała ich w kok. Wysoki wzrost i szczupłą budowę ciała odziedziczyły wszystkie jej córki.

Była bardzo spokojna i zrównoważona, ale kiedy zaczynała mówić, stawała się histerycznie swawolna i dużo się śmiała. Lubiła robić żarty – jedne były tylko śmieszne, inne mocno sprośne, a niektóre to zwykłe głupstewka, które opowiadała, żeby nas rozśmieszyć. Na przykład patrzyła na mnie i pytała: „Waris, dlaczego oczy zniknęły ci z twarzy?". Ale jej ulubionym głupawym żartem było nazywanie mnie Avdohol, co znaczy: małe usta. Ni stąd, ni zowąd przyglądała mi się i mówiła: „Hej, Avdohol, czemu masz takie małe usta?".

Ojciec był niezwykle przystojnym mężczyzną i, wierzcie mi, zdawał sobie z tego sprawę. Miał ponad metr osiemdziesiąt wzrostu i jeszcze lżejszą budowę niż mama, był bardzo szczupły. Jego włosy i oczy były brązowe. Pysznił się swoim wyglądem i często drażnił się z mamą, mówiąc:

---

* Amadeo Modigliani (1884–1920) był zafascynowany rzeźbami Czarnej Afryki. Sposób, w jaki portretował kobiety, cechuje się jedynym w swoim rodzaju wysmukleniem postaci, zwłaszcza głowy i szyi (przyp. tłum.).

– Mogę pójść i wziąć sobie inną kobietę, jeśli ty nie chcesz...
– i tu dodawał, o co mu chodzi.

Matka nie pozostawała dłużna:

– Idź. Zobaczymy, czy ci się uda.

W rzeczywistości kochali się bardzo, ale niestety, któregoś dnia stało się!

Matka dorastała w Mogadiszu, stolicy Somalii, ojciec zaś był nomadem żyjącym od urodzenia na pustyni. Kiedy się spotkali, uroda taty wywarła na mamie takie wrażenie, że koczownicze życie wydało jej się szalenie romantyczne i bardzo szybko zdecydowali się pobrać. Tata przyszedł do babci – bo dziadek już wtedy nie żył – i poprosił o pozwolenie na małżeństwo.

– Nie, nie, nie, absolutnie nie – odparła babcia i dodała w stronę mojej matki:

– To zwykły bawidamek!

Babcia ani myślała pozwolić swojej pięknej córce, żeby rzuciła dotychczasowe życie i poszła doglądać wielbłądów w zupełnej dziczy z „człowiekiem z pustyni". Skończyło się jednak na tym, że gdy mama miała około szesnastu lat, uciekła z domu i poślubiła tatę.

Poszli sobie w drugą stronę kraju i założyli na pustyni rodzinę. Dało to początek całej serii problemów. Jej rodzina miała pieniądze i władzę, więc mama nie miała pojęcia o surowości życia koczowników. Nie to jednak było najistotniejsze. Główny problem tkwił w tym, że ojciec pochodził z plemienia Daarood, matka zaś z plemienia Hawiye. Tak jak Indianie, Somalijczycy dzielą się na plemiona, a członkowie każdego z nich są wobec siebie fanatycznie lojalni. Duma plemienna była i jest przyczyną większości wojen w naszej historii.

Daaroodowie i Hawiyowie silnie ze sobą rywalizują – matka była zawsze bardzo źle traktowana przez rodzinę ojca, która uważała ją za istotę gorszego gatunku. Długo czuła się samotna, ale ostatecznie przywykła do tego. Kiedy uciekłam z domu i straciłam więź z rodziną, zdałam sobie sprawę, co musiała przeżywać wśród Daaroodów.

Kiedy zaczęła rodzić i wychowywać dzieci, odnalazła miłość, za którą tak tęskniła przebywając z dala od swoich. Przecież było nas aż dwanaścioro. Pamiętam, że zawsze pod koniec ciąży mama znikała na całe dni i wracała już z dzidziusiem na ręku. Żeby urodzić, szła na pustynię, zabierając jedynie coś ostrego do przecięcia pępowiny. Pewnego razu musieliśmy po jej zniknięciu przenieść obozowisko ze względu na ciągły niedostatek wody. Odnalezienie nas zajęło jej cztery dni. Cały ten czas spędziła na pustyni sama z noworodkiem.

Zawsze wyczuwałam, że jestem jej ulubionym dzieckiem. Wzajemne zrozumienie wiązało nas ze sobą bardzo mocno. Do dzisiaj myślę o niej każdego dnia, modląc się do Boga, żeby miał ją w opiece, dopóki mnie nie będzie dane się nią zaopiekować. Kiedy byłam mała, zawsze chciałam być blisko niej i przez cały dzień niecierpliwie czekałam na powrót do domu, żeby móc przy niej usiąść i żeby pogłaskała mnie po głowie.

Matka potrafiła wyplatać wspaniałe kosze z trawy, sposobem, którego opanowanie wymaga wielu lat żmudnej praktyki. Godzinami uczyłam się przy niej, jak zrobić kubek do picia mleka, ale żadne z moich dzieł nie dorównywało wyrobom matki – moje kosze były bezkształtne i pełne dziur.

Raz w miesiącu mama opuszczała obóz i znikała na całe popołudnie. Mówiłam jej wtedy: „Mamo, tak chciałabym wiedzieć, co ty tam robisz" – ale zawsze odpowiadała, żebym zajęła się swoją robotą. W Afryce dzieciom nie wypada wtrącać się w sprawy rodziców. Wiedziona chęcią bycia blisko niej i zwykłą dziecięcą ciekawością, pewnego razu podążyłam za nią ukradkiem. Oczywiście, jak zwykle przed wyjściem, mama kazała mi zostać w domu i zająć się młodszym rodzeństwem. Kiedy jednak oddaliła się od obozu, pobiegłam za nią, chowając się za krzakami. Po dłuższym marszu spotkała się z pięcioma innymi kobietami, które najwyraźniej też przybyły z daleka. Spotkały się w porze sjesty, kiedy jest zbyt gorąco, żeby cokolwiek robić, w porze odpoczynku zwierząt i ludzi, gdy kobiety mają wreszcie trochę czasu dla siebie. Siedziały pod potężnym drzewem, jadły prażoną kukurydzę i piły herbatę. Ich skupione blisko siebie czarne głowy przypominały mi głowy mrówek. Wszystko widziałam, ale nie słyszałam, o czym rozmawiają, poza tym strasznie zachciało mi się jeść. W końcu zdecydowałam się do nich podejść. Skradałam się krok za krokiem, aż stanęłam koło matki.

– Skądżeś się tu wzięła? – krzyknęła.
– Poszłam za tobą.
– Zła, bezczelna dziewczyna – skarciła mnie.
Ale pozostałe kobiety śmiały się i świergotały:
– Popatrzcie na tę ślicznotkę! No, chodź tu, kochanie...
Matka rozchmurzyła się więc i pozwoliła mi wziąć trochę kukurydzy.

Wychowywałam się z dala od książek, filmów i telewizji; moje dziecięce doświadczenia ograniczały się do wrażeń życia codziennego. Nie miałam więc pojęcia, że istnieją jakieś inne światy niż nasz, pełen kóz i wielbłądów. Nie miałam też pojęcia, że matka pochodzi z takiego właśnie innego świata. Aż do 1960 roku południowe obszary Somalii były skolonizowane przez Włochy. Z tego też powodu społeczność Mogadiszu, kultura, architektura pozostawały pod silnymi wpływami włoskimi. Matka znała włoski język i czasami, kiedy była zła, rzucała włoskie przekleństwa. Bałam się tego i pytałam:
– Co mówisz, mamo?
– Och nic, to po włosku.
– Jak to, po włosku? Co to znaczy?
– Nic, nie twoja sprawa – odpowiadała lekceważąco.
Dopiero później odkryłam, że język włoski, tak jak samochody i murowane budynki, jest częścią szerokiego świata istniejącego poza naszą chatą. Wiele razy pytałyśmy mamę, dlaczego postanowiła wyjść za naszego ojca.
– Po coś ty w ogóle poszła za tym człowiekiem? Popatrz, gdzie mieszkasz, kiedy twoi bracia i siostry żyją rozrzuceni po

całym świecie! Oni są ambasadorami, a ty co masz? Dlaczego uciekłaś z tym nieudacznikiem?

Odpowiadała, że zakochała się w tacie i postanowiła uciec, bo chciała być razem z nim. A moja matka to kobieta silna i co postanowi, to zrobi. Widziałam, przez co musi przechodzić, lecz nigdy nie słyszałam, żeby się uskarżała. Żadnego „mam dosyć", „nie będę tego więcej robiła". Była cicha, ale twarda jak z żelaza. Chciałabym stać się tak silna jak ona. Gdyby mi się to udało, mogłabym mówić, że moje życie to sukces.

Nasze zajęcia były typowe dla Somalii: 60 procent jej mieszkańców to koczujący pasterze, utrzymujący się przy życiu dzięki hodowli zwierząt. Ojciec wyprawiał się od czasu do czasu do pobliskiej wsi lub miasteczka, żeby sprzedać jakieś zwierzę i kupić worek ryżu, materiał na ubrania albo koce. Zdarzało się też, że robił to za niego ktoś inny, kto akurat tam jechał.

Pieniądze zarabialiśmy również na zbiorach żywicy używanej do wyrobu kadzidła – takiego samego jak to, o którym wspomina Biblia jako o jednym z darów przyniesionych Dzieciątku Jezus przez trzech królów. Jego zapach ceniony jest od czasów antycznych aż po dzień dzisiejszy. Żywicę uzyskiwaliśmy z rosnących na wyżynach północno-wschodniej Somalii kadzidłowców – pięknych drzewek podobnych do rozłożonego parasola, wysokich na jakieś półtora metra. Trzeba było w tym celu ściąć nieco kory siekierą i poczekać jeden dzień. Wypływający z nacięcia mlecznobiały sok zastygał, uzyskując twardość gumy. Czasami żuliśmy go jak gumę ze względu na przyjemny, gorzkawy smak. Zbieraliśmy sople zakrzepłej żywicy do koszyka, a ojciec je sprzedawał. Wrzucaliśmy też kawałki żywicy kadzidłowca do ogniska. Do dzisiaj, gdy poczuję ten zapach, przenoszę się duchem do obozu na pustyni. Czasami można spotkać na Manhattanie kadzidło reklamowane jako ten sam gatunek, który zbierałam jako dziecko. Kupuję je w desperackiej nadziei zdobycia czegokolwiek, co przypominałoby rodzinny dom, ale jego zapach jest tylko nędzną imitacją cudownej, przebogatej woni unoszącej się z ognia w pustyną noc.

Wielkość naszej rodziny też była typowa dla Somalii, gdzie przeciętna kobieta rodzi siedmioro dzieci. Dzieci są dla rodziców gwarancją spokojnej starości, bo to one się nimi zajmą, gdy nie będą już mogli ciężko pracować. Somalijskie dzieci odnoszą się do rodziców i dziadków z wielkim respektem i żadne nie ośmieli się podać w wątpliwość autorytetu dorosłych. Zresztą każda starsza osoba, choćby brat czy siostra, musi być traktowana z szacunkiem i należy się stosować do jej życzeń. Między innymi dlatego moje buntownicze wyczyny były postrzegane jako niewyobrażalnie skandaliczne.

Rodziny były liczne nie tylko z powodu braku kontroli urodzeń, ale także dlatego, że im więcej ludzi można było obdzielić pracą, tym szybciej można ją było wykonać. Podstawowym problemem było znalezienie wody; nie tyle obfitego jej źródła, ile w ogóle jakiejś wody. Poszukiwanie jej było często wręcz katorżniczym zajęciem. Gdy woda znikała z okolic obozowiska, ojciec juczył wielbłądy wielkimi bukłakami wyplatanymi z trawy przez matkę, po czym odjeżdżał i wracał, dopiero gdy zdołał je gdzieś napełnić. Staraliśmy się pozostać przez ten czas w jednym miejscu, ale każdy kolejny dzień stawał się coraz większym wyzwaniem, bo aby napoić trzodę, trzeba było wędrować coraz dalej i dalej. Czasami musieliśmy przenieść obóz, zanim ojciec wrócił, ale on zawsze nas znajdował, oczywiście bez pomocy map czy drogowskazów. Jeśli ojca nie było, bo na przykład pojechał do miasta po żywność, szukaniem wody musiało się zająć któreś z dzieci; mama była potrzebna w domu, żeby utrzymać gospodarstwo w ruchu.

Mnie też to czasem przypadało. Szłam i szłam całymi dniami, dopóki nie znalazłam źródła. Powrót z pustymi rękami oznaczałby całkowitą klęskę, wtedy nie byłoby już dla nas żadnej nadziei. Trzeba było próbować aż do skutku. Wymówka „nie dałam rady" w ogóle nie wchodziła w grę. Matka mówiła, żebym znalazła wodę, więc musiałam ją znaleźć. Przebywając w świecie Zachodu, nie mogłam nadziwić się ludziom, którzy usprawiedliwiają się, mówiąc na przykład: Nie mogę pracować, bo boli mnie głowa. Kiedy to słyszę, mam ochotę powiedzieć: Pozwól, że znajdę ci naprawdę ciężką pracę, już nigdy nie będziesz uskarżać się na to, co robisz.

Kolejny powszechnie spotykany w Afryce sposób na zwiększenie liczby rąk do pracy to wielożeństwo. Moi rodzice, żyjący przez długie lata tylko we dwoje, byli rzadko spotykanym wyjątkiem. Jednak pewnego dnia, po urodzeniu dwanaściorga dzieci, moja matka stwierdziła:

– Jestem już stara... Dlaczego nie weźmiesz sobie innej żony i nie dasz mi odpocząć? Daj mi już spokój.

Nie wiem, czy rzeczywiście tak myślała, czy nie, ale zapewne nie spodziewała się, że ojciec ten pomysł podchwyci.

A on gdzieś przepadł, zostawiając wszystko na jej głowie. Początkowo zdawało się nam, że poszedł szukać wody albo jedzenia, ale kiedy nie było go już od dwóch miesięcy, doszliśmy do wniosku, że nie żyje. Jak nagle zniknął, tak nagle pojawił się któregoś wieczoru. Wszystkie dzieci siedziały właśnie przed chatą, kiedy podszedł swobodnym krokiem i spytał:

– Gdzie matka?

Powiedzieliśmy mu, że jest jeszcze ze zwierzętami poza obozem.

– No dobra, słuchajcie wszyscy. – Wyszczerzył swoje białe zęby. – Zapoznajcie się z moją żoną. – I wypchnął przed siebie jakąś dziewczynkę, niewiele starszą ode mnie.

Gapiliśmy się na nią w milczeniu, bo nikt nas o nic nie pytał, no i dlatego że żadne z nas nie wiedziało, co w takiej sytuacji powiedzieć.

Naprawdę strasznie zrobiło się wtedy, gdy matka wróciła do domu. Wszyscy czekaliśmy w napięciu, co się będzie działo

dalej. Mama popatrzyła na ojca z ukosa, nie widząc, że w ciemności stoi inna kobieta. W końcu zapytała:
– Cóż to, wróciło się do domu?
Tata przestąpił z nogi na nogę, rozejrzał się wokoło i odpowiedział:
– No dobra, dobra. A tak przy okazji to poznaj moją żonę. – Po czym objął pannę młodą ramieniem.
Nigdy w życiu nie zapomnę twarzy mamy oświetlonej płomieniami ogniska. Stała jak piorunem rażona. „Cholera, straciłam go dla tej dziewczynki!" – umierała z zazdrości, ale starała się tego po sobie nie pokazać.
Nie mieliśmy pojęcia, skąd się wzięła nowa żona ojca ani kim jest, ale jej to nie przeszkadzało, żeby od razu wziąć się do rządzenia nami wszystkimi. W końcu wzięła się i do matki: zrób to, podaj tamto, ugotuj mi owo. Sytuacja stawała się coraz bardziej napięta, aż wreszcie nowa żona ojca popełniła ciężki błąd – uderzyła mojego młodszego braciszka, Starca.
Byliśmy właśnie w naszej kryjówce (zawsze po rozbiciu nowego obozowiska szukaliśmy w pobliżu jakiegoś drzewa, żeby urządzić sobie nasz własny, dziecięcy „dom"), kiedy przyszedł szlochający Starzec. Wstałam, otarłam mu łzy i spytałam:
– Co ci się stało?
– Uderzyła mnie! Mocno!
Nawet nie musiałam pytać, kto to zrobił, bo nikt z rodziny nigdy nie podniósł na Starca ręki, nawet ojciec, choć pozostałe dzieci tłukł regularnie. Starzec był najmądrzejszy z nas i zawsze postępował właściwie, więc nie było powodu, żeby go za cokolwiek karać. To uderzenie stanowiło punkt zwrotny, było absolutnie niedopuszczalne. Poszłam więc rozmówić się z tą głupią dziewuchą.
– Dlaczego uderzyłaś brata? – zażądałam wyjaśnień.
– Wypił moje mleko – odpowiedziała hardo, zupełnie jakby była jakąś królową, której należy się całe mleko naszych trzód.
– Twoje mleko? To ja go udoiłam i przyniosłam je do chaty, więc jeśli chciał je wypić, to mógł to zrobić. Nie wolno było go bić!

– Och, zamknij się, do diabła, i wynocha! – wrzasnęła, odpychając mnie przy tym.

Popatrzyłam na nią i pokręciłam głową – chociaż miałam tylko trzynaście lat, wiedziałam, że popełniła wielki błąd.

Bracia i siostry czekali niecierpliwie pod drzewem, ciekawi wyników mojej rozmowy z żoną taty. Wskazałam na wszystkich palcem i powiedziałam:

– Jutro.

Przytaknęli w milczeniu.

Nazajutrz szczęście najwyraźniej nam sprzyjało: ojciec powiedział, że wyjeżdża na parę dni.

W porze sjesty wróciłam do domu ze stadem i odszukałam siostrę i dwu braci.

– Żonusia tatusia bardzo się panoszy – zaczęłam od stwierdzenia spraw oczywistych. – Musimy dać jej nauczkę, żeby się to wreszcie skończyło.

– Zgoda, ale co mamy zrobić? – zapytał Ali.

– Zobaczysz. Na razie idź za mną i pomagaj.

Wzięłam grubą, mocną linę, używaną do troczenia naszego dobytku na wielbłądach. Wyprowadziliśmy przestraszoną nową żonę taty daleko od obozu, zaciągnęliśmy w krzaki i zmusiliśmy ją, żeby zrzuciła ubranie. Potem przerzuciłam linę przez konar wysokiego drzewa i obwiązałam nią przeguby nóg dziewczyny. Kiedy ciągnęliśmy ją wszyscy do góry, klęła, wrzeszczała i szlochała na przemian. Gdy jej głowa znalazła się wystarczająco wysoko nad ziemią, żeby nie mogły jej dosięgnąć dzikie zwierzęta, umocowałam koniec liny. Wróciliśmy do domu, zostawiając za sobą wijącą się i wrzeszczącą postać.

Ojciec pojawił się wcześniej, niż zapowiadał, bo już następnego dnia po południu, i zapytał, gdzie jego mała kobietka. Wszyscy wzruszali tylko ramionami i mówili, że nic nie wiedzą. Na szczęście została na tyle daleko, że nie było słychać jej krzyków. Ojciec popatrzył na nas podejrzliwie, ale było już zbyt ciemno, żeby szukać śladów. Czuł, że coś tu jest nie w porządku, i wziął nas na spytki:

– Kiedy ją ostatnio widzieliście? Dzisiaj? A może wczoraj?

Tłumaczyliśmy mu, zgodnie z prawdą, że nie wróciła na noc do domu.

Ojciec wpadł w panikę i miotał się wszędzie jak szalony, ale znalazł ją dopiero następnego dnia rano. Wrócił do domu nieprzytomny z wściekłości, bo panna młoda spędziła prawie dwa dni wisząc głową w dół i nie była w zbyt dobrej kondycji, kiedy odcinał linę.

– Kto to zrobił? – wydzierał się na nas, ale wszyscy stali spokojnie i tylko spoglądali jedno na drugie.

Rzecz jasna, żona mu wyjaśniła:

— To Waris była przywódcą! Ona pierwsza na mnie napadła!

Tata skoczył ku mnie i zaczął mnie bić, ale wtedy rzuciła się na niego z pięściami reszta dzieci. Wiedzieliśmy, że źle jest bić ojca, lecz dla każdego z nas sytuacja była już nie do zniesienia.

Po tym zdarzeniu nowa żona taty stała się inną osobą. Daliśmy jej wymowną lekcję, a ona dobrze ją sobie przyswoiła. Domyślam się, że dwa dni wzmożonego napływu krwi do głowy odświeżyły jej mózg, dzięki czemu nabrała grzeczności i umiaru. Od tej chwili całowała moją matkę w stopy i chodziła za nią jak niewolnica: Czy mam ci coś przynieść? Czy mam ci w czymś pomóc? Nie, nie, sama to zrobię. Siądź i odpocznij.

Pomyślałam sobie: „Tu cię mam. Powinnaś była tak się zachowywać od początku, ty mała suko. Oszczędziłabyś wszystkim całego tego zamieszania". Nowa żona ojca, mimo że nawykła do surowego życia nomadów i o dwadzieścia lat młodsza od mojej matki, nie była równie twarda. Mama mogła się jej już nie obawiać.

* * *

Życie nomadów jest surowe, ale pełno w nim piękna nierozerwalnych związków z przyrodą. Matka nadała mi imię cudu natury: „waris" to nazwa pewnego szczególnego pustynnego kwiatu. Widuje się go na pustkowiach sprawiających wrażenie, że nic żywego nie jest w stanie tam przetrwać. W moim kraju zdarza się, że deszcz nie pada nawet przez rok. Kiedy jednak woda zrosi jałowy pył, pustynia pokrywa się przepysznymi żółtawopomarańczowymi kwiatami. Dlatego właśnie żółty jest moim ulubionym kolorem.

Kiedy dziewczyna ma wyjść za mąż, kobiety z jej plemienia idą na pustynię i zbierają te kwiaty. Potem suszą je, mieszają z wodą na papkę i malują nią twarz panny młodej, by miała złoty połysk. Dłonie i stopy przyozdabiane są w misterne wzory henną. Oczy, obwiedzione czarnymi kreskami z sadzy, nabierają głębi i powabu. I wszystkie te wspaniałe efekty kosmetyczne powstają za pomocą zupełnie naturalnych środków. Następnie na ciele panny młodej drapowane są chusty barwione na jaskrawe kolory: czerwony, różowy, pomarańczowy i żółty – im ich więcej, tym lepiej. Przeważnie nie mają ich wiele, bo większość rodzin cierpi straszliwą biedę, ale nikt się tego nie wstydzi. Panna młoda ma na sobie po prostu wszystkie najlepsze rzeczy, jakie mogą zgromadzić jej matka, siostry i przyjaciele. Przy tym zawsze nosi się z ostentacyjną godnością, cechującą wszystkich Somalijczyków. Gdy nadejdzie dzień ślubu, ma wyjść na spotkanie narzeczonego jako oszałamiająca piękność. Doprawdy, mało który na to zasługuje!

Przybywający na wesele członkowie plemienia przynoszą prezenty. Nie są jednak wymagane jakieś konkretne rzeczy; nikt też nie wstydzi się tego, że nie stać go na więcej. Przynosisz, co masz: matę, dzban czy trochę jedzenia na ucztę weselną. W naszej kulturze nie ma niczego w rodzaju miodowego miesiąca – po weselnej nocy następuje normalny dzień pracy, a przyniesione dary pozwalają młodej parze zacząć nowe, wspólne życie.

* * *

Poza weselami, w Somalii rzadko się świętuje. Nie ma świąt wyznaczonych sztywno przez kalendarz. Najważniejszym powodem do wspólnej radości jest deszcz po długiej suszy. W moim kraju woda występuje w tak skąpych ilościach, że każdy jest świadom jej znaczenia jako esencji życia. Nomadzi żyjący na pustyni mają wielki szacunek dla wody, każda jej kropla jest dla nas nieomal świętością. Po dziś dzień uwielbiam wodę, już sam jej widok sprawia mi ogromną przyjemność.

Bywało, że susza trwała tak długo, iż wpadaliśmy w rozpacz. Ludzie gromadzili się wtedy i błagali Boga o deszcz. Czasami to pomagało, czasami nie. Pamiętam, jak pewnego roku przez całą porę, która miała być deszczowa, nie spadła ani jedna kropla. Połowa naszych stad padła martwa, reszta była w opłakanym stanie. Matka powiedziała mi, że wszyscy zbierają się na modły w intencji deszczu. Nie wiadomo skąd, pojawiali się wciąż nowi, nie znani nam ludzie. Wszyscy modlili się, tańczyli i śpiewali, próbując podnieść się na duchu i wzbudzić w sobie radość.

Następnego dnia niebo zachmurzyło się i zaczął lać deszcz. Jak zawsze w takiej chwili, wybuchła powszechna radość. Każdy zrzucał, co miał na sobie, ludzie nurzali się w strumieniach deszczu, chlapali wodą z kałuż, zmywając kurz nagromadzony przez miesiące suszy. Potem zaczęły się tradycyjne tańce: kobiety klaskały i śpiewały, ich słodkie, niskie głosy niosły się w mroku pustyni; mężczyźni skakali, zdawało się, pod samo niebo. Wszyscy przynieśli jedzenie i w podzięce za dar życia ucztowaliśmy jak królowie.

Po ulewie sawanna zakwitła na złoto, zazieleniły się pastwiska. Zwierzęta nareszcie mogły się najeść i napić do syta, a dla ludzi nadszedł czas odpoczynku i radości. Pławiliśmy się w jeziorach utworzonych przez deszcz, wszędzie śpiewały ptaki. Nasza pustynia zmieniła się w raj.

4

Wejście w świat kobiet

Nadeszła pora obrzezania mojej starszej siostry, Aman. Tak jak wszystkie młodsze siostry, ja także bardzo jej zazdrościłam wejścia do zamkniętego dla mnie kręgu prawdziwych kobiet. Aman była nastolatką – już dawno przekroczyła przeciętny wiek obrzezania, bo dotychczas ciągle coś się z tym nie układało. Nasza rodzina, krążąc po Afryce w nie kończącym się cyklu przeprowadzek, wciąż rozmijała się ze znachorką wypełniającą ten odwieczny rytuał. W końcu ojciec ją sprowadził, żeby obrzezała obydwie starsze siostry: Halemo i Aman, ale gdy przybyli do obozu, Aman szukała właśnie wody, więc obrzezana została tylko Halemo. Ojciec bardzo się martwił, bo to Aman wkraczała w wiek zdatny do zamążpójścia, a nie było mowy o żeniaczce, zanim dziewczyna nie zostanie odpowiednio „przystosowana". W Somalii* panuje przekonanie, że między nogami dziewczyny znajduje się coś złego. Mimo że przynosimy to ze sobą na świat, to coś jest jakoby nieczyste, więc musi zostać usunięte. Wszystko. Łechtaczka, mniejsze wargi sromowe i większość warg większych. Wszyst-

---

* Zwyczaj ten jest powszechny również wśród innych czarnoskórych ludów Afryki Wschodniej i Środkowej (przyp. tłum.).

ko to się wycina, a rana jest tak zszywana; że po naszych organach płciowych pozostaje tylko blizna z niewielkim otworem, przez który uchodzi mocz i krew podczas miesiączki. Dla nas jednak szczegóły tego zabiegu pozostawały tajemnicą – nigdy ich nie wyjaśniano. Miałyśmy tylko wiedzieć, że gdy nadejdzie właściwy moment, wydarzy się coś szczególnego.

Skutkiem tego wszystkie dziewczyny w Somalli niecierpliwie oczekują tej ceremonii oznaczającej przejście ze świata dzieci do świata kobiet. Z początku odbywało się to w momencie osiągnięcia dojrzałości płciowej, co było o tyle uzasadnione, o ile dziewczyna staje się wtedy zdolna do zajścia w ciążę. Z biegiem czasu jednak obrzezaniu poddawano coraz młodsze dziewczynki. Po części dlatego, że to one same wywierały presję na rodziców w oczekiwaniu na to „szczególne wydarzenie". Oczekiwaniu, które da się porównać chyba tylko z oczekiwaniem dzieci świata Zachodu na przyjęcie urodzinowe lub wizytę Świętego Mikołaja w Boże Narodzenie.

Kiedy dowiedziałam się, że stara znachorka przybędzie, aby obrzezać Aman, zapragnęłam tego samego. Aman była wspaniałą starszą siostrą, była dla mnie wzorem, i cokolwiek ona miała lub czegokolwiek chciała, tego chciałam i ja. W dzień przed wielkim wydarzeniem szarpałam matkę za ramię i błagałam:

– Mamo, zrób mi to samo! Mamo, zróbmy to jutro!

Matka odepchnęła mnie.

– Może nie spiesz się z tym, mała!

Aman nie miała wątpliwości. Pamiętam, jak szeptała do siebie:

– Żebym tylko nie podskakiwała jak Halemo!

Byłam wtedy zbyt mała, żeby się zorientować, o co jej chodziło, a kiedy spytałam ją o to wprost, zmieniła szybko temat.

Wczesnym rankiem matka i jej znajoma wzięły ze sobą Aman i poszły na spotkanie znachorki. Jak zwykle prosiłam, żeby mnie ze sobą zabrały, i jak zwykle matka kazała mi zostać z młodszym rodzeństwem. Używając tych samych zwiadowczych technik, które zastosowałam podglądając matkę na spotkaniu z przyjaciółkami na pustyni, śledziłam je z ukrycia.

Znachorki biegłe w sztuce obrzezania cieszą się w naszej społeczności dużym poważaniem – nie tylko ze względu na to, że opanowały tę szczególną umiejętność, ale także dlatego, że żądają za swoje usługi bardzo wysokich opłat. Honorarium za obrzezanie jest jednym z największych wydatków, na jakie może być narażony budżet somalijskiej rodziny, niemniej jednak uważa się, że jest to inwestycja niezbędna. Bez niej bowiem córka nie wejdzie na małżeński rynek. Kobiety o nietkniętych obrzezaniem genitaliach uważane są za niezdolne do małżeństwa, nieczyste, i żaden prawdziwy mężczyzna nie weźmie ich poważnie pod uwagę. Tak więc znachorki – jak je nazywają – są bardzo poważanymi członkiniami naszej społeczności. Z ich ręki umiera jednak tak wiele dziewcząt, że ja nazywam je morderczyniami.

Patrzyłam zza drzewa, jak matka i jej towarzyszka posadziły Aman na ziemi, a potem chwyciły ją mocno za ramiona. Znachorka zaczęła coś robić między jej nogami i wtedy dostrzegłam, że twarz siostry kurczy się z bólu. Moja siostra była bardzo twardą, silną dziewczyną, a tu masz – aaaj!!! Uniosła nogę i zaczęła tłuc znachorkę po plecach, po czym wyrwała się kobietom i zaczęła uciekać, znacząc na piasku krwawy ślad. Pobiegły za nią. Z początku Aman mocno je wyprzedziła, ale po pewnym czasie padła bezwładnie na ziemię. Kobiety odwróciły ją na plecy i kontynuowały swoją robotę. Zrobiło mi się niedobrze, nie mogłam już na to patrzeć i uciekłam do domu.

Teraz wiedziałam coś, czego wolałabym nie wiedzieć. Nie rozumiałam, co się stało, ale przerażała mnie myśl, że i mnie to czeka. Nie mogłam wypytać o to matki, bo zobaczyłam rzeczy, których widzieć nie powinnam.

Po obrzezaniu Aman trzymana była z dala od dzieci, ale dwa dni później zaniosłam jej trochę wody. Przyklęknęłam przy niej i zapytałam:

– Jak było?

– Potwornie... – zaczęła i nie dokończyła. Nie chciała mnie straszyć wiedząc, że teraz na mnie kolej.

Od tej chwili bałam się okropnie tego, co było przecież nieuchronne. Starałam się wypchnąć z pamięci widok cierpienia siostry. W swojej naiwności zdołałam w końcu przekonać samą siebie, że chcę stać się prawdziwą kobietą i dołączyć do starszych sióstr.

Wędrował z nami zawsze pewien przyjaciel ojca, jęczący staruch, który gdy mu się naprzykrzałyśmy z młodszymi siostrami, odpędzał nas jak natrętne muchy, mówiąc:

– Idźcie precz, nieczyste dziewki! Nawet nie jesteście obrzezane!

Mówił to takim tonem, jakby sam brak obrzezania czynił obrzydliwym przebywanie w naszej obecności. Jego napaści pobudzały mnie, by zrobić w końcu to, co zamknie mu tę wstrętną gębę.

Miał on syna imieniem Jamah, na którego zagięłam parol, choć on sam ignorował mnie zupełnie, bo wypatrywał oczy za Aman. Po pewnym czasie doszłam do wniosku, że problem tkwi w tym, iż Aman była obrzezana. Zapewne wzorem ojca Jamah nie chciał się kumać z nieczystą, nieobrzezaną dziewczyną. Miałam chyba z pięć lat, kiedy poszłam do matki i zaczęłam nudzić:

– Mamo, przecież jestem kobietą. Kiedy w końcu mi to zrobisz? – Uważałam, że muszę mieć za sobą to tajemnicze przejście.

Udało się. Pewnego dnia matka powiedziała:

– Ojciec wie, gdzie spotkać znachorkę. Czekamy na nią, pojawi się lada chwila.

Wieczorem przed obrzezaniem matka poradziła mi, żebym nie piła zbyt wiele, bo będę dużo siusiać. Nie wiedziałam, o co chodzi, ale przytaknęłam. Byłam zdenerwowana, lecz chciałam mieć to już za sobą. Stałam się ośrodkiem zainteresowania całej rodziny i dostałam nawet dodatkową porcję jedzenia. Tuż przed pójściem spać matka powiedziała:

– Obudzę cię rano, jak będzie trzeba.

Nie miałam pojęcia, skąd będzie wiedziała o nadejściu znachorki, ale mama często przeczuwała, że ktoś przyjdzie lub że coś się wydarzy.

Leżałam bezsennie przez całą noc, aż nagle mama zjawiła się tuż przy mnie. Nadal było ciemno, lecz niebo przechodziło już, niemal niezauważalnie, z czerni w szarości przedświtu. Pokazała mi na migi, żebym była cicho, i wzięła mnie za rękę. Na wpół śpiąca poczłapałam za nią, wlokąc za sobą moją skromną kołderkę. Teraz wiem, dlaczego w podobnych sytuacjach dziewczynki zrywa się ze snu tak wcześnie. Rzeź ma się odbyć, zanim inni się obudzą, żeby nikt nie słyszał krzyków ofiary. Ja tymczasem, choć niespokojna, robiłam posłusznie, co mi kazano. Wyszłyśmy z chaty, by zanurzyć się w wysuszone zarośla.

– Poczekamy tutaj – powiedziała mama.

Siadłyśmy na chłodnej ziemi. Zrobiło się nieco jaśniej, lecz nadal ledwo można było odróżnić kształty. Wkrótce usłyszałam pobrzękiwanie sprzączek u sandałów znachorki. Matka zawołała ją po imieniu i dodała:

– Czy to ty?

– Tak, jestem tutaj – usłyszałyśmy, choć wciąż nikogo nie było widać.

Nagle, zupełnie nie wiem w jaki sposób, znalazła się tuż przy mnie.

– Siadaj! – popchnęła mnie na płaski kamień.

Żadnej rozmowy, nawet powitania. Żadnego tam: to może bardzo boleć, więc musisz być dzielną dziewczynką. O, nie. Morderczyni od razu przeszła do rzeczy.

Matka ułamała kawałek wystającego z ziemi korzenia, ułożyła mnie na kamieniu, potem siadła za mną, przycisnęła moją głowę do piersi i otoczyła mnie nogami. Chwyciłam jej uda, a matka włożyła mi ten patyk do ust, mówiąc:

– Przygryź to.

Zmroziło mnie przerażenie, bo nagle pojawiła się przede mną wykrzywiona cierpieniem twarz Aman.

– To będzie bolało – wymamrotałam zza korzenia.

Mama pochyliła się i szepnęła mi do ucha:

– Wiesz, że nie dam rady cię sama utrzymać, więc bądź grzeczna, dziecino. Bądź dzielna, a wszystko szybko się skończy.

Popatrzyłam między nogi i zobaczyłam, jak znachorka szykuje się do roboty. Wyglądała jak zwyczajna somalijska staruszka – barwny zawój wokół głowy, jasna bawełniana suknia – ale na jej twarzy nie było nawet cienia uśmiechu. Patrząc na mnie tępym wzrokiem, sięgnęła do torby zrobionej z kawałka starego sukna. Śledziłam jej ruchy, bo bardzo byłam ciekawa, czym będzie mnie ciąć. Spodziewałam się jakiegoś wielkiego noża, ale ona wyciągnęła mały płócienny woreczek, wyłowiła z niego złamaną żyletkę i zaczęła ją dokładnie oglądać. Słońce było jeszcze pod horyzontem. Wokół nas pojawiały się już kolory i choć szczegóły obrazu były rozmazane, na wyszczerbionym ostrzu dostrzegłam zaschniętą krew. Znachorka splunęła na żyletkę i zaczęła ją wycierać o suknię. W tym momencie zrobiło mi się ciemno przed oczami – to matka przesłoniła mi je szarfą.

A potem dowiedziałam się, jak to jest, gdy ci wycinają część ciała. Słyszałam odgłosy tępego narzędzia rżnącego w tę i nazad moją własną skórę. Kiedy to sobie przypomnę, wprost nie mogę uwierzyć, że sama to przeżyłam. Zupełnie jakby chodziło o kogoś innego. Nie da się tego opisać słowami żadnego języka. To tak, jakby ci ktoś obcinał na żywca rękę albo nogę, tyle że ta ręka czy noga jest najbardziej czułą częścią twojego ciała. Mimo to nawet nie drgnęłam, bo pamiętałam o Aman i wiedziałam, że nie ma odwrotu. No i chciałam, żeby mama była ze mnie dumna. Siedziałam jak skamieniała, wmawiając sobie, że im mniej się będę ruszać, tym krócej to będzie trwało. W końcu jednak nogi przestały mnie słuchać i zadrgały niepokojąco. Zaczęłam prosić Boga, żeby się to wszystko skończyło. Wysłuchał mnie – zemdlałam.

Kiedy odzyskałam przytomność, zdawało mi się, że już po wszystkim, ale najgorsze miało dopiero nadejść. Opaska spadła mi z oczu i zobaczyłam, że morderczyni zgromadziła przy sobie mnóstwo kolców z rosnącej w pobliżu akacji. Przekłuwała nimi to, co pozostało po zabiegu, a potem przeciągała przez dziury grubą, białą nić. Nogi miałam zupełnie odrętwiałe, ale płonący między nimi ból był tak silny, że chciałam umrzeć. W pewnym momencie doznałam uczucia, jakbym uniosła się nad ziemię. Ból został gdzieś pode mną: fruwałam ponad tą przerażającą sceną, obserwując kobietę zszywającą moje zmaltretowane ciało tulone przez biedną matkę. I wtedy poczułam niesamowity spokój – nic mnie już nie bolało i niczego się nie bałam.

Gdy otworzyłam oczy, tej strasznej kobiety już nie było. Chyba mnie przesunęły, bo leżałam na ziemi, obok kamienia. Moje nogi od kostek aż po biodra były związane szmatami tak, że nie mogłam się ruszyć. Rozejrzałam się, szukając matki, ale sobie poszła, więc leżałam samotnie, czekając, co będzie dalej. Obróciłam głowę w stronę kamienia: był zbryzgany krwią, jakby zarżnięto właśnie jakieś bydlę. Moje ciało, moja płeć, leżało tam, wysychając w słońcu.

Leżałam, patrząc na wznoszące się powoli słońce. Wokół nie było śladu cienia i fale żaru biły mi w twarz, dopóki nie przyszły matka z siostrą. Odciągnęły mnie w chłód i kończyły w milczeniu przygotowanie mojego legowiska. To także należało do tradycji: pod drzewem trzeba było zrobić chatkę, gdzie mogłabym odpoczywać i goić swe rany z dala od innych ludzi. Kiedy mama i Aman skończyły pracę, wciągnęły mnie do środka.

Byłam przekonana, że to już koniec cierpień – dopóki nie zachciało mi się sikać. Dopiero wtedy zrozumiałam radę mamy, żebym za dużo nie piła. Po długich godzinach wyczekiwania w napięciu należało mi się wyjście na stronę, alc byłam przecież skrępowana aż do pasa. Mama ostrzegała mnie, żebym nie chodziła, bo wtedy rany się otworzą i trzeba mnie będzie zszywać od nowa. Wierzcie mi, była to ostatnia rzecz, jakiej bym pragnęła.

– Chcę siku – zawołałam do siostry.

Jej mina powiedziała mi, że to nie jest dobry pomysł. Podeszła, obróciła mnie na bok i wydłubała dołek w piasku.

– Do dzieła – powiedziała.

Kiedy wydusiłam z siebie pierwszą kroplę, poczułam, jakby ktoś polewał mi ciało kwasem. Po znachorskim szyciu pozostał tylko maleńki otwór, wielkości łebka od zapałki. Chodzi o to, żeby przyszły mąż miał pewność, że nowo poślubiona żona nie zażywała seksu, zanim on jej nie dotknął. Skutkiem tego mój mocz zbierał się w świeżej ranie i dopiero potem ściekał po udach cienkim strumyczkiem. Zaczęłam wyć. Nie pisnęłam nawet, gdy morderczyni cięła mnie na strzępy, ale teraz zabolało mnie tak strasznie, że nie wytrzymałam.

Wieczorem matka i Aman wróciły do reszty rodziny, zostałam więc znowu sama. Nie bałam się jednak lwów ani węży, mimo że leżałam zupełnie bezbronna. Od chwili, gdy poszybowałam ponad własne ciało i zobaczyłam staruchę zszywającą moją ranę, nie bałam się niczego. Leżałam na ziemi jak kłoda, obojętna na ból i lęk, było mi wszystko jedno, czy umrę, czy będę żyła. Nie przejmowałam się tym, że inni śmieją się przy ognisku, podczas gdy ja leżę sama w ciemnościach.

Dni w chatce wlokły się jeden za drugim. W ranach rozwinęło się zakażenie i dostałam tak wysokiej gorączki, że na przemian traciłam i odzyskiwałam przytomność. Bojąc się tortury oddawania moczu, zaczęłam unikać picia i wstrzymywałam się z sikaniem do ostatniej chwili. Mama szybko to odkryła i wytłumaczyła mi:

– Kochanie, jeżeli nie będziesz siusiać, umrzesz.

Trzeba więc było przyzwyczaić się do nowej sytuacji. Gdy czułam, że mój pęcherz jest pełny, a nikogo nie było w pobliżu, odpełzałam z posłania, przewracałam się na bok i czekałam na znany mi już przeszywający ból. W końcu zakażenie osiągnęło takie rozmiary, że nie byłam w stanie oddawać moczu. Przez następne dwa tygodnie mama przynosiła mi jedzenie, inne niż przedtem, a ja czekałam, aż rana się zagoi. Wstrząsana gorączką, znudzona do granic wytrzymałości, zadawałam sobie tylko jedno pytanie: po co to wszystko? W tym wieku nie miałam pojęcia o seksie. Wiedziałam tylko, że zaszlachtowano mnie z przyzwoleniem matki. Nie mogłam zrozumieć, po co.

Wreszcie mama zabrała mnie do domu; nogi miałam jednak nadal skrępowane. Pierwszego wieczora w rodzinnej chacie ojciec zapytał mnie:

– No i jak się czujesz?

Zapewne chodziło mu o nowy dla mnie stan kobiecości, ale ja myślałam wtedy jedynie o bólu w kroczu. Uśmiechnęłam się tylko i milczałam. Miałam zaledwie pięć lat – czy mogłam wiedzieć, co to znaczy być kobietą? Dowiedziałam się wszakże, co to znaczy być afrykańską kobietą. Znaczyło to cierpieć w milczeniu, biernie i bezradnie, jak dziecko.

Moje nogi pozostały skrępowane w sumie ponad miesiąc. Matka ciągle napominała mnie, że nie ma mowy o żadnych biegach i skokach, więc tylko ostrożnie kicałam. Ponieważ zawsze rozpierała mnie dzika energia – biegałam jak gepard, niczym małpa wspinałam się na drzewa i skały – bezczynne patrzenie na bawiące się normalnie rodzeństwo było dla mnie dodatkową udręką. Myśl, że trzeba będzie przejść od nowa przez potworności szycia, tak mnie jednak paraliżowała, że bałam się ruszyć choćby o cal. Raz na tydzień mama sprawdzała, czy rany dobrze się goją. Kiedy wreszcie usunięto mi więzy, spojrzałam między uda, ciekawa, co tam zostało. Odkryłam gładki kawałek skóry przecięty blizną podobną do suwaka.

I ten suwak był bez wątpienia zasunięty. Moje genitalia były zamknięte murem nie do przebycia – aż do weselnej nocy, gdy małżonek znajdzie sobie drogę do mojego wnętrza nożem lub w jakiś inny, równie brutalny sposób.

Odkąd odzyskałam zdolność chodzenia, czułam, że muszę zrobić pewną rzecz. Myślałam o tym każdego dnia od chwili, gdy szlachtowała mnie starucha, przez cały czas, gdy leżałam bezwładnie jak kłoda. Wróciłam do kamienia, na którym została spełniona moja ofiara, i próbowałam odnaleźć to, co utraciłam. Nic jednak nie zostało. Pewnie zeżarły to hieny albo inne ścierwojady, ogniwa wiecznego cyklu narodzin i śmierci. Był to dość oczywisty dowód bezwzględności reguł rządzących naszą pustynną egzystencją.

Chociaż z powodu obrzezania bardzo się nacierpiałam, to i tak miałam szczęście, bo wiele dziewcząt spotkał los znacznie gorszy. Przemierzając przestrzenie Somalii, spotykaliśmy po wielekroć inne rodziny i bawiłam się wtedy z ich córkami. Często zdarzało się, że przy kolejnej okazji nie mogłam odnaleźć znanej mi twarzy. Nikt nigdy nie mówił, dlaczego te dziewczynki znikały, w ogóle nie padało na ich temat żadne słowo. A były to właśnie ofiary bezsensownego okaleczenia – umierały na skutek utraty krwi, w wyniku zakażenia, z powodu tężca. Biorąc pod uwagę warunki, w jakich zabieg był wykonywany, trudno się temu dziwić. Dziwne było raczej to, że niektóre z nas pozostawały przy życiu.

Ledwo pamiętam moją starszą siostrę Halemo. Miałam pewnie ze trzy lata, kiedy nagle zniknęła. Nie mogłam zrozumieć, dlaczego tak się stało. Potem dowiedziałam się, że wykrwawiła się na śmierć po „szczególnym wydarzeniu".

Kiedy miałam jakieś dziesięć lat, usłyszałam historię młodszej kuzynki. Obrzezano ją w wieku lat sześciu. Odbyło się to jak zwykle: została porżnięta przez jakąś babę, po czym znalazła się w osobnej chatce, żeby dojść do siebie. Wkrótce jednak jej „interes" – jak to określił brat dziewczynki, który nam to opowiadał – zaczął puchnąć i w chatce zapanował smród nie do wytrzymania. Wysłuchałam całej historii, ale nie bardzo w nią wierzyłam. No bo dlaczego miało coś śmierdzieć, skoro nic takiego nie zdarzyło się ani mnie, ani Aman? Teraz wiem, że kuzyn nie kłamał. W wyniku robionej chyłkiem w krzakach operacji doszło zapewne do zakażenia rany gangreną*. Kiedy matka kuzynki przyszła sprawdzić, jak córka się czuje po kolejnej spędzonej samotnie nocy, zastała sine i sztywne zwłoki. W tym wypadku to nie ścierwojady, ale rodzina pogrzebała dowody zbrodni.

---

* Nazwa fachowa: zgorzel gazowa; rozwija się najczęściej w ranach zabrudzonych ziemią. Zapachu zgorzeli nie da się porównać z niczym innym (przyp. tłum.).

5

Kontrakt małżeński

Pewnego poranka obudziła mnie czyjaś rozmowa. Podniosłam się z maty, ale nic nie zobaczyłam, postanowiłam się więc rozejrzeć. Poszłam za głosami niosącymi się w nieruchomym porannym powietrzu. Pół mili od obozu zobaczyłam matkę i ojca, jak machali jakimś ludziom na pożegnanie.

– Kto to był, mamo? – zapytałam, wskazując palcem plecy drobnej kobiety z zawojem wokół głowy.

– Och, to twoja przyjaciółka, Shukrin.

– Czy jej rodzina się wyprowadza?

– Nie, to ona wyszła za mąż – odpowiedziała matka.

Wpatrywałam się zdumiona w znikające sylwetki. Miałam około trzynastu lat, Shukrin była ode mnie tylko niewiele starsza, a tymczasem – nie do wiary! – wyszła za mąż.

– Za kogo? – spytałam, ale nikt mi nie odpowiedział, bo to przecież nie moja sprawa. Powtórzyłam pytanie, ale skutek był taki sam.

– Czy odeszła na zawsze z mężczyzną, za którego ją wydali? – przestraszyłam się, że już jej nigdy nie zobaczę.

– Nie przejmuj się, teraz twoja kolej – drwiąco odpowiedział ojciec.

Rodzice odeszli w stronę chaty, a ja wciąż nie mogłam pogodzić się z zasłyszaną nowiną. Shukrin wyszła za mąż! Za mąż! Małżeństwo – bez przerwy słyszałam to słowo, ale aż do tego poranka nie zastanawiałam się, co ono naprawdę oznacza. Jak większość somalijskich dziewcząt, nigdy nie myślałam ani o małżeństwie, ani o seksie. W naszej rodzinie – w całym naszym kręgu kulturowym – nikt nigdy o tym nie mówił. Chłopców uważałam za rywali, których należy pokonać w wyścigu o lepsze pastwisko i wodę albo podczas zabawy. Jedynymi uwagami na temat seksu były ostrzeżenia w rodzaju: Nie zadawaj się z nikim, dopóki nie wyjdziesz za mąż, masz być dziewicą. Każda dziewczyna wiedziała, że ma wyjść za mąż jako dziewica i że będzie miała tylko jednego męża. I basta – takie było jej przeznaczenie.

Ojciec mawiał często: „Jesteście moimi królewnami". Uważał się za wielkiego szczęściarza, bo jego córki były najpiękniejsze w okolicy. „Jesteście królewnami i żaden facet nie ma prawa spoufalać się z wami. Jakby co, dajcie mi zaraz znać. Będę was chronił, choćbym miał to przypłacić życiem".

No i nieraz miał okazję, żeby nas bronić. Kiedyś Aman poszła ze stadem daleko od obozowiska i przyczepił się do niej jakiś obcy mężczyzna. Nagabywał ją uparcie, mimo że powtarzała po kilka razy:

– Odczep się. Nie podobasz mi się.

Kiedy zorientował się, że samym urokiem nic nie zdziała, zaczął ją szarpać. To był jednak gruby błąd, bo Aman nie jest chucherkiem – ma sześć stóp wzrostu i siłę mężczyzny. Potłukła go okropnie, potem wróciła do domu i opowiedziała o całym zdarzeniu ojcu. Ten zaraz wyszedł, odszukał biednego głupka i dołożył mu jeszcze od siebie. Nikt nie miał prawa zadawać się z córkami taty bez jego zezwolenia.

Pewnej nocy obudził mnie przeraźliwy krzyk Fawzii, młodszej siostry. Jak zwykle spaliśmy pod gwiazdami, ale ona położyła się sama po drugiej stronie ogniska. Siadłam natychmiast i zobaczyłam cień człowieka uciekającego z naszego obozowiska.

Fawzija jeszcze nie skończyła się drzeć, a ojciec już biegł za intruzem. Podeszliśmy do niej – dotykała z obrzydzeniem swoich ud pomazanych lepką, białą cieczą. Napastnik uciekł, zostawiając tylko ślady sandałów koło legowiska siostry. Ojciec domyślał się, kto to był, ale nie miał co do tego pewności.

Jakiś czas później tata pojechał po wodę do miejscowej studni. W Somalii jest to zazwyczaj wielki dół, który kopie się tak długo, aż pojawi się woda podskórna. Nieraz trzeba kopać nawet na głębokość trzydziestu metrów. Z czasem wody zbiera się w takiej studni coraz mniej i wtedy dochodzi do przepychanek, bo każdy się boi, że nie zdąży napoić swojego stada. Ojciec stał właśnie w błocie na dnie studni i napełniał bukłaki, gdy pojawił się ów osobnik podejrzany o napastowanie Fawzii. Nie mógł doczekać się swojej kolejki i zaczął drzeć się na ojca:

– Hej, rusz się! Też potrzebuję wody!

Ojciec odpowiedział mu, żeby zszedł na dół i wziął sobie, ile chce. Tamten nie tracąc czasu zsunął się po zboczu, raz–dwa napełnił swoje wory i właśnie zabierał się z powrotem, kiedy ojciec zobaczył odciski jego sandałów w błocie.

– To byłeś ty, no nie? – krzyknął tata, chwyciwszy go za ramię. – Ty zboczony bydlaku, napadłeś na moją córkę! – Zaczął go tłuc jak psa.

Ten jednak wyciągnął nóż – długi, morderczy afrykański sztylet z wyrytymi na ostrzu ornamentami – i dźgnął ojca kilka razy w klatkę piersiową. Tata wytrącił mu nóż z ręki, po czym wyciągnął własny i sam zadał kilka ciosów. W efekcie obaj padli poważnie ranni. Ojciec ledwo wypełznął z dołu, wrócił do domu na ostatnich nogach, cały zalany krwią. Wydobrzał dopiero po długim czasie, a ja zdałam sobie sprawę, że nie rzucał słów na wiatr – naprawdę był gotów umrzeć w obronie czci mojej siostry.

Ojciec często sobie z nas żartował:

– Jesteście moimi królewnami, skarbami. Trzymam was pod kluczem.

Kiedy pytałam:

– A gdzie ten klucz, tato? – śmiał się jak szalony i odpowiadał:

– Wyrzuciłem go precz!

– No dobrze, ale jak się wydostaniemy? – pytałam dalej, a wszyscy się śmiali.

– Nie twoje zmartwienie, kochana. To ja zdecyduję, czy już na to pora.

Jego żart dotyczył każdej z nas: od najstarszej Aman aż po najmłodszego oseska. Tak naprawdę jednak ojciec wcale nie żartował. Bez jego pozwolenia nikt nie miał dostępu do nas. I nie chodziło wcale o to, żeby oszczędzić nam przykrości związanych z nie chcianymi zalotami. Dziewice to bardzo pokupny towar na afrykańskim rynku małżeńskim, co jest zresztą prawdziwą przyczyną praktyki obrzezywania kobiet. Wydając za mąż dziewicę, ojciec mógł oczekiwać hojnej zapłaty. Na pozbycie się z domu córki zbrukanej seksem z obcym mężczyzną nie było natomiast żadnej szansy. Oczywiście wszystko to niewiele mnie obchodziło – byłam małą dziewczynką, nie miałam pojęcia o seksie i małżeństwie.

Nie obchodziło mnie to do czasu, gdy dowiedziałam się o małżeństwie Shukrin. Parę dni potem ojciec wrócił do domu późnym wieczorem. Usłyszałam, jak woła:

– Hej, gdzie jest Waris?

– Tu jestem, tato! – odkrzyknęłam.

– Przyjdź tu – poprosił łagodnym tonem.

Zazwyczaj był obcesowy i agresywny, więc domyśliłam się, że czegoś ode mnie chce. Pomyślałam, że chodzi mu o jakieś dodatkowe prace przy zwierzętach, poszukiwanie wody, żywności albo jakieś inne domowe zajęcie. Stałam więc w miejscu, zastanawiając się, cóż on zamierza.

– No chodź, chodź, chodź – przywoływał mnie zniecierpliwiony.

Podeszłam powoli, obserwując go spode łba. Tato wziął mnie za rękę i posadził na kolanie.

– Wiesz, jesteś wspaniała – zaczął, a ja już wiedziałam, że to coś poważniejszego. – Naprawdę jesteś wspaniała, lepsza niż chłopak, znaczysz dla mnie więcej niż syn.

Nigdy przedtem nie słyszałam takich pochwał.

– Hmmm – zamruczałam w odpowiedzi, głowiąc się, skąd te awanse.

– Cenię cię bardziej niż syna; pracujesz jak dorosły mężczyzna, świetnie radzisz sobie ze zwierzętami. Chcę, żebyś wiedziała, że bardzo mi cię będzie brakowało.

Słuchając tego, odniosłam wrażenie, że boi się, iż ucieknę z domu jak Aman, która zrobiła to, kiedy tata zaczął starać się dla niej o męża. Pewnie bał się, że odejdę, a on i mama zostaną z całą robotą na głowie.

Ogarnęła mnie fala czułości, przytuliłam się do niego, czując wyrzuty sumienia w związku z moją podejrzliwością:

– Och, tato, nigdy nie odejdę!

Odsunął się i wlepił we mnie spojrzenie. Tym samym słodkim, łagodnym tonem powiedział:

– Tak, kochanie, opuścisz nas.

– A niby dlaczego? Nigdzie się nie wybieram. Zostaję z tobą i mamą.

– Odejdziesz. Znalazłem ci męża.

– Nie, tato, nie! – zerwałam się, a on próbował mnie przytrzymać za ramię. – Nie chcę was opuszczać! Nie chcę odchodzić z domu, chcę zostać z tobą i mamą!

– Ćśśś... cicho, wszystko będzie dobrze. Znalazłem ci naprawdę świetnego męża.

– Kto to? – spytałam zaciekawiona.

– Niebawem go poznasz.

Choć ze wszystkich sił starałam się do tego nie dopuścić, oczy zaszły mi łzami. Zaczęłam wygrażać ojcu, wrzeszcząc:

– Nie chcę wychodzić za mąż!

– No dobra, posłuchaj, Waris... – Ojciec schylił się, podniósł z ziemi kamyk, po czym schował ręce za plecy i przerzucał go z dłoni do dłoni. Następnie wyciągnął przed siebie zaciśnięte pięści i powiedział: – Zgaduj, gdzie jest kamień. Jeśli zgadniesz, zrobisz, co każę, i do końca życia będziesz szczęśliwa. Jeśli nie zgadniesz, twoje dni wypełni smutek, bo wyklnę cię z rodziny.

Patrzyłam na niego i zastanawiałam się, co będzie, jeśli wskażę niewłaściwą pięść. Czy umrę? Po chwili wahania dotknęłam jego lewej dłoni. Była pusta.

– Obawiam się, że nie postąpię tak, jak chcesz – wymamrotałam ze smutkiem.

– Możemy to powtórzyć – powiedział z nadzieją tata.

Pokręciłam głową.

– Nie, tato. Nie wyjdę za mąż.

– Ale to dobry człowiek! – wrzasnął ojciec. – Zaufaj mi. Gdy tylko na kogoś spojrzę, od razu wiem, czy to dobry człowiek. Masz robić to, co ci każę!

Stałam ze zwieszonymi bezradnie ramionami; było mi niedobrze, bałam się, ale potrząsałam przecząco głową.

Ojciec cisnął kamieniem w ciemność i krzyknął:

– No to wiedz, że będzie ci się teraz żyło ciężko!

– No i dobrze, przyzwyczaję się! – odpowiedziałam hardo, a ojciec trzasnął mnie w twarz na odlew, bo przecież nie wolno odszczekiwać starszym.

Zdałam sobie sprawę, że teraz to rzeczywiście będzie mnie musiał szybko wydać, i to nie tylko ze względu na tradycję, ale przede wszystkim z powodu mojego zachowania. Wyrastałam na buntowniczkę, bezczelną i nieustraszoną, a przecież żaden afrykański mężczyzna nie zechce ożenić się z kobietą, z którą będzie musiał walczyć o przywództwo.

Następnego dnia rano popędziłam, jak zwykle, moje stado na pastwisko. Myśl o małżeństwie nie dawała mi spokoju. Zastanawiałam się, jak by tu przekonać ojca, żeby pozwolił mi zostać w domu, ale wiedziałam, że nie mam szans. Próbowałam domyślić się, kogo mi znalazł. Dotychczas interesowałam się tylko Jamahem, synem przyjaciela ojca. Często go widywałam, bo nasze rodziny wiele razem podróżowały. Jamah był znacznie starszy ode mnie, wydawał się całkiem do rzeczy i nie był jeszcze żonaty. Mój ojciec kochał go jak własnego syna, uważał też, że Jamah jest dobrym synem dla swojego ojca. Najbardziej jednak pociągało mnie to, że ciągle wypatrywał oczy za Aman i na mnie wcale nie zwracał uwagi. Byłam dla niego tylko małą dziewczynką – nie to, co Aman, prawdziwa kobieta, godna pożądania. Kiedy mówiłam Aman, że Jamah ją lubi, machała tylko ręką z lekceważeniem. Nigdy nawet na niego nie spojrzała, bo wiedziała, czym pachnie życie koczowniczej rodziny, i nie chciała wydać się za człowieka pokroju naszego ojca. Opowiadała zawsze, że wyjedzie do miasta i poślubi bogacza. Kiedy ojciec zaczął ją swatać z którymś ze swoich kumpli – nomadów, uciekła w poszukiwaniu marzeń o wielkim mieście i słuch po niej zaginął.

Przez cały dzień spędzony na pastwisku próbowałam przekonać samą siebie do myśli, że małżeństwo nie jest takie złe: widziałam już siebie u boku Jamaha, jak żyjemy tak samo jak moi rodzice. Kiedy słońce zaczęło zachodzić, wróciłam z moją trzódką do domu. Młodsza siostra wyszła mi na spotkanie i oznajmiła:

– Tato kogoś przyprowadził i chyba czekają na ciebie. – Była zazdrosna o to nagłe zainteresowanie moją osobą, myśląc, że opuści ją jakaś warta zachodu okazja.

Aż się zatrzęsłam ze złości. Było oczywiste, że ojciec robi swoje, nie zawracając sobie głowy moim sprzeciwem.

– Gdzie oni są? – spytałam, a kiedy siostra wskazała kierunek, poszłam w przeciwną stronę.

– Waris, oni na ciebie czekają! – krzyknęła za mną.

– Zamknij się i daj mi spokój! – odpowiedziałam, po czym zapędziłam kozy do zagrody i wzięłam się do wieczornego dojenia.

Kiedy byłam w połowie roboty, usłyszałam, że woła mnie ojciec.

– Tak, tato, już idę.

Przerażona tkwiłam w miejscu, ale wiedziałam, że nie ma sensu powstrzymywać tego, co nieuniknione. Miałam cichą nadzieję, że ojciec czeka tam z Jamahem, już nawet widziałam jego gładką buzię. Zamknęłam oczy i poszłam w stronę męskich głosów. „Proszę Cię, żeby to był Jamah..." – modliłam się. Jamah był dla mnie jedynym ratunkiem przed wizją opuszczenia domu z kimś zupełnie obcym.

Wreszcie otworzyłam oczy, by ujrzeć krwawą purpurę nieba, słońce chowające się za horyzont. Wtem zobaczyłam przed sobą sylwetki dwóch mężczyzn.

– Ooo, jesteś. Podejdź tu, kochanie. To jest pan... – nie usłyszałam nic więcej z tego, co powiedział ojciec. Wpatrywałam się osłupiała w nieznanego mężczyznę opartego na lasce. Miał około sześćdziesiątki i nosił długą, siwą brodę. W końcu dotarł do mnie głos ojca: – Waris, przywitaj się z panem Galool.

– Witaj – powiedziałam najbardziej lodowatym tonem, na jaki mnie było stać.

Musiałam mu okazać szacunek, ale nikt nie mógł mnie zmusić do tego, żebym skakała z radości. Stary głupiec wsparty na swojej ladzie, szczerzył do mnie zęby, ale nie odezwał się nawet słowem. Pewnie nie wiedział, co powiedzieć przerażonej dziewczynce, którą miał poślubić. Nie mogłam znieść jego widoku, więc zwiesiłam głowę i wbiłam wzrok w ziemię.

– No, Waris, nie wstydź się – powiedział ojciec.

Spojrzałam na niego. Kiedy zobaczył moją twarz, zorientował się, że jedyny sposób, żeby nie wystraszyć potencjalnego pana młodego, to dalej udawać, że się go wstydzę.

– No dobrze, idź i skończ obrządzać zwierzęta – polecił i obrócił się do pana Galool, usprawiedliwiając mnie: – To taka skromna, cicha dziewczynka.

Nie zwlekałam ani chwili i wróciłam do moich kóz.

Przez cały wieczór myślałam, jak będzie wyglądało moje życie jako pani Galool. Nigdy nie zdarzyło mi się przebywać z dala od rodziców, a zwłaszcza z kimś, kogo wcale nie znałam. Trudno mi było to sobie wyobrazić. Całe szczęście, że jako naiwnej trzynastolatce nie przychodziło mi do głowy, iż trzeba też będzie współżyć z nim seksualnie. Żeby zapomnieć o dylematach małżeństwa, sprałam młodszego brata.

Wczesnym rankiem ojciec zawołał mnie i zapytał:
– Czy wiesz, kto to był?
– Domyślam się.
– To twój przyszły mąż.
– Ależ tato, on jest taki stary! – ciągle nie mogłam uwierzyć, że aż tak mało dla niego znaczę, iż gotów jest wydać mnie za tego starucha.
– I to jest właśnie najlepsze, kochanie! Jest zbyt stary na skok w bok i na to, by sprowadzać sobie do domu nowe żony. Nie opuści cię, będzie dbał tylko o ciebie. A poza tym... – tu ojciec wyszczerzył zęby w uśmiechu – ...czy wiesz, ile mi za ciebie zapłaci?
– Ile? – spytałam krótko.
– Pięć wielbłądów! Daje mi pięć wielbłądów!!! – Tata klepnął mnie w plecy i dodał: – Jestem z ciebie dumny.
Oderwawszy od niego wzrok, patrzyłam, jak złote promyki wschodzącego słońca ożywiają pustynny krajobraz. Zamknęłam oczy i poczułam ich ciepło na policzkach. Wróciłam myślami do minionej bezsennej nocy, kiedy leżałam bezpieczna, otoczona rodziną, patrzyłam na gwiazdy i ważyłam swoją decyzję. Wiedziałam, że jeśli postawię na swoim i nie wyjdę za tego starca, nie skończy się na tym. Ojciec znajdzie mi nowego kandydata, potem kolejnego i tak dalej, bo koniecznie chce się mnie pozbyć i zdobyć te swoje wielbłądy. Kiwnęłam głową.
– Dobrze, ojcze, chyba muszę wracać do zwierząt.
Tata spojrzał na mnie zadowolony, a ja wyczytałam w jego myślach: ejże, poszło łatwiej, niż się spodziewałem.
Kiedy patrzyłam na brykające kozy, wiedziałam, że zajmuję się nimi po raz ostatni. Wyobraziłam sobie swoje życie z tym starcem: sami we dwoje gdzieś na pustyni; ja odwalam całą robotę, a on tylko kuśtyka o lasce. Potem, po jego śmierci, żyję samotnie albo – jeszcze lepiej – nie sama, tylko z czwórką lub piątką jego bachorów. Trzeba wam bowiem wiedzieć, że w Somalii wdowy nie wychodzą powtórnie za mąż. I postanowiłam:

takie życie to nie dla mnie. Kiedy wróciłam wieczorem do domu, matka spytała, czy coś mi się stało.

– Widziałaś tego człowieka? – odparłam.

Nie musiała mnie pytać, o kogo chodzi.

– Tak, przy innej okazji.

Bojąc się, że usłyszy mnie ojciec, gorączkowo szeptałam matce na ucho:

– Mamo, ja nie chcę wyjść za niego!

Wzruszyła ramionami.

– No cóż, kochanie, to nie zależy ode mnie. Co mogę zrobić? Ojciec już postanowił.

Wiedziałam, że jutro albo pojutrze przyjdzie po mnie mój małżonek, prowadząc ze sobą pięć wielbłądów. Musiałam uciekać, zanim będzie za późno.

Czekałam, aż wszyscy zasną. Kiedy zabrzmiało znajome chrapanie ojca, wstałam i podeszłam do matki, która nadal siedziała przy ognisku.

– Mamo – wyszeptałam – nie wyjdę za niego. Ucieknę.

– Ciiicho, dziecko! Dokąd? Dokąd pójdziesz?

– Odszukam ciocię w Mogadiszu.

– A wiesz, gdzie ona jest? Bo ja nie wiem.

– Nie martw się, znajdę ją.

– No dobrze, ale teraz jest za ciemno – próbowała powstrzymać przeznaczenie rozsądkiem.

– Teraz nie, rano – szepnęłam. – Obudź mnie przed wschodem słońca. Potrzebowałam jej pomocy, bo musiałam wyspać się przed drogą, a sama nie obudziłabym się, zanim wstanie ojciec.

– Nie – potrząsnęła głową – to zbyt niebezpieczne.

– Mamo! – błagałam. – Nie będę jego żoną, sama spróbuj nią być! Proszę! Wrócę po ciebie, wiesz, że tak będzie.

– Idź spać. – Popatrzyła na mnie surowym wzrokiem, który mówił, że dyskusja skończona.

Zostawiłam skonaną matkę patrzącą w ogień i wcisnęłam się w kłębowisko rąk i nóg moich braci i sióstr, żeby się ogrzać.

Poczułam przez sen, że matka trąca mnie w ramię. Klęczała koło mnie na ziemi.

– Idź teraz.

Natychmiast otrzeźwiałam i przez moment ogarnął mnie mdlący lęk przed tym, co postanowiłam. Wyślizgnęłam się ostrożnie spośród rozgrzanych ciał i upewniłam się, że ojciec śpi głęboko na posterunku strażnika rodziny. Chrapał sobie w najlepsze. Wyszłam z matką przed chatę, trzęsąc się z zimna.

– Dziękuję, mamo, że mnie obudziłaś.

W szarości przedświtu próbowałam dojrzeć jej twarz, starałam się zapamiętać jej rysy, bo wiedziałam, że zanim się znów zobaczymy, upłynie bardzo dużo czasu. Chciałam wyglądać na twardą i zdecydowaną dziewczynę, ale łzy same płynęły mi z oczu i przytuliłam się do niej z całej siły.

– Idź, idź, zanim on się obudzi – wyszeptała łagodnie w moje ucho. Poczułam, jak otaczają mnie jej ramiona. – Uda ci się, nie martw się. Tylko uważaj na siebie! Uważaj! – Rozluźniła uścisk. – Ale, Waris... proszę cię o jedno. Nie zapomnij o mnie.

– Nie zapomnę. – Oderwałam się od mamy i popędziłam w ciemność.

6

W drodze

Ujechaliśmy ledwie parę kilometrów, kiedy elegant zatrzymał mercedesa i powiedział:
– Obawiam się, że dalej nie będę mógł cię podwieźć. Zostaniesz tutaj i pewnie złapiesz następną okazję.
– Uuuuh... – Ta wiadomość bardzo mnie rozczarowała. Po wyścigu z ojcem, marszu przez pustynię, sam na sam z lwem, biczowaniu przez pastucha i przygodzie w ciężarówce spotkanie dżentelmena w mercedesie było pierwszym miłym wydarzeniem od chwili, gdy opuściłam rodzinny dom.
– Szczęśliwej podróży – rzucił jeszcze przez otwarte okno i pomachał mi, pokazując znowu lśniące białe zęby.
Stałam w palącym słońcu na zakurzonym poboczu szosy i też machnęłam ręką, ale bez entuzjazmu. Samochód szybko się rozmył w drgających falach rozżarzonego powietrza, a ja poczłapałam dalej, wątpiąc, czy kiedykolwiek dotrę do Mogadiszu. Tego dnia zatrzymałam jeszcze kilka samochodów, ale przejechałam nimi niewiele drogi. Chyba więcej przeszłam.
Kiedy słońce chyliło się ku zachodowi, zatrzymała się przede mną na poboczu wielka ciężarówka. Patrzyłam na jej czerwone światła i drżałam na myśl o wspomnieniach z poprzedniej nocy. Stałam tak i zastanawiałam się, a kierowca odwrócił się i patrzył

na mnie. Przestraszyłam się, że zaraz odjedzie, i już bez dalszych namysłów podbiegłam do kabiny. Wspięłam się i otworzyłam drzwi.

– Dokąd jedziesz? – zapytał kierowca. – Bo ja tylko do Galcaio.

Nie wiedziałam, że znalazłam się tak blisko miasta, gdzie mieszkał mój bogaty wuj Ahmed. Kiedy kierowca wymienił nazwę Galcaio, wpadłam na świetny pomysł: przecież zamiast błąkać się po całej Somalii, usiłując dotrzeć do Mogadiszu, mogę zostać u wuja. Poza tym miałam z nim pewne sprawy do załatwienia – nie dostałam jeszcze butów za pasienie jego kóz. Już widziałam, jak ucztuję i śpię w pięknym domu, zamiast kulić się głodna pod jakimś drzewem. Aż się uśmiechnęłam do swoich marzeń i skwapliwie odpowiedziałam:

– Ja też do Galcaio.

Ciężarówka składała się z ciągnika siodłowego z ogromną naczepą załadowaną żywnością: były tam żółte sterty kaczanów kukurydzy, worki ryżu i cukru. Na ich widok jeszcze bardziej zachciało mi się jeść.

Kierowca miał około czterdziestki i straszny był z niego flirciarz. Cały czas coś gadał, a ja – choć starałam się być miła – siedziałam sztywna ze strachu. Ostatnia rzecz, jakiej chciałam, to sprawić wrażenie, że nie mam nic przeciw temu, żeby się z nim zadać. Gapiłam się przez okno i kombinowałam, jak odnaleźć dom wuja w Galcaio, bo przecież nie miałam pojęcia, gdzie on mieszka. Nagle moją czujność wzbudziła uwaga gadatliwego kierowcy:

– Uciekłaś z domu, no nie?

– Dlaczego tak sądzisz? – spytałam zaskoczona.

– Tak tylko sobie mówię, ale wiem, że jest tak naprawdę. Odwiozę cię z powrotem.

– Co? Nie! Proszę... Muszę jechać dalej. Zawieź mnie tylko do Galcaio. Muszę odwiedzić wuja. On na mnie czeka – prosiłam.

Wyraz jego twarzy nie świadczył o tym, że mi wierzy, lecz mimo to jechał dalej. Moje myśli pędziły jak szalone: gdzie mam mu powiedzieć, żeby mnie wysadził? Przecież nie mogłam się przyznać, że nie wiem, gdzie mieszka ktoś, kto niby na mnie czeka. Wjechaliśmy wreszcie do miasta pełnego ludzi, samochodów i domów. Było dużo większe od wioski, w której o mało nie zostałam przejechana. Zdałam sobie sprawę, że odnalezienie wuja Ahmeda nie będzie łatwe.

Z wysokości kabiny nerwowo obserwowałam ruchliwe ulice Galcaio. Wszystko kłębiło mi się przed oczami. Bałam się zanurzyć w ten chaos, ale wiedziałam, że lepiej opuścić ciężarówkę, zanim kierowca zdecyduje się odstawić uciekinierkę z powrotem. Kiedy zatrzymał się przy jakimś bazarze pełnym straganów z jedzeniem, postanowiłam wysiąść.

– Hej, przyjacielu! Wysiadam. Tu mieszka mój wujek – zawołałam i wyskoczyłam z kabiny, nie dając mu szans, żeby mnie zatrzymał. – Dzięki za podwiezienie – pożegnałam się, zatrzaskując drzwi.

Szłam przez bazar jak ogłuszona. Nigdy przedtem nie widziałam takiej ilości jedzenia naraz. Do dzisiaj pamiętam ten cudowny widok: sterty ziemniaków, góry kukurydzy, stosy suszonego makaronu. I, mój Boże, jakie to wszystko miało kolory! Na straganach piętrzyły się żółte banany, zielone i złote melony, a przede wszystkim tysiące, tysiące czerwonych pomidorów. Choć tych ostatnich nigdy w życiu nie widziałam, to pokochałam je od pierwszego wejrzenia; do dzisiaj uwielbiam ich lśniącą, jędrną skórkę. Ja gapiłam się na jedzenie, a ludzie gapili się na mnie. Natychmiast podeszła do mnie zdenerwowana właścicielka straganu. Wyglądała jak wcielenie Mamy (w Afryce jest to pełna szacunku forma zwracania się do kobiet dojrzałych, w sile wieku; żeby sobie na to miano zasłużyć, koniecznie trzeba mieć dzieci). Wszystko miała w jaskrawych kolorach – zarówno twarz, jak i zawój, którym była okryta.

– Czego chcesz? – warknęła.

– Proszę, czy mogłabym dostać trochę tego? – Wskazałam na pomidory.

– Masz pieniądze?

– Nie, ale taka jestem głodna...

– Wynocha!!! – wrzasnęła, odpychając mnie od straganu.

Poszłam do następnego i zaczęłam od nowa. Stojąca tam kobieta nie była lepsza:

– Nie chcę tu żadnych żebraków wiszących u lady. Ja tu prowadzę interes. No już, uciekaj!

Opowiedziałam jej moją historię. Mówiłam, że szukam wuja Ahmeda, i spytałam, czy może mi powiedzieć, gdzie on mieszka. Spodziewałam się, że skoro wuj jest bogaty, to ludzie w Galcaio powinni go znać.

– Słuchaj, przymknij się. Przyłazisz tu prosto z buszu i od razu krzyczysz. Ciszej, trochę szacunku, dziewczyno. Masz być grzeczna. G-r-z-e-c-z-n-a! Nie wywrzaskuj tu przed wszystkimi nazwiska swojej rodziny.

Patrzyłam na nią i myślałam: „Boże, o co jej chodzi? Czy zdołam się w ogóle z tymi ludźmi porozumieć?".

Tuż obok nas opierał się o ścianę jakiś mężczyzna. Zawołał mnie:

– Podejdź tu.

Podeszłam do niego wzburzona i zaczęłam tłumaczyć, czego mi potrzeba. Mężczyzna miał około trzydziestki i wyglądał jak przeciętny Afrykanin, niby nic nadzwyczajnego, ale miał przyjazny wyraz twarzy. Wysłuchał mnie cierpliwie i powiedział:

– Uspokój się. Pomogę ci, ale przyzwoicie się zachowuj. Nie przystoi wykrzykiwać nazwy swojego plemienia. A tak w ogóle to z jakiego plemienia pochodzisz?

Opowiedziałam mu wszystko, co wiedziałam o mojej rodzinie i wuju Ahmedzie.

– W porządku. Chyba wiem, gdzie on mieszka. Pomogę ci go odnaleźć.

– Och, dziękuję. Zaprowadzisz mnie tam?

– No pewnie. Nie martw się, znajdziemy twojego wuja.

Opuściliśmy bazarowy tłum i szliśmy cienistą stroną bocznej ulicy. Po pewnym czasie mężczyzna zatrzymał się przed jakimś domem.

– Nie jesteś głodna? – zapytał.

Odpowiedź była oczywista dla każdego, kto miałby choć jedno sprawne oko.

– Jestem.

– Wiesz, to jest mój dom. Może byś wstąpiła? Zjemy coś, a potem poszukamy wuja.

Z wdzięcznością przyjęłam tak wspaniałą propozycję.

Kiedy weszliśmy do środka, poczułam jakąś szczególną woń, dziwny odór, którego dotychczas nie znałam. Mężczyzna poprosił, żebym usiadła, i przyniósł jedzenie. Kiedy przełknęłam ostatni kęs, zapytał:

– A może byś się tak ze mną położyła i ucięła sobie drzemkę?

– Drzemkę? – zdziwiłam się.

– Tak, odpocznij.

– Nie, proszę. Chcę odnaleźć wuja.

– Dobrze, dobrze. Ale najpierw zdrzemnijmy się. Teraz jest czas sjesty. Nie martw się, potem go poszukamy.

– Nie, proszę. Jeśli chcesz, idź się przespać, a ja poczekam tutaj. Nie przejmuj się mną.

Chociaż była pora sjesty, nie miałam zamiaru kłaść się z tym dziwnym gościem. Wiedziałam, że nic dobrego z tego nie wyniknie. Jako małoletnia ignorantka nie wiedziałam jednak, jak wybrnąć z tej sytuacji.

– Posłuchaj, dziewczynko – powiedział, wyraźnie rozeźlony.
– Jeśli chcesz, żebym znalazł twojego wuja, lepiej kładź się i śpij.

Wiedziałam, że ten człowiek jest mi potrzebny, więc choć stawał się coraz bardziej nachalny, ze strachu zrobiłam najgłupszą rzecz, jaką mogłam zrobić – poddałam się jego sugestiom. Oczywiście już po minucie leżenia okazało się, że drzemka była ostatnią rzeczą, na jaką miał ochotę: zaczął się na mnie pokładać. Opierałam się i wyślizgiwałam, aż w końcu rąbnął mnie pięścią w głowę. Nic z tego nie będzie, postanowiłam. Wyrwałam się z jego łap i wybiegłam z pokoju. W biegu słyszałam jeszcze wołanie:

– Hej, dziewczyno, wracaj... – a potem gardłowy śmiech.

Wypadłam na ulicę, histerycznie wrzeszcząc. Od razu pobiegłam w stronę bazaru, bo czułam, że tylko w tłumie będę bezpieczna. Podeszła do mnie kolejna Mama. Ta miała ze sześćdziesiąt lat.

– Co się stało, dziecko? – spytała, po czym wzięła mnie za rękę i posadziła.

– No, powiedz, co ci się złego przydarzyło?

Nie byłam w stanie się przyznać, co to takiego było. Za bardzo się wstydziłam, żeby to komukolwiek opowiedzieć. Czułam się jak kompletna idiotka, bo przecież wchodząc do domu obcego mężczyzny, aż się prosiłam o kłopoty. Między jednym a drugim szlochem wyjaśniłam jej, że szukam wuja i nie mogę go znaleźć.

– Kim jest twój wuj? Jak on się nazywa?

– Ahmed Dirie.

Stara Mama podniosła kościsty palec i wskazała jasnoniebieski dom przy najbliższym skrzyżowaniu.

– To właśnie tu – powiedziała. – Widzisz? To twój dom.

Dom wuja stał zaledwie parę kroków od miejsca, gdzie błagałam o pomoc tę świnię. Domyśliłam się, że dobrze wiedział, kim jestem, kto jest moim wujem. Stara kobieta spytała, czy ma mnie tam zaprowadzić. Spojrzałam na nią podejrzliwie, bo teraz nie wierzyłam już nikomu. Jej twarz była jednak obliczem prawdziwej mamy, więc odpowiedziałam grzecznie:

– Tak, proszę.

Przeszłyśmy przez skrzyżowanie i zapukałam do drzwi niebieskiego domu. Otworzyła mi ciotka. Na mój widok zdębiała.

– Co ty tu robisz?

W tym czasie starsza pani obróciła się i odeszła.

– Przyjechałam, ciociu! – odpowiedziałam głupawo.

– Co ty tu robisz, w imię Allacha! Uciekłaś z domu czy co?

– No cóż... – bąknęłam pod nosem.

– Zabiorę cię tam z powrotem – powiedziała tonem nie znoszącym sprzeciwu.

Brat ojca, wuj Ahmed, też zdziwił się na mój widok, ale

jeszcze bardziej zdumiało go to, że znalazłam jego dom. W swoich wyjaśnieniach pominęłam oczywiście takie szczegóły, jak bicie kamieniem w głowę kumpla szofera czy próba gwałtu podjęta przez wujowego sąsiada. Mimo że był pod wrażeniem mojej wyprawy przez pustynię, wuj nie miał jednak zamiaru zatrzymywać mnie u siebie. Najbardziej bał się, że nie będzie komu opiekować się jego trzodą, że nie wykonuję roboty, za którą podarował mi klapki. Teraz nie było przy ojcu żadnego ze starszych dzieci. Dotąd ja byłam najstarsza z tych, które pozostały, i do tego jeszcze byłam silna, wytrwała i można było na mnie polegać. Wuj postanowił więc:

– Musisz wrócić do domu. Kto będzie pomagał ojcu i matce przy obrządzaniu zwierząt? Co masz zamiar tu robić? Siedzieć na tyłku?

Niestety, na żadne z tych pytań nie miałam zadowalających go odpowiedzi. Wiedziałam, iż nie ma sensu tłumaczyć mu, że uciekłam, bo ojciec chciał mnie wydać za białobrodego starca. Wuj pewnie spojrzałby na mnie jak na wariatkę i zapytał: No to co? Przecież musisz wyjść za mąż. Twój ojciec potrzebuje wielbłądów. Nie było sensu tłumaczyć mu, że jestem inna niż reszta rodziny; że kocham moich rodziców, ale to, czego oni dla mnie chcą, mnie nie wystarcza. Wiedziałam, że od życia można oczekiwać znacznie więcej, chociaż nie wiedziałam – czego. Po paru dniach dowiedziałam się, że wuj Ahmed wysłał wiadomość do ojca i że ten już jest w drodze.

Znałam dobrze dwóch synów Ahmeda, często przyjeżdżali do nas podczas wakacji. Pomagali nam przy zwierzętach i trochę uczyli nas pisać po somalijsku. To również należało do tradycji: dzieci chodzące do szkół w mieście wyjeżdżały na wakacje na pustynię, żeby uczyć dzieci nomadów. Synowie wuja Ahmeda wiedzieli, co się dzieje z Aman. Otóż po ucieczce z domu dotarła do Mogadiszu i wyszła tam za mąż. Ogromnie się ucieszyłam, bo już myślałam, że umarła. Zrozumiałam też, że rodzice wiedzieli, gdzie jest Aman, ale nie wspominali o niej ani słowem, bo została wyklęta z rodziny.

Gdy zorientowaliśmy się, że ojciec już jedzie, żeby zabrać mnie do domu, zawiązaliśmy spisek. Chłopcy wyjaśnili mi dokładnie, jak mam znaleźć siostrę w Mogadiszu, i dali mi trochę pieniędzy, wszystko, co mieli. Pewnego poranka wyprowadzili mnie poza miasto, na szosę do Mogadiszu.

Udzieliłam im ostatnich instrukcji:

– Obiecajcie mi, że nikomu nie powiecie, dokąd uciekam. Pamiętajcie, kiedy pojawi się mój ojciec, nie macie pojęcia, co się ze mną stało. Ostatni raz widzieliście mnie w domu dzisiaj rano. W porządku?

Spiskowcy pomachali mi na pożegnanie, a ja poszłam przed siebie.

Podróż do Mogadiszu wlokła się w nieskończoność. Na szczęście dzięki posiadanym pieniądzom mogłam kupić sobie od czasu do czasu trochę jedzenia. Samochody trafiały się rzadko i znaczną część drogi musiałam pokonywać na piechotę. Nie mogąc znieść tego ślimaczego tempa, zapłaciłam w końcu za miejsce w „afrykańskiej taksówce". Jest to zazwyczaj wielka ciężarówka. Po wyładowaniu ziarna czy trzciny cukrowej przeważnie wraca pusta, więc kierowca może zabrać pasażerów. Ściany skrzyni ładunkowej są wysokie jak płot. Pasażerowie stoją przy nich albo siedzą na dnie skrzyni – z góry wyglądają jak dzieci bawiące się w ogromnej piaskownicy. Resztę ładunku takiej taksówki stanowią bagaże, żywe kozy, klatki z kurczakami, meble i wszystko, co tylko da się zmieścić. Panuje tam najczęściej niesamowity tłok, ale po ostatnich przeżyciach wolałam przebywać w tłumie. Na obrzeżach Mogadiszu ciężarówka zatrzymała się przy studni, żeby pasażerowie mogli napoić zwierzęta. Wysiadłam wraz z nimi, napiłam się ze złożonych w kubek dłoni i obmyłam twarz. Kiedy się rozejrzałam, stwierdziłam, że w stronę Mogadiszu biegnie całe mnóstwo dróg. Ostatecznie to największe miasto Somalii, mające siedemset tysięcy mieszkańców. Podeszłam do nomadów stojących z wielbłądami przy studni i spytałam:

– Nie wiecie, którą z tych dróg dostanę się do śródmieścia?
– Tędy – odpowiedział jeden z nich i wskazał kierunek ręką.
Mogadiszu jest miastem portowym nad Oceanem Indyjskim
i wówczas wyglądało przepięknie. Maszerowałam jego ulicami
i wprost nie mogłam wyjść z podziwu. Wszędzie było mnóstwo
kwiatów w jaskrawych kolorach, pośród palm stały olśniewają-
co białe budynki. Większość tych domów powstała w czasie,
gdy Somalia była kolonią włoską*, więc w ich architekturze
wyraźnie były widoczne wpływy śródziemnomorskie. Przecho-
dzące koło mnie kobiety ubrane były w obszerne, luźne szaty
z materiałów pokrytych żółtymi, czerwonymi i niebieskimi
wzorami. Od morza wiała silna bryza i większość z nich przyci-
skała do policzków rąbki chust okalających twarze. Cieniutkie
tkaniny łopotały na wietrze – miałam wrażenie, jakby po tłumie przechodziły fale. Liczne muzułmanki były zupełnie ukryte
za szczelnymi zasłonami, nie mogłam się nadziwić, jak odnaj-
dują drogę. Miasto migotało w słońcu, kolory były jak naelek-
tryzowane.

Szłam, od czasu do czasu zaczepiając przechodniów, by zapytać o drogę do dzielnicy, w której mieszkała siostra. Nie
znałam dokładnego adresu, ale przyszło mi do głowy, żeby
zastosować sposób, który sprawdził się przy poszukiwaniu wuja
Ahmeda w Galcaio – chciałam dostać się na targ w pobliżu jej
mieszkania i tam rozpytać się dokładniej. Oczywiście nie było
mowy o korzystaniu z ,,pomocy" podejrzanych typków.

Kiedy wreszcie dotarłam do właściwego bazaru, zaczęłam się
rozglądać po straganach, co by tu kupić do jedzenia za resztkę
pieniędzy od kuzynów z Galcaio. Zdecydowałam się na mleko
sprzedawane przez jakieś dwie kobiety, bo było najtańsze. Pociągnęłam pierwszy łyk i poczułam dziwny, rybi posmak.
– Coście zrobiły z tym mlekiem? – zapytałam.
– Nieee, nic nie robiłyśmy. To bardzo dobre mleko – od-
powiedziały zgodnie.

---

* W latach 1889–1960 (przyp. tum.).

– Akurat. Jeżeli w ogóle na czymś się znam, to na pewno na mleku. I to nie smakuje jak trzeba. Dodałyście wody czy czegoś innego? – drążyłam dalej, aż w końcu przyznały się, że dolewają wody, żeby móc je taniej sprzedawać. Klientom to podobno nie przeszkadzało. Rozmawiałyśmy sobie dalej i powiedziałam im, że przyjechałam do stolicy, żeby odszukać Aman.

– Rzeczywiście, zdawało nam się, że skądś znamy twoją twarz! – wykrzyknęły.

Zaśmiałam się z ulgą – gdy byłyśmy dziećmi, wyglądałam jak mała kopia mojej siostry. Obydwie mleczarki znały ją z widzenia, bo codziennie przychodziła na targ. Jedna z nich zawołała synka i rozkazała:

– Zaprowadź ją do domu Aman i wracaj!

Szliśmy przez ciche, puste ulice. Była pora sjesty i ludzie schronili się w domach, uciekając przed południowym żarem. Chłopiec wskazał w końcu jakąś chatkę i zostawił mnie samą. Weszłam do środka. Zobaczyłam, że siostra śpi, więc podbiegłam do niej i potrząsnęłam nią za ramię.

– A co ty tu robisz? – zapytała niepewnie, przecierając oczy; najwyraźniej sądziła, że to jeszcze sen.

Siadłam na jej posłaniu i zaczęłam opowiadać, jak to uciekłam z domu, zupełnie jak ona sama parę lat wcześniej. Nareszcie mogłam zwierzyć się komuś, kto – jak się spodziewałam – świetnie mnie zrozumie. Przecież było oczywiste, że w wieku trzynastu lat nie poślubię jakiegoś beznadziejnego starca tylko dlatego, że chce tego ojciec.

Potem opowiadała Aman: jak dotarła do Mogadiszu i jak spotkała swojego męża, dobrego, spokojnego, zapracowanego człowieka. Aman oczekiwała teraz dziecka, ale wcale nie wyglądała jak kobieta w ciąży. Miała sześć stóp i dwa cale* wzrostu, była szczupła i elegancka. Jej brzuch krył się w fałdach luźnej afrykańskiej sukni. Podziwiałam to, jaka jest piękna, i życzyłam sobie, żebym i ja tak wyglądała przed porodem.

---

* 187 cm (przyp. tłum.).

Po krótkiej rozmowie zebrałam się w końcu na odwagę, żeby zadać dręczące mnie przez cały czas pytanie:

– Aman, nie chcę wracać. Czy mogę zostać u ciebie?

– Więc uciekłaś i zostawiłaś mamę z całą tą robotą... – westchnęła smutno. Zgodziła się jednak, żebym zamieszkała z nią tak długo, jak długo będę chciała.

Skromna chatka składała się z dwóch pomieszczeń: mniejszego, które zajęłam ja, oraz większego, które siostra dzieliła z mężem. Męża Aman widywałyśmy rzadko. Wychodził do pracy o poranku, wracał na obiad, potem drzemał i szedł do pracy, żeby wrócić późnym wieczorem. Kiedy był w domu, mówił tak niewiele, że nie dowiedziałam się nawet, jak ma na imię i z czego utrzymuje rodzinę.

Aman została matką wspaniałego malucha, a ja pomagałam jej w prowadzeniu domu. Zajmowałam się dzieckiem, sprzątałam dom i podwórko, prałam i suszyłam bieliznę.

Chodziłam też na bazar, gdzie nabrałam wprawy w subtelnej sztuce targowania się. Cały rytuał można było równie dobrze czytać z kartki, bo każdego dnia wyglądał tak samo. Naśladując zachowanie tubylców, od razu przechodziłam do rzeczy – wskazywałam to, co mnie interesuje, i pytałam:

– Ile za to?

Mama zza lady brała na przykład trzy pomidory, jeden duży i dwa małe, po czym wymieniała kwotę wystarczającą, żeby kupić sobie wielbłąda.

– Za drogo – odpowiadałam znudzonym tonem, podkreślając go jeszcze lekceważącym machnięciem ręki.

– No dobrze, a ile chcesz zapłacić?

– Dwa pięćdziesiąt.

– Nie, nie! Ale może... – Tu sklepikarka występowała z kolejną propozycją, ale ja robiłam już całe przedstawienie: odchodziłam obojętnie do innych straganów, udając, że bardziej mnie interesują, lecz nie traciłam przy tym z oczu właściwego celu zakupów. Po jakimś czasie wracałam i targowałam się dalej. I tak to trwało, aż w końcu któraś z nas dawała za wygraną.

Siostra bez przerwy powtarzała, że martwi się o matkę, która po mojej ucieczce tkwiła na pustyni z całym gospodarstwem na głowie. Mówiła to takim tonem, jakby to była wyłącznie moja wina. Ja też martwiłam się o mamę, ale Aman jakby nie pamiętała, że sama również uciekła. Zaczynały we mnie odżywać niezbyt przyjemne wspomnienia z wczesnego dzieciństwa. Aman nie widziała mnie ponad pięć lat, mnóstwo się przez ten czas zmieniło, ale ja nadal byłam dla niej głupią młodszą siostrą. Zdałam sobie jasno sprawę, że choć zewnętrznie jesteśmy bardzo podobne, nasze osobowości są zupełnie różne. Panoszenie się Aman zaczynało mnie coraz bardziej drażnić. Kiedy ojciec próbował mnie wydać za mąż, uciekłam również dlatego, że sądziłam, iż należy mi się od życia coś więcej niż tylko pranie, gotowanie i ślęczenie przy dzieciach. Przy młodszym rodzeństwie użyłam tych przyjemności wystarczająco wiele.

Wszystko to sprawiło, że pewnego dnia opuściłam Aman, zdając się na to, co przyniesie los. Obyło się bez dyskusji. Po prostu wyszłam rano i nie wróciłam, bo taki sposób wydawał mi się najlepszy. Nie wiedziałam wtedy, że już nigdy się nie zobaczymy.

7

Mogadiszu

Podczas pobytu u Aman miałam wreszcie okazję poznać krewnych mamy – w Mogadiszu mieszkała jej matka, czterech braci i cztery siostry.

Najbardziej jestem wdzięczna losowi za to, że poznałam babcię. Teraz przekroczyła dziewięćdziesiątkę, ale kiedy zobaczyłyśmy się po raz pierwszy, miała siedemdziesiąt parę lat. Wyglądała zupełnie jak mama. Od razu było widać, że to twardy człowiek, że ma żelazny charakter i silną wolę. Jej ręce wyglądały tak, jakby grzebała nimi w ziemi, że aż stały się podobne do łap krokodyla.

Babcia wychowała się w jednym z krajów arabskich – nie wiem, w którym – i była islamską dewotką. Pięć razy dziennie modliła się zwrócona w stronę Mekki, poza domem okrywała się ubraniem od czubka głowy do pięt i nosiła na twarzy szczelną zasłonę. Drażniłam się z nią często:

– Babuniu, czy wszystko z tobą w porządku? Czy wiesz, dokąd idziesz? Czy w ogóle coś przez to widzisz?

– W porządku, w porządku – odwarkiwała. – To jest całkiem przezroczyste.

– Ojej, to przez to można oddychać i w ogóle? – Zataczałam się ze śmiechu.

Przebywając w domu babci zrozumiałam, skąd się wzięła odporność mojej matki. Dziadek umarł wiele lat temu i babcia sama musiała się troszczyć o cały dom. Kiedy ją odwiedzałam, potrafiła mnie zamęczyć. Gdy się budziłam, ona była już na nogach, gotowa do wyjścia, i tylko mnie popędzała:

– Idziemy, Waris. No już! Raz–dwa!

Babcia mieszkała w miejscu bardzo odległym od głównego bazaru Mogadiszu, ale zakupy musiałyśmy robić właśnie tam. Prosiłam ją zawsze:

– Babciu, pojedźmy autobusem. Jest tak gorąco, że nie damy rady dotrzeć tam na piechotę.

– Cooo? Autobusem? O, nie! Idziemy! Taka młoda dziewczyna i chce jechać autobusem! Czemu jęczysz? Wszystkie teraz jesteście takie leniwe. Nie wiem, o co wam chodzi. Kiedy byłam w twoim wieku, przemierzałam pieszo całe mile. Idziesz ze mną, dziewczyno, czy zostajesz?

No i szłyśmy razem, bo gdybym się ociągała, rzeczywiście poszłaby sama. Kiedy wracałyśmy, wlokłam się za nią, ciągnąc torby z zakupami.

Już po moim wyjeździe z Mogadiszu jedna z córek babci umarła, zostawiając dziewięcioro dzieci. Babcia zajęła się nimi i wychowała je, jakby były jej własnymi dziećmi. Jest Mamą, więc zrobiła to, co należało zrobić.

Poznałam też jednego z braci matki, Wolde'aba. Tego dnia poszłam na targ sama. Kiedy wróciłam, Wolde'ab siedział koło babci z synem na kolanie. Chociaż nigdy go przedtem nie widziałam, od razu rzuciłam mu się na szyję, bo był bliźniaczo podobny do mamy, a ja rozpaczliwie szukałam czegokolwiek, co by mi ją przypominało. Ponieważ i ja byłam do niej podobna, biegnąc w stronę wuja miałam wrażenie, że zbliżam się do jakiegoś dziwnego, zniekształcającego lustra. Słyszał już o mojej ucieczce i zapytał:

– Czy to nie ktoś, kogo powinienem znać?

Tego wieczora wyśmiałam się za cały ten czas, który upłynął

od chwili, gdy opuściłam rodzinny dom, bo wuj Wolde'ab nie tylko wyglądał jak mama, ale też miał podobne do niej poczucie humoru i skłonność do wariackich dowcipów. Wyobraziłam sobie, jak oboje musieli rozśmieszać całą rodzinę. Strasznie chciałabym zobaczyć ich dwoje razem.

Opuściwszy Aman, poszłam jednak do domu cioci L'uul; poznałam ją wkrótce po przybyciu do Mogadiszu. Ciocia L'uul była żoną brata matki, Sayyida. Mieszkała z trójką dzieci nieomal samotnie, bo wujek pracował w Arabii Saudyjskiej – przysyłał pieniądze na utrzymanie, ale do Mogadiszu przyjeżdżał bardzo rzadko, tak rzadko, że niestety nie udało mi się go poznać.

Ciocia L'uul zdziwiła się co prawda na mój widok, ale i szczerze ucieszyła.

– Ciociu, nie za dobrze układa mi się z Aman, więc czy mogłabym się na trochę u ciebie zatrzymać? – spytałam.

– Ależ oczywiście. Wiesz przecież, że jestem tu sama z dziećmi. Sayyida ciągle nie ma w domu, więc mogłabyś mi trochę pomóc.

Poczułam ulgę. Aman dość niechętnie zgodziła się, bym u niej mieszkała, i najwyraźniej męczyła ją ta sytuacja. Siostra i jej mąż byli w zasadzie nowożeńcami, a mieszkanie było malutkie. Poza tym w głębi serca chciała, żebym wróciła do rodziców, aby mogła zagłuszyć wyrzuty sumienia związane z tym, że sama uciekła.

Najpierw u Aman, potem u cioci L'uul przyzwyczajałam się do życia w zamkniętych pomieszczeniach. Z początku ograniczenie przestrzeni wydawało mi się czymś dziwacznym: niebo zasłaniał sufit, obijałam się ciągle o ściany, zapachy pustyni zastąpił typowy dla wielkiego miasta smród ścieków i spalin. Mieszkanie cioci było większe niż chatka Aman, ale trudno je nazwać przestronnym. Co prawda zyskałam nie znane mi dotąd luksusy – ciepło w nocy i ochronę przed deszczem – ale w porównaniu ze standardami zachodnimi był to zupełny prymityw. Wodę nadal trzeba było szanować, bo kosztowała niemało. Kupowaliśmy ją od domokrążcy przewożącego beczki na ośle. Na zewnątrz domu stała nasza beczka – jej zawartość służyła zarówno do mycia się, czyszczenia wszystkiego, jak i do gotowania. Ciocia przygotowywała posiłki w maleńkiej kuchence na turystycznym prymusie zasilanym gazem z butli. Elektryczności nie było, więc gdy siadaliśmy wieczorem do kolacji, świeciła nam lampa naftowa. Toaleta była typowa dla tej części świata: stanowiło ją pomieszczenie z cuchnącą fekaliami dziurą w podłodze. Moja kąpiel polegała na tym, że brałam wiadro wody i zmywałam ciało gąbką, a popłuczyny spływały do wspomnianej dziury.

Zadomowiwszy się u cioci L'uul, wkrótce przekonałam się, że dostałam dużo więcej niż tylko mieszkanie. Trafił mi się jeszcze pełny etat niańki trojga jej potwornych dzieci. No cóż, sądzę, że teraz nie mogłabym nazwać żadnego dziecka potwornym, ale wtedy ich zachowanie doprowadzało mnie do rozpaczy.

Każdego dnia ciocia wstawała koło dziewiątej rano i zaraz po śniadaniu maszerowała szparko na spotkanie z przyjaciółkami. Spędzała z nimi cały dzień, bez końca plotkując o sąsiadach i znajomych. Do domu ściągała dopiero wieczorem. Gdy tylko ciocia opuściła dom, natychmiast zaczynało się drzeć jej trzymiesięczne maleństwo, dając znak, że chce jeść. Kiedy brałam je na ręce, zaczynało mnie łapczywie ssać. Każdego dnia skarżyłam się:

– Ciociu, na litość boską, zrób coś z tym. Ona chce mnie ssać, a ja nawet nie mam piersi!

– Nie przejmuj się. Po prostu daj jej trochę mleka – odpowiadała ciocia z uroczym uśmiechem.

Poza tym, że miałam sprzątać cały dom i opiekować się oseskiem, musiałam uważać na sześcioletniego chłopca i dziewięcioletnią dziewczynkę. To dopiero były zwierzaki! Nie miały pojęcia o właściwym zachowaniu, bo ciocia nie zaprzątała sobie tym głowy. Starałam się poprawić sytuację i lałam ich po tyłku, ile wlazło. Lata bezgranicznej swawoli uniemożliwiały im jednak jakąkolwiek poprawę.

Z dnia na dzień popadałam w coraz większe przygnębienie. Zastanawiałam się, ile jeszcze muszę przejść, zanim coś się w moim życiu poprawi. Zawsze pchało mnie ku lepszemu, parłam naprzód, chwytając się choćby najmniejszej szansy. Każdego dnia myślałam: „Kiedy to się wydarzy? Dzisiaj? Jutro? Czego chcę? Co powinnam zrobić?". Skąd się brały te myśli, nie wiem. Teraz uważam, że każdy z nas może w sobie usłyszeć te głosy. Odkąd sięgam pamięcią, czułam, że moje życie biegnie inaczej niż życie innych ludzi, lecz nawet nie podejrzewałam, że potoczy się aż tak odmiennie.

Pobyt u cioci L'uul zakończył się kryzysem mniej więcej po miesiącu. Tego popołudnia ciocia jak zwykle mełła ozorem w kręgu przyjaciółek, a ja straciłam z oczu jej dziewięcioletnią córeczkę. Wyszłam z mieszkania i zaczęłam ją wołać. Odzewu nie było, więc rozpoczęłam systematyczne przeszukiwanie okolicy i w końcu znalazłam ją w ciemnym zakątku z jakimś chłopcem. To była bystra, dociekliwa dziewczynka. Kiedy ją tam zastałam, dociekała właśnie szczegółów anatomii tego chłopca. Wpadłam znienacka, szarpnęłam ją za rękę, a chłopiec czmychnął jak spłoszone zwierzątko. Przez całą drogę do domu smagałam kuzyneczkę rózgą – nigdy więcej nie czułam do żadnego dziecka takiego obrzydzenia.

Kiedy ciotka przyszła do domu, ofiara z krzykiem opowiedziała o swojej chłoście. Ciotka się wściekła:

– Dlaczego zbiłaś moje dziecko?! Trzymaj od niej ręce z daleka! Zaraz tobie przyłożę i zobaczymy, czy ci się to spodoba! – wrzeszczała, zbliżając się ku mnie wyraźnie w złych zamiarach.

– Lepiej, żebyś nie wiedziała, za co ją stłukłam, bo nie chciałabyś widzieć tego, co ja zobaczyłam. Gdybyś zobaczyła, co ona robiła, nie chciałabyś jej więcej znać! To dziecko nie zna umiaru, jest jak zwierzę.

Moje wyjaśnienia zdały się na nic. Miałam sobie jakoś poradzić – ja, trzynastoletnia dziewczynka – z trojgiem małych dzieci, a tu nagle okazało się, że naruszam nietykalność jej aniołka. Ciotka szła na mnie, wymachując pięścią, lecz ja miałam już dosyć. Nie tylko ciotki, ale i całego świata. Też się wydarłam:

– Nawet nie próbuj mnie tknąć, bo wyjdziesz z tego łysa!

To kończyło dyskusję z każdym, kto chciał mnie uderzyć. Było jednak oczywiste, że muszę odejść. Ale dokąd?

Stukając do drzwi domu cioci Sahru, myślałam sobie: „I znowu to samo, Waris". Kiedy ciocia spytała, kto tam, odpowiedziałam niezbyt pewnie. Sahru była siostrą mamy i miała pięcioro dzieci, co nie wróżyło mi nadmiaru szczęścia w jej domu. Jakiż jednak miałam wybór? Kraść albo żebrać na ulicy? Nie wdając się w szczegóły odejścia z domu L'uul, zapytałam, czy mogę trochę u nich pobyć.

– Bardzo cię lubię – odpowiedziała ku memu zaskoczeniu – i jeśli chcesz u nas zostać, niech tak będzie. Jeżeli chcesz mi się zwierzyć, mów.

Wszystko potoczyło się lepiej, niż się spodziewałam. Oczywiście miałam pomagać w domu, ale najstarsza córka cioci Sahru, Fatima, miała już dziewiętnaście lat i to jej przypadała większość obowiązków.

Biedna Fatima harowała jak niewolnik. Rano szła do szkoły, wracała stamtąd o wpół do pierwszej i gotowała obiad, po czym znowu szła do szkoły i wracała około szóstej wieczorem, żeby zrobić kolację. Po kolacji zmywała, a potem uczyła się do późnej nocy. Z jakiegoś powodu matka wymagała od niej dużo, dużo więcej niż od reszty swoich dzieci. Fatima była dla mnie bardzo dobra, traktowała mnie jak przyjaciółkę, a w tym momencie życia ogromnie tego potrzebowałam. Wydawało mi się, że matka traktuje ją niesprawiedliwie, więc chętnie pomagałam jej w kuchni. Nie miałam pojęcia, jak się gotuje, ale starałam się tego nauczyć, podpatrując kuzynkę. Kiedy pierwszy raz w życiu dała mi spróbować klusek, poczułam się jak w niebie.

Moim głównym obowiązkiem było sprzątanie domu i do dzisiaj ciocia Sahru twierdzi, że nigdy nie miała lepszej sprzątaczki. Szorowałam i pucowałam wszystko, co się dało. Praca nie była lekka, ale wolałam to niż siedzenie z dziećmi, zwłaszcza po ostatnich doświadczeniach.

Podobnie jak Aman, również ciocia Sahru martwiła się, że mama nie ma do pomocy żadnej ze starszych córek. Ojciec pomagał obrządzać zwierzęta, ale nawet nie kiwnąłby palcem, żeby pomóc mamie przy gotowaniu, pracach związanych z odzieżą, robieniu koszyków czy w opiece nad dziećmi. To była praca kobiet, a więc kłopot mamy, a nie jego. Zrobił już swoje, bo przecież sprowadził do domu drugą żonę do pomocy – czyż nie tak? Owszem, to akurat zrobił. Mnie jednak także wciąż dręczył ten problem od chwili, gdy o szarej godzinie w dniu mojej ucieczki widziałam mamę po raz ostatni. Zawsze gdy o niej myślę, przypominam sobie jej twarz oświetloną ogniskiem tej nocy, kiedy miałam uciec. Była wtedy tak strasznie zmęczona. Ten widok towarzyszył mi cały czas, gdy biegłam przez pustynię wypatrując drogi do Mogadiszu. Podróż wydawała mi się równie bezkresna jak dylemat, co wybrać: chęć opieki nad matką czy niechęć do życia ze starcem. Pamiętam, jak padłam pod drzewem na wyschniętą na proch ziemię i zastanawiałam się: „Kto zadba teraz o mamę? Ona dbała o wszystkich, ale kto zadba o nią?".

Nie mogłam jednak zawrócić – wtedy wszystko, przez co przeszłam, poszłoby na marne. Gdybym wróciła, nie minąłby nawet miesiąc, a już ojciec przywlókłby do domu wszystko

jedno kogo, nawet kulawego starucha, byle miał wielbłądy i ze-
chciał mnie poślubić. Nie dość, że utknęłabym na dobre z takim
małżonkiem, to i tak nie mogłabym opiekować się mamą.

Pewnego dnia pomyślałam, że można przynajmniej częściowo
rozwiązać ten problem zdobywając pieniądze. Mogłabym je
wysłać mamie, żeby kupiła sobie to, dzięki czemu byłoby jej lżej.
Postanowiłam znaleźć jakieś popłatne zajęcie i w tym celu zaczęłam się rozglądać po mieście. Tego dnia ciocia jak zwykle
wysłała mnie na targ po zakupy. W drodze powrotnej mijałam
zawsze plac budowy. Teraz zatrzymałam się przy nim i patrzyłam
na mężczyzn dźwigających cegły i mieszających w szaflikach
zaprawę z piasku i wapna.

– Hej! – krzyknęłam do nich. – Nie macie jakiejś pracy?

Układający cegły na murze przerwał pracę i roześmiał się.

– A kto chce wiedzieć?

– Ja! Potrzebuję pracy!

– Nic z tego. Nie mamy żadnej roboty dla takiego chudzielca.
Nie wydaje mi się, żebyś była murarzem. – I znowu zaczął się
śmiać.

– Mylisz się – odpowiedziałam. – Potrafię to robić. Mam
krzepę. Naprawdę.

Wskazałam na robotników mieszających zaprawę. Krzątali
się mając spodnie zsunięte do połowy pośladków.

– Pomogę im. Będę nosiła cały potrzebny im piasek, a mieszać
potrafię równie dobrze jak oni.

– Dobra. Kiedy zaczynasz?

– Jutro rano.

– Bądź o szóstej. Zobaczymy, co potrafisz – zakończył rozmowę majster.

Pomknęłam do cioci Sahru niemal nie dotykając ziemi. Miałam pracę! Zarobię pieniądze. Prawdziwe pieniądze! Zachowam
każdego pensa i wyślę wszystko mamie. Ale się zdziwi!

Wróciwszy do domu, podzieliłam się ze wszystkimi nowiną.
Ciocia nie mogła uwierzyć:

– A gdzieś ty znalazła tę pracę? I co ty tam będziesz robiła? Po pierwsze, nie wierzyła, że dziewczyna może w ogóle chcieć coś takiego robić. Po drugie, nie wierzyła, że majster zechce zatrudnić kobietę, a zwłaszcza o moim wyglądzie, bo ciągle sprawiałam wrażenie na wpół zamorzonej głodem. Tak ją jednak przekonywałam, że w końcu nie miała wyboru i uwierzyła.

A kiedy uwierzyła, wpadła w złość. To znaczy, że mieszkać mam zamiar u niej, ale już pracować to chcę dla kogoś innego? A co z obowiązkami domowymi?

– Posłuchaj – powiedziałam zrezygnowana. – Chcę wysłać mamie pieniądze, ale żeby to zrobić, muszę mieć pracę. Taką czy inną, ale muszę ją mieć. Rozumiesz?

– W porządku. Rób, jak uważasz.

Następnego poranka rozpoczęła się moja kariera robotnika budowlanego. Było strasznie. Cały dzień dźwigałam kolejne ładunki piasku o ciężarze, który przyginał mnie do ziemi – myślałam, że mi grzbiet pęknie. Nie miałam żadnych rękawic, więc pałąki wiader wrzynały mi się w dłonie, które wkrótce pokryły się ogromnymi bąblami. Do końca dnia bąble popękały i moje ręce zaczęły krwawić. Wszyscy myśleli, że już teraz dam sobie spokój, ale ja uparłam się, że przyjdę następnego dnia.

Męczyłam się cały miesiąc. Rany się zagoiły, za to skóra tak mi stwardniała, że ledwo mogłam zginać palce. Przy wypłacie dostałam jednak równowartość całych sześćdziesięciu dolarów. Z dumą pokazałam cioci pieniądze i powiedziałam, że wszystko chcę wysłać mamie. Niedługo potem odwiedził nas znajomy, który wkrótce miał wracać z rodziną na pustynię. Zaproponował, że dostarczy pieniądze mojej matce. Ciocia Sahru zapewniała:

– Znam tych ludzi. Są w porządku. Możesz im zaufać.

Nie muszę chyba mówić, że nigdy więcej nie zobaczyłam tych pieniędzy. Znacznie później dowiedziałam się, że mama też nie.

Po odejściu z placu budowy wróciłam do sprzątania. Nie upłynęło wiele czasu, gdy do domu cioci przybył szacowny gość: Mohammed Chama Farah, ambasador Somalii w Wielkiej Brytanii. Tak się złożyło, że jego żoną była siostra mojej matki, Maruim. Odkurzałam meble w sąsiednim pokoju, więc słyszałam, jak ambasador rozmawia z ciocią Sahru. Otóż przyjechał do Mogadiszu, żeby przed wyjazdem na cztery lata do Londynu znaleźć służącą. Od razu wiedziałam, że to jest to, na co czekałam od dawna.

Wetknęłam głowę do pokoju i zawołałam:

– Ciociu, musimy porozmawiać.

Spojrzała na mnie raczej bez entuzjazmu.

– Co to ma znaczyć, Waris?

– Proszę, chodź tutaj.

Kiedy podeszła do mnie, chwyciłam ją kurczowo za ramię.

– Błagam, powiedz mu, żeby mnie zabrał. Będę jego pokojówką.

Poznałam po minie, że sprawiłam jej ból, ale byłam dzieciakiem o silnej woli. Myślałam tylko o tym, czego chcę, a nie o tym, co ona dla mnie zrobiła.

– Ty? Przecież nie masz o niczym pojęcia! A co ty tam będziesz w Londynie robiła?

– Potrafię sprzątać! Powiedz mu, żeby zabrał mnie do Londynu, ciociu! Muszę tam pojechać!

– Nie sądzę. Daj mi spokój i bierz się do roboty – definitywnie zakończyła sprawę i wróciła do szwagra.

Usłyszałam, jak mówi:

– Dlaczego nie miałbyś wybrać akurat jej? Wiesz, ona jest naprawdę dobra. Sprząta świetnie.

Kiedy ciotka mnie zawołała, wpadłam do pokoju jednym skokiem. Stanęłam z miotełką do kurzu przy nodze i żując gumę przedstawiłam się:

– Jestem Waris. A ty jesteś mężem mojej cioci, prawda?

Ambasador skrzywił się.

– Czy mogłabyś się pozbyć się tej gumy?

Natychmiast plunęłam nią w kąt pokoju.

Spojrzał na ciocię Sahru.

– I to ma być ta dziewczyna? O nie! Nie, nie, nie.

– Jestem świetna. Potrafię sprzątać, gotować i do tego jeszcze znakomicie opiekuję się dziećmi.

– Tak, tak, na pewno.

Zwróciłam się do cioci:

– Powiedz mu coś...

– Dość już, Waris. Wracaj do pracy.

– Powiedz mu, że jestem najlepsza!

– Cicho, Waris! – krzyknęła na mnie i zwróciła się do wuja: – Jest bardzo młoda, ale naprawdę potrafi ciężko pracować. Wierz mi, będzie dobra...

Wuj Mohammed nadal przyglądał mi się z niesmakiem.

– No dobrze, posłuchaj. Wyjeżdżamy jutro. W porządku? Po południu przyjdę tu z twoim paszportem, a potem pojedziemy do Londynu.

8

Do Londynu

Londyn! Nic o nim nie wiedziałam, ale już sama nazwa mi się podobała. Nie miałam pojęcia, gdzie to jest, lecz wiedziałam, że daleko, i to było najważniejsze. Wyglądało, że moje modlitwy zostały w końcu wysłuchane. Szło tak dobrze, że wprost nie mogłam w to uwierzyć.

– Ciociu, czy ja naprawdę tam pojadę? – spytałam z lękiem. Pogroziła mi palcem.

– Zamknij się i nie zaczynaj więcej. – Widząc jednak wyraz paniki w moich oczach, uśmiechnęła się. – Wszystko się zgadza. Naprawdę tam jedziesz.

Podniecona do granic wytrzymałości, pobiegłam do Fatimy, która właśnie brała się do robienia kolacji.

– Jadę do Londynu! – krzyknęłam. – Jadę do Londynu! – i zaczęłam tańczyć po całej kuchni.

– Co? Do Londynu? – Chwyciła mnie za ramię w trakcie kolejnego obrotu. – Staniesz się biała – oznajmiła rzeczowo.

– Co powiedziałaś?

– Staniesz się biała. No wiesz... blada.

Nie rozumiałam. Nie miałam pojęcia, o czym mówi, bo w życiu nie widziałam białego człowieka; nie wiedziałam nawet, że takie dziwo istnieje. Mało mnie jednak obeszła jej uwaga.

– Zamknij się – odpaliłam szorstko. – Po prostu zazdrościsz, że jadę do Londynu, a ty nie. – I dalej tańczyłam, klaszcząc w dłonie, jakbym świętowała deszcz, i śpiewałam: – Jadę do Londynu! Tralala! Jadę do Londynu!

– Waris! – upomniała mnie ciocia Sahru groźnym tonem.

Wieczór upłynął pod znakiem przygotowań do wyjazdu. Dostałam wreszcie pierwsze w życiu buty: piękne, skórzane sandałki. Miałam polecieć w długiej, jasnej sukience, na którą włożyłam powłóczystą afrykańską szatę. Nie dostałam walizki, ale i tak nie była mi potrzebna, bo nie miałam nic własnego oprócz mundurka, w którym zobaczył mnie wuj Mohammed.

Przed wyjazdem na lotnisko wyściskałam i wycałowałam ciocię Sahru, kochaną Fatimę i resztę kuzynków. Fatima była dla mnie tak dobra, że chętnie zabrałabym ją ze sobą, ale wiedziałam, że u wuja jest tylko jedno miejsce, więc cieszyłam się, że to ja zostałam wybrana. Kiedy spotkałam się z wujem Mohammedem, wręczył mi paszport. Patrzyłam z niedowierzaniem na to cudo – mój pierwszy w życiu dokument. Dotychczas nie miałam niczego, na czym byłoby napisane moje imię. Niczego, nawet metryki. Gdy wsiadłam do samochodu, poczułam się bardzo ważna i z godnością machałam wszystkim na pożegnanie.

Dotąd widywałam samoloty tylko z daleka. Latały od czasu do czasu gdzieś wysoko nad głową, kiedy pasłam kozy, więc wiedziałam, że coś takiego w ogóle istnieje. Pierwszy widziany z bliska samolot to był ten, którym miałam opuścić Mogadiszu. Wuj Mohammed przeprowadził mnie przez lotnisko i zatrzymaliśmy się przy wyjściu na płytę pasa startowego. Zobaczyłam błyszczące w słońcu gigantyczne cielsko brytyjskiego odrzutowca. Byłam tak oszołomiona, że dopiero po chwili dotarły do mnie słowa wuja:

– ...i ciocia Maruim będzie na ciebie czekała w Londynie. Dołączę do was za kilka dni. Mam tu jeszcze parę spraw do załatwienia.

Obróciłam się w jego stronę z rozdziawionymi ustami. Wcisnął mi w rękę bilet i dodał:

– Waris, nie zgub tego ani paszportu. To bardzo ważne papiery, trzymaj je cały czas przy sobie.

– To nie jedziesz ze mną? – wykrztusiłam.

Zniecierpliwił się:

– Nie. Muszę tu jeszcze zostać parę dni.

Zaczęłam płakać, przerażona perspektywą samotnej podróży i nieuchronnego rozstania z Somalią, ze wszystkim, co znałam. Nagle zwątpiłam w słuszność całego tego pomysłu. Choć tyle już przeszłam, bałam się wyruszyć w nieznane. Rozwarła się przede mną prawdziwa otchłań.

Wuj uspokajał mnie:

– No coś ty, będzie świetnie. Ktoś cię odbierze na lotnisku w Londynie i powie ci, co i jak.

Nadal pociągałam nosem i szlochałam. Wuj popchnął mnie w stronę wyjścia.

– No, idź już. Samolot zaraz odlatuje. Po prostu wsiądź do niego. Idźże wreszcie do tego samolotu!!!

Sztywna ze strachu podreptałam po rozmiękłym od upału asfalcie. Obserwowałam podejrzliwie obsługę naziemną krzątającą się wokół samolotu przed startem. Patrzyłam na ludzi ładujących bagaże i sprawdzających podwozie, zastanawiając się cały czas, jak dostanę się do środka. W końcu zobaczyłam schodki prowadzące do otworu w kadłubie. Nie miałam wprawy w chodzeniu w butach, a już zwłaszcza po śliskich, aluminiowych stopniach, więc przez całą drogę do góry przydeptywałam fałdy mojego afrykańskiego stroju. Kiedy znalazłam się na pokładzie, nie wiedziałam, dokąd mam dalej iść – musiałam wyglądać jak kompletna idiotka. Pozostali pasażerowie siedzieli już na swoich miejscach; wszyscy przyglądali mi się badawczo. Można było wprost czytać w ich twarzach: A cóż to za wieśniara, co nawet nie wie, jak zachować się w samolocie?

Klapnęłam na pierwsze wolne miejsce i po raz pierwszy w życiu zobaczyłam białego człowieka. A ten powiedział krótko:

– To nie twoje miejsce.

Oczywiście wtedy nie miałam pojęcia o angielskim, więc to teraz mi się wydaje, że tak powiedział. Gapiłam się na niego w panice i myślałam: „O, Panie. Co ten człowiek mówi? I dlaczego tak wygląda?". Powtórzył swoją kwestię, a ja jeszcze bardziej się przeraziłam. Dzięki Bogu, pojawiła się stewardesa i wyjęła mi z ręki bilet. Od razu zorientowała się, że nie mam o niczym pojęcia. Wzięła mnie delikatnie za ramię i poprowadziła na moje miejsce – rzecz jasna, nie w pierwszej klasie, gdzie początkowo zabłądziłam. Wszystkie oczy obracały się za mną. Stewardesa z miłym uśmiechem wskazała mi właściwy fotel. Zapadłam się w niego, zadowolona, że już nikt mnie nie widzi. W podzięce za pomoc głupawo szczerzyłam zęby i kiwałam głową.

Zaraz po starcie stewardesa wróciła z koszykiem pełnym słodyczy i zaczęła częstować pasażerów. Kiedy podeszła do mnie, jedną ręką podciągnęłam sukienkę, jak podczas zbierania owoców, a drugą zaczęłam ładować cukierki do utworzonej w ten sposób kieszeni. Nigdy dotąd nie miałam jedzenia w nadmiarze, więc postanowiłam wziąć sobie trochę na zapas. Kto wiedział, kiedy będzie następna okazja? Przy kolejnej próbie stewardesa odsunęła ode mnie koszyk, lecz ja wychynęłam z fotela i nadal próbowałam robić swoje. Jej twarz mówiła wyraźnie: Ale mi się trafiło! Co ja mam robić z tą tutaj?

Odwijałam i pożerałam cukierki, obserwując jednocześnie towarzyszy podróży. Wydawali mi się oziębli i jacyś chorowici. Gdybym znała wtedy angielski, powiedziałabym: „Trzeba wam trochę słońca". Przecież nie powinni byli tak wyglądać, no nie? Pewnie zrobili się biali, bo zbyt długo przebywali pod dachem. Wpadłam nawet na pomysł, żeby kogoś uszczypnąć w policzek – może wtedy biała farba zlazłaby ze skóry. Przecież pod spodem każdy z nich musiał być czarny!

Po dziewięciu czy dziesięciu godzinach lotu strasznie zachciało mi się siusiu. Mało mnie nie rozerwało, ale nie wiedziałam, gdzie mam to zrobić, więc zaczęłam śledzić, jak sobie radzą inni pasażerowie. Wkrótce odkryłam drzwi, za którymi co jakiś czas ktoś znikał. To musiało być tam. Kiedy tylko kolejny pasażer opuścił tajemnicze miejsce, wstałam i pomknęłam tam jak strzała. Weszłam do środka, zamknęłam drzwi i zaczęłam się rozglądać. Bez wątpienia pomieszczenie było właściwe, tylko jak się go używa? Umywalkę od razu wykluczyłam – przykręcili ją za wysoko. Pozostawało siedzienie z otworem. Obejrzałam je, obwąchałam i zdecydowałam, że to jest to. Usiadłam szczęśliwa i... Uff, co za ulga!

Czułam się cudownie, dopóki nie wstałam i nie zobaczyłam, że moje siuśki nadal są tam, gdzie je zostawiłam. Co tu robić? Nie mogłam po prostu wyjść i pozwolić, żeby ktoś je sobie oglądał. Jak się tego pozbyć? Nie znałam angielskiego, więc widoczne na guziku słowo ,,spłuczka'' nic mi nie mówiło, a nawet gdybym je zrozumiała, to i tak nigdy w życiu nie miałam do czynienia z toaletą, w której spuszcza się wodę. Metodycznie zbadałam wszystkie guziki, dźwignie i śrubki, zastanawiając się, która z nich spowoduje, że mój mocz zniknie z pola widzenia. Po pewnym czasie doszłam do wniosku, że to chyba jednak przycisk z napisem ,,spłuczka'', ale teraz zaczęłam się bać, że jak go nacisnę, to samolot wybuchnie. Słyszałam w Mogadiszu, że takie rzeczy się zdarzają. W politycznym zamęcie panującym w Somalii ludzie bez przerwy opowiadali o bombach i wybuchach, a to to wyleciało w powietrze, a to tamto. Istniało więc niebezpieczeństwo, że po naciśnięciu przeze mnie guzika samolot rozpadnie się na kawałki i wszyscy zginiemy. No a poza tym na guziku mogło być przecież napisane: Nie naciskać! Grozi wybuchem samolotu. Zdecydowałam, że dla małego siusiu nie warto ryzykować, nadal jednak nie życzyłam sobie, żeby inni to oglądali. Nie miałam wątpliwości, że będą wiedzieli, kto to zostawił, bo od pewnego czasu słyszałam walenie pięściami w drzwi.

W przebłysku geniuszu wzięłam papierowy kubek, napełniłam go wodą i wylałam ją do toalety. Wpadłam na pomysł, że jeśli wystarczająco mocz rozcieńczę, każdy pomyśli, że w toalecie stoi sobie zwykła woda. Zabrałam się więc do pracy, kubek za kubkiem. Teraz ludzie już nie tylko tłukli w drzwi, lecz także zaczęli wrzeszczeć. Ponieważ nie mogłam odpowiedzieć w ich języku: – za chwilę! – robiłam swoje w milczeniu. Woda ledwo ciurkała z kranu, kubek był malutki, a miska toalety spora. Skończyłam, gdy jej zawartość zaczęła się niemal przelewać przez brzegi. Teraz wszystko było w porządku, więc wygładziłam suknię i otworzyłam drzwi. Przeciskałam się przez tłum ze spuszczonym wzrokiem, wdzięczna losowi, że nie zachciało mi się kupy.

Kiedy podchodziliśmy do lądowania na Heathrow, lęk przed nieznanym krajem tłumiła radość, że opuszczę w końcu tę przeklętą naszynę. No a poza tym przecież czekać będzie na mnie ciocia, która mnie utuli. Samolot obniżał lot, błękitne niebo za oknem zastąpiły najpierw białe chmury, potem jakaś lepka szarość. Zatrzymaliśmy się. Pasażerowie wstali, a ja z nimi. Dałam się porwać ludzkiej fali, bo nie wiedziałam, ani dokąd iść, ani co robić. Płynęłam swobodnie z tłumem, aż pojawiły się schody. I tu natknęłam się na istotny problem: schody się poruszały. Aż mnie zmroziło. Ludzka rzeka rozdzielała się wokół mnie, a ja patrzyłam, jak stopnie jeden za drugim suną ku górze. Idąc śladem innych pasażerów, weszłam na schody, ale zsunął mi się ze stopy jeden sandał i został na dole.

– Mój but! Mój but! – wrzeszczałam w ojczystym języku, próbując zawrócić. Oblepiający mnie szczelnie tłum uniemożliwiał jednak najmniejszy ruch.

Opuściwszy ruchome schody, kuśtykałam dalej z innymi, już tylko w jednym sandałku. Dotarliśmy do bramki celników. Patrzyłam bezmyślnie na jednakowo umundurowanych białych mężczyzn, nie mając pojęcia, o co w tym wszystkim chodzi. Urzędnik odezwał się do mnie po angielsku, a ja – w nadziei, że ktoś mi w końcu pomoże – wskazując na ruchome schody, wydarłam się po somalijsku:

– Mój but! Mój but!

Urzędnik spojrzał na mnie krzywym okiem i cierpiętniczym tonem powtórzył pytanie. Zachichotałam nerwowo i na chwilę zapomniałam o sandałku. Urzędnik wskazał palcem na paszport, więc podałam mu go posłusznie. Obejrzał go dokładnie, wbił pieczątkę i gestem kazał iść dalej.

W poczekalni podszedł do mnie jakiś gość w uniformie szofera i zapytał po somalijsku:

– Przyjechałaś do pracy u pana Farah?

Słysząc wreszcie zrozumiały język, poczułam taką ulgę, że krzyknęłam jak w uniesieniu:

– Tak! Tak! To ja! Jestem Waris!

Kierowca zaczął prowadzić mnie na zewnątrz, ale powstrzymałam go:

– Musimy wrócić i odzyskać mój but.

– But? – zapytał zdziwiony.

– Tak, został tam, na dole.

– Gdzie?

– Pod tymi poruszającymi się schodami – wyjaśniłam. – Został tam, kiedy na nie weszłam. Kierowca spojrzał na ziemię i zobaczył, że jedna z moich stóp jest bosa. Na szczęście mówił też po angielsku, więc wyprosił, żeby pozwolili nam wrócić do hali przylotów. Kiedy jednak doszliśmy do podnóża schodów, nie było nawet śladu mojego bucika. Wprost nie mogłam uwierzyć – co za pech! Zdjęłam drugi sandał i przepatrywałam każdy cal podłogi. Z powrotem musieliśmy znowu przejść przez punkt kontroli paszportów. Ten sam urzędnik zadawał mi te same pytania, tyle że teraz miał tłumacza w osobie szofera.

– Jak długo masz zamiar zostać w Wielkiej Brytanii?

Wzruszyłam ramionami.

– Co masz zamiar tu robić?

– Mieszkać z moim wujem, ambasadorem – odpowiedziałam z dumą.

– W paszporcie jest napisane, że masz osiemnaście lat. Czy to prawda? – pytał dalej.

– Co? Nie mam osiemnastu lat! – zaprotestowałam.

Tu kierowca powiedział coś urzędnikowi.

– Czy masz coś do oclenia?

Znowu nic nie zrozumiałam, ale kierowca wytłumaczył mi, o co chodzi:

– Co przywiozłaś?

No cóż, miałam tylko jeden sandał. Urzędnik popatrzył przez chwilę na sandał, pokręcił głową i puścił nas do wyjścia.

Kierowca wuja prowadził mnie przez zatłoczone lotnisko i tłumaczył:

– Jeśli w twoim paszporcie jest napisane, że masz osiemnaście lat, to musisz mówić, że tak jest naprawdę. Ktokolwiek cię o to zapyta, mów, że masz osiemnaście lat.

– Ale ja nie mam osiemnastu lat – odpowiedziałam ze złością. – Nie jestem aż taka stara!

– No dobrze, a ile masz lat?

– Nie wiem. Może czternaście. Ale aż taka stara nie jestem!

– Posłuchaj. Masz tyle lat, ile napisane jest w paszporcie.

– Co ty gadasz? Nie obchodzi mnie, co tam jest napisane i dlaczego. Przecież mówię ci, że to nieprawda.

– Ale pan Farah kazał tam tak napisać.

– To widocznie zwariował albo nie miał o tym pojęcia!

Pod koniec rozmowy już krzyczeliśmy na siebie i zanim udało nam się opuścić lotnisko, jedno serdecznie nie znosiło drugiego.

Szłam do samochodu boso, a na Londyn sypał śnieg. Trzęsłam się z zimna; wsunęłam na stopę samotny sandałek i próbowałam szczelniej otulić się swoimi zwiewnymi bawełnami, ale bez skutku. Nigdy nie miałam do czynienia z podobną pogodą.

– O Boże! Ależ tu zimno! – zajęczałam.

– Przyzwyczaisz się – odpowiedział obojętnie szofer.

Samochód włączył się do porannego londyńskiego ruchu i dopiero teraz naprawdę poczułam, jak bardzo jestem sama – w tym zupełnie obcym miejscu, pośród chorobliwie bladych twarzy. O Allachu! O nieba! Mamo! Gdzie ja się znalazłam? Choć widziałam obok siebie czarną twarz szofera wuja Mohammeda, nie czułam się najlepiej. Najwyraźniej uważał mnie za coś gorszego od siebie.

Podczas jazdy zaczął objaśniać warunki, w jakich przyjdzie mi żyć. Miałam mieszkać z wujem, ciocią, matką wuja, jeszcze jednym bratem mamy, którego nie znałam, oraz siedmiorgiem dzieci, moich kuzynów. Powiedział, o której będę wstawała, co będę robiła, co gotowała i gdzie będę spała, kiedy już mi pozwolą, żebym padła w pościel wyczerpana całodzienną harówką.

– Wiesz, twoja ciotka, nasza pani, prowadzi dom żelazną ręką – zwierzał się. – Ostrzegam cię, nie mamy z nią lekkiego życia.

– Dobra, może tobie nie jest z nią lekko, ale dla mnie to ciocia – odpaliłam.

Doszłam do wniosku, że ostatecznie to kobieta, tak jak ja, i do tego siostra mamy. Pomyślałam sobie, jak bardzo tęsknię za mamą i jak dobre były dla mnie ciocia Sahru i Fatima. Nawet Aman wydała mi się jakaś lepsza i bardzo żałowałam, że nie mogłyśmy się dogadać. Kobiety w naszej rodzinie dbały i troszczyły się o wszystkich jej członków.

Dopadło mnie w końcu zmęczenie i wyciągnęłam się na fotelu jak długa. Patrzyłam przez okno samochodu i próbowałam dociec, skąd się biorą białe płatki wirujące w powietrzu. Zanim dotarliśmy do willowej części Harley Street, chodniki były już zupełnie białe. Widok domu wuja Mohammeda przytłoczył mnie. Zdałam sobie sprawę, że przyjdzie mi żyć w prawdziwie pańskiej rezydencji. Nigdy w życiu nie widziałam czegoś równie imponującego, to był istny pałac. Miał trzy piętra i pomalowaną na mój ulubiony, żółty kolor fasadę. Weszliśmy przez główne wejście z ogromnym nadświetlem*. Za drzwiami moje spojrzenie przykuło wielkie lustro w ozdobnej ramie – odbijał się w nim mur książek w bibliotece.

---

* Półkoliste okno nad drzwiami, z listewkami układającymi się we wzór podobny do pajęczej sieci; typowy element architektury wiktoriańskiej (przyp. tłum.).

Ciocia Maruim wyszła mi na spotkanie do hallu.

– Ciotunia! – krzyknęłam na jej widok.

W hallu stała kobieta nieco młodsza od mojej matki, ubrana modnie w zachodnim stylu.

– Wejdź – powiedziała chłodno – i zamknij drzwi.

Miałam zamiar podbiec do niej i ją uściskać, ale zmroziło mnie coś bijącego z jej postawy i wyglądu mocno splecionych dłoni.

– Najpierw przejdziemy się po domu i zapoznam cię z twoimi obowiązkami – oznajmiła.

– Ojej – powiedziałam cicho, czując, że tracę resztki energii. – Ciociu, jestem taka zmęczona. Myślę tylko o tym, żeby się położyć. Czy mogłabym się teraz przespać?

– No dobrze. Chodź za mną.

Weszłyśmy do salonu, a potem na schody. Patrzyłam na eleganckie wnętrze: świeczniki, białą sofę usianą miękkimi poduszkami, abstrakcyjne obrazy wiszące na ścianach i polana żarzące się w kominku. Ciocia Maruim zaprowadziła mnie do swojego pokoju i powiedziała, że mogę przespać się w jej łóżku. To było łoże wielkości całej naszej chaty, przykrywała je cudowna puchowa kołdra. Położyłam ręce na jedwabnej pościeli, by nacieszyć się jej dotykiem.

– Pokażę ci dom, kiedy się wyśpisz.

– Obudzisz mnie? – spytałam.

– Nie. Wstaniesz, kiedy sama się obudzisz. Śpij, ile chcesz.

Wślizgnęłam się pod kołdrę i przemknęło mi przez myśl, że nigdy nie czułam czegoś równie miękkiego i wspaniałego. Ciocia zamknęła cicho drzwi, a ja zapadłam w sen jak w studnię bez dna.

9

Na służbie

Kiedy otworzyłam oczy, wydawało mi się, że nadal śnię. I cóż to był za sen! Obudziwszy się w ogromnym łożu w pięknym pokoju, nie mogłam uwierzyć, że to wszystko dzieje się naprawdę. Tej nocy ciocia Maruim musiała spać z jednym ze swoich dzieci, bo nieprzytomna leżałam w jej pokoju aż do następnego dnia rano. Kiedy jednak wstałam, marzenia zastąpiła rzeczywistość.

Wyszłam z pokoju cioci na pierwszym piętrze i wędrowałam po domu, aż natknęłam się na nią.

– Dobrze, że już wstałaś. Pójdziemy do kuchni i pokażę ci, co masz robić.

Otumaniona jeszcze snem, poszłam za nią do pomieszczenia, które nazwała kuchnią, ale w Mogadiszu to ja takiej kuchni nie widziałam. Ściany obwieszone były naokoło kremowymi szafkami i oprócz sufitu wszystko pokrywały niebieskie ceramiczne płytki; na środku królowała monstrualna sześciopalnikowa kuchnia. Ciocia wyciągała i wsuwała szuflady, objaśniając: tu są sztućce, tu talerze, tu obrusy – a ja głowiłam się, o czym ta kobieta mówi. Nie miałam pojęcia, do czego to wszystko służy, mogłam się tego jedynie domyślać.

– Każdego dnia o szóstej trzydzieści podasz wujowi śniadanie, bo zaraz potem idzie do ambasady. Ma cukrzycę, więc musisz ściśle przestrzegać jego diety. Zawsze prosi o ziołową herabatę i dwa jajka w koszulkach. O siódmej podasz mi kawę do pokoju, potem zrobisz dzieciom naleśniki. Muszą zacząć śniadanie punkt ósma, bo o dziewiątej mają być w szkole. Po śniadaniu...

– Ciociu – przerwałam jej – skąd ja mam wiedzieć, jak się tym wszystkim posługiwać? Kto mnie tego nauczy? Jak mam zrobić te... Jak im tam? Naleśniki! Co to są naleśniki?

Ciocia Maruim zrobiła głęboki wdech i pokazała mi ręką drzwi. Stała z wyciągniętą ręką i zapartym tchem, a na jej twarzy pojawiły się oznaki paniki. Potem powoli wypuściła powietrze, opuściła rękę i splotła dłonie na podołku w geście, który poznałam w chwili naszego spotkania.

– Za pierwszym razem zrobię to sama, ale przyglądaj się pilnie, Waris. Patrz, słuchaj i ucz się.

Przytaknęłam głową. Ciocia zaczęła już normalnie oddychać i rozpoczęła szkolenie.

Po tygodniu i paru drobnych katastrofach nabrałam niezbęd-nej rutyny i robiłam to samo każdego dnia, 365 dni w roku, przez następne cztery lata. Dotychczas nigdy nie zwracałam uwagi na upływ czasu, a tu nagle musiałam zacząć żyć ściśle według zegara. Pobudka o szóstej; szósta trzydzieści – śniadanie wuja; siódma – kawa cioci; ósma – śniadanie dzieci; potem sprzątanie w kuchni. Szofer odwoził ambasadora do pracy, a następnie wracał i zabierał dzieci do szkoły. Wtedy szłam sprzątać pokój cioci, jej łazienkę i pozostałe pomieszczenia całej rezydencji. Odkurzałam, zmywałam, szorowałam, polerowałam wszystkie cztery kondygnacje. I wierzcie mi, jeśli tylko coś było nie tak, od razu się o tym dowiadywałam:

– Waris, nie podoba mi się twój sposób sprzątania łazienki. Na tych płytkach są plamki, a powinny błyszczeć jak lustro. Następnym razem upewnij się, że wszystko jest czyste.

W domu był kierowca, kucharz, no i ja – jedyna służąca. Ciocia uważała, że nie potrzeba zatrudniać więcej osób do tak małego domu. Kucharz gotował obiady i kolacje tylko przez sześć dni w tygodniu. W niedzielę miał wolne i wtedy gotowałam ja. Przez cztery lata nie miałam ani jednego dnia dla siebie. Kilka razy o to prosiłam, ale ciocia stanowczo odrzucała moje „zachcianki" i w końcu dałam za wygraną.

Nigdy nie jadałam z resztą rodziny. Chwytałam coś w locie i pracowałam aż do chwili, gdy mogłam paść do łóżka, a było to zazwyczaj koło północy. Nie tęskniłam jednak za rodzinnymi obiadkami, bo moim zdaniem kucharz robił same paskudztwa. Był Somalijczykiem, ale pochodził z innego plemienia niż moje. Był nadętym, złośliwym leniem i uwielbiał mnie dręczyć. Kiedy tylko ciocia wchodziła do kuchni, zaczynał kwękać:

– Waris, w poniedziałek zastałem w kuchni potworny bałagan. Musiałem to sprzątać godzinami.

Oczywiście były to same łgarstwa. Jedyne, co umiał, to robić dobre wrażenie na cioci i wujku, bo wiedział, że swoim gotowaniem tego nie osiągnie. Kiedy powiedziałam cioci, że nie chcę jeść tego, co on robi, pozwoliła mi gotować sobie, co zechcę. Ucieszyłam się, że będę mogła wykorzystać to, czego nauczyłam się od Fatimy w Mogadiszu. Miałam talent do gotowania, więc wkrótce byłam świetna nie tylko w przyrządzaniu potraw z klusek. Zaczęłam także komponować własne przepisy. Kiedy reszta rodziny spróbowała moich potraw, zaraz zaczęły się prośby, żebym gotowała i dla nich. Nie muszę chyba dodawać, że nie zyskałam przez to przychylności kucharza.

Już pod koniec pierwszego tygodnia w Londynie zdałam sobie sprawę, że moje oczekiwania co do miejsca, jakie zajmę w domu wujostwa, zupełnie się różnią od ich oczekiwań. W większości krajów Afryki powszechny jest zwyczaj, że wpływowi i zamożni ludzie przyjmują do swoich domów dzieci uboższych krewnych po to, żeby u nich pracowały w zamian za utrzymanie. Zdarza się, że dbają o wykształcenie tych dzieci i w ogóle traktują je jak własne, ale zdarza się też, że tak nie jest. Oczywiście miałam nadzieję, że znajdę się w tej pierwszej grupie, szybko jednak zorientowałam się, iż ciocia i wujek mają na głowie ważniejsze sprawy niż kształcenie przygłupa z pustyni. Wujek był tak zajęty pracą, że prawie nie zwracał uwagi na to, co dzieje się w domu. Z kolei ciocia, która – jak się naiwnie spodziewałam – miała mi być drugą matką, nie uważała za stosowne widzieć we mnie trzecią córkę. Miałam być służącą i tyle. Kiedy zdałam sobie z tego sprawę, moja radość z przybycia do Londynu zgasła. Okazało się, że ciocia ma obsesję na punkcie przestrzegania tworzonych przez nią samą reguł i wytycznych. Wszystko miało być zrobione tak, jak chciała, wtedy, kiedy chciała i tak szybko, jak sobie tego życzyła. Każdego dnia, bez żadnych wyjątków. Być może zdawało jej się, że musi być twarda, żeby dać sobie radę w tak odmiennym od ojczystego otoczeniu kulturowym. Na szczęście znalazłam sobie w tym domu przyjaciółkę.

Basma była najstarszą córką wujostwa, miała mniej więcej tyle lat co ja. Była uderzająco piękna, wszyscy chłopcy oglądali się za nią, ale ona nie zwracała na to uwagi. Chodziła do szkoły, a jedyne, co ją interesowało po przyjściu do domu, to książki. Szła do swojego pokoju, kładła się na łóżku i czytała. Często tak zagłębiała się w lekturze, że zapominała o posiłkach i trzeba ją było na siłę wyciągać z pokoju.

Nie mogąc wytrzymać nudy i samotności, poszłam kiedyś do niej, siadłam na rogu łóżka i spytałam:

– Co czytasz?

Nawet nie podniósłszy głowy, Basma wymamrotała:

– Daj mi spokój, czytam.

– No dobrze, ale czy możemy porozmawiać?

Nadal gapiła się w książkę, lecz zapytała cedząc słowa przez zęby:

– A o czym chcesz rozmawiać?

– Co czytasz?

– Hmmm?

– O czym czytasz? O czym to jest?

W końcu dotarło do niej, że jestem obok, i zaczęła streszczać mi całą książkę.

Przeważnie czytała romansidła, w których punktem kulminacyjnym intrygi, wiodącej przez liczne przeszkody i nieporozumienia, był moment, gdy on i ona namiętnie się całowali. Zawsze lubiłam słuchać przeróżnych historyjek, więc siedziałam jak niema, a Basma snuła opowieść, nie pomijając żadnych szczegółów – oczy jej błyszczały, podkreślała wszystko żywą gestykulacją. Postanowiłam nauczyć się czytać, żeby mieć dostęp do tych wszystkich fantastycznych historii, kiedy tylko zapragnę.

Mieszkał z nami również wuj Abdullah, młodszy brat mamy, który studiował na uniwersytecie. Zagadnął do mnie kiedyś: „Wiesz co, Waris, powinnaś nauczyć się czytać. Jeśli jesteś tym zainteresowana, pomogę ci". Powiedział, gdzie jest szkoła, kiedy odbywają się lekcje i co najważniejsze – że nauka jest za darmo. Na pomysł, żeby pójść do szkoły, nigdy bym sama nie wpadła. Ambasador dawał mi co miesiąc jakieś mikroskopijne kieszonkowe, które oczywiście nie starczyłoby na opłacenie żadnej szkoły. Podekscytowana perspektywą, że będę czytała, poszłam do cioci Maruim i powiedziałam jej, że chcę chodzić do szkoły i nauczyć się tam czytać, pisać i mówić po angielsku. Mimo że żyliśmy w Londynie, w domu wszyscy mówili po somalijsku, więc z angielskiego znałam tylko parę słów.

Ciocia odpowiedziała:

– Dobrze, zastanowię się.

Kiedy jednak przedyskutowała sprawę z wujem, ten powiedział: nie. Nadal naciskałam, żeby mi pozwoliła, ale nie chciała robić nic wbrew woli męża. I wtedy postanowiłam zrobić to bez ich pozwolenia. Zajęcia odbywały się trzy razy w tygodniu, od dziewiątej do jedenastej wieczorem. Za pierwszym razem zaprowadził mnie do szkoły wuj Abdullah. Miałam piętnaście lat i po raz pierwszy w życiu znalazłam się w szkolnej klasie. Było tam mnóstwo ludzi w przeróżnym wieku, przybyłych ze wszystkich stron świata. Na lekcje wymykałam się z domu chyłkiem; do szkoły i z powrotem podwoził mnie stary Włoch, kolega z klasy. Byłam tak spragniona wiedzy, że aż nauczyciel powiedział mi kiedyś:

– Dobrze ci idzie, Waris, ale nie spiesz się tak.

Nauczyłam się już alfabetu i zaczęłam poznawać podstawy

angielskiego, kiedy wuj dowiedział się o moich wieczornych wycieczkach. Dostał szału, że ktoś lekceważy jego zakazy, i położył kres mojej edukacji, która potrwała zaledwie parę tygodni.

Zabronili mi chodzić do szkoły, więc zaczęłam pożyczać książki od kuzynki i z nich próbowałam uczyć się dalej. Nie wolno mi było oglądać telewizji, ale słuchałam pod drzwiami, trenując ucho w angielskim. Jakoś to szło, aż któregoś dnia zawołała mnie ciocia.
– Waris, zejdź na dół, jak skończysz. Mam ci coś do powiedzenia.
Ścieliłam właśnie łóżka i kiedy skończyłam, zeszłam do salonu. Ciocia stała przy kominku.
– Tak, ciociu?
– Miałam dzisiaj telefon z Somalii. Eee... jak ma twój brat na imię?
– Ali?
– Nie, najmłodszy, ten z siwymi włosami.
– Starzec? O niego ci chodzi?
– Tak. O niego i twoją siostrę Aman. No cóż, przykro mi. Oboje nie żyją.
Nie mogłam uwierzyć w to, co usłyszałam. Patrzyłam na ciocię i pomyślałam, że żartuje albo że jest na mnie zła i chce mnie ukarać tą potworną historią. Nie dostrzegłam w jej twarzy nic, co wyjaśniłoby moje wątpliwości – jej twarz była zupełnie pusta. Chyba jednak mówi serio, no bo niby dlaczego miałaby tak mówić? Ale czy to możliwe? – przeleciało mi przez głowę. Stałam jak słup, dopóki nie poczułam, że nogi mnie znowu słuchają. Podeszłam do sofy i przysiadłam na chwilę. Ciotka chyba dalej coś mówiła, opowiadała o jakichś szczegółach, ale w uszach miałam tylko jeden wielki szum. Odrętwiała, poruszając się jak zombi, poszłam do mojego pokoju na trzecim piętrze.
Leżałam wstrząśnięta przez resztę dnia, wyciągnięta na łóżku stojącym pod belkowanym stropem pokoiku, który dzieliłam

z młodszym kuzynem. Starzec i Aman nie żyli! Jak to się mogło stać? Opuściłam dom, straciłam ich z oczu, a teraz już ich nigdy nie zobaczę. Aman, zawsze taka silna. Starzec, taki mądry dzieciak. Nie dopuszczałam myśli, że mogą umrzeć, ale skoro tak się stało, to co będzie z resztą rodziny, z tymi, z których byli najlepsi? Wieczorem postanowiłam, że dość już tych cierpień. Nic mi nie poszło w życiu tak, jak miałam nadzieję, że się stanie. Od poranka, gdy uciekłam ojcu, upłynęły dwa lata. Przez cały ten czas nie miałam przy sobie nikogo z bliskich, a teraz dowiedziałam się, że dwoje z nich straciłam na zawsze. To było ponad moje siły. Zeszłam do kuchni, otworzyłam szufladę i wyjęłam wielki, rzeźnicki nóż. Trzymając go w ręce, wróciłam do swojego pokoju. Biedna mama: ja straciłam dwoje bliskich, a ona miała stracić jeszcze mnie. Nie mogłam jej tego zrobić; położyłam nóż na stoliku i wpatrzyłam się w sufit. Zapomniałam zupełnie o nożu, a tu przyszła Basma, żeby sprawdzić, co się ze mną dzieje.

– A cóż to, u diabła, jest? Co ty tu robisz z tym nożem? – krzyknęła.

Nawet nie próbowałam odpowiedzieć, tylko dalej patrzyłam w sufit. Basma zabrała nóż i wyszła z pokoju.

Parę dni później usłyszałam wołanie ciotki.

– Waris! Zejdź na dół!

Leżałam, udając, że jej nie słyszę.

– Waris! Schodź, ale już! – ponagliła mnie.

Zeszłam po schodach i zobaczyłam, że czeka na podeście.

– No pospiesz się! Telefon!

Wiadomość spłoszyła mnie mocno, bo nikt nigdy do mnie nie dzwonił. Tak naprawdę to nigdy przedtem nie rozmawiałam przez telefon.

– Do mnie? – spytałam cicho.

– Tak, tak! – Wskazała słuchawkę leżącą na stoliku. – Tutaj, bierz to i mów.

Wzięłam słuchawkę i patrzyłam w sitko mikrofonu, jakby miało mnie ugryźć. Ze sporej odległości wyszeptałam:

– Tak?

Ciocia Maruim wzniosła oczy do nieba.

– Mów do słuchawki! Obróciła ją we właściwą stronę i przystawiła mi do ucha.

– Halo? – Usłyszałam cudowny dźwięk: to był głos mojej matki. – Mama? Mama! O mój Boże, czy to naprawdę ty? – Po raz pierwszy od wielu dni uśmiechnęłam się. – Mamo, wszystko u ciebie w porządku?

– Nie, mieszkam sobie pod drzewem – zażartowała jak zwykle.

Powiedziała mi, że po śmierci Starca i Aman prawie oszalała. Kiedy to usłyszałam, pomyślałam sobie, jak by to było, gdybym nie porzuciła zamiaru samobójstwa. Matka uciekła na pustynię. Nie chciała nikogo widzieć, z nikim rozmawiać. Potem sama poszła do Mogadiszu. Była tam teraz ze swoją rodziną – dzwoniła z domu cioci Sahru.

Próbowała wyjaśnić mi, jak do tego wszystkiego doszło. Z jej opowiadania ziała tragiczna beznadzieja. Starzec zachorował, ale jak to zwykle bywało w życiu afrykańskich nomadów, nie było mowy o jakiejś pomocy medycznej. Nikt nie wiedział, co się z nim dzieje ani co trzeba z tym zrobić. Ta społeczność znała tylko dwie możliwości: żyjesz albo umierasz. Dopóki ktoś żył, wszystko było w porządku. Nie przejmowaliśmy się zbytnio chorobami, bo bez lekarzy i lekarstw i tak nic nie można było poradzić. Kiedy ktoś umarł, no cóż, też dobrze – przecież inni żyli dalej. Naszym światem rządziła reguła *in'shallach* – „Bóg tak chciał". Życie uważano za dar boży, śmierć była nieodwołalnym bożym wyrokiem.

Kiedy jednak zachorował Starzec, rodzice przerazili się, bo był dzieckiem szczególnym. Mama, nie wiedząc, co robić, wysłała posłańca do Aman w Mogadiszu z prośbą o pomoc. I Aman nie odmówiła. Poszła na piechotę z Mogadiszu, żeby zabrać Starca do lekarza. Nie wiem, gdzie obozowała wtedy moja rodzina i jak długą drogę odbyła Aman. Niestety, mama również nie wiedziała, że kiedy wysyłała posłańca do Mogadiszu, Aman była w ósmym miesiącu ciąży. Starzec umarł na jej rękach w drodze do szpitala. Aman wpadła w szok i umarła kilka dni później, a z nią jej dziecko. Kiedy mama się o tym dowiedziała, załamała się. Zawsze była ostoją całej rodziny, więc aż mi się słabo robiło na myśl, jak teraz wygląda życie tych, którzy pozostali. Bardziej niż kiedykolwiek czułam wyrzuty sumienia, że tkwię tu, w Londynie, i nie mogę mamie pomóc, kiedy najbardziej tego potrzebuje.

* * *

Życie toczyło się dalej, a ja starałam się w miarę możliwości nim cieszyć. Wróciłam do swoich obowiązków domowych, dokazywałam z kuzynami i ich przyjaciółmi.

Pewnego wieczoru zwerbowałam Basmę do pomocy przy moim pierwszym występie jako modelki. Od początku pobytu w Londynie uwielbiałam ubrania, ale nie jako coś, co koniecznie chciałam mieć na własność. Po prostu cieszyłam się, gdy mogłam je przymierzać. To było jak gra w teatrze: mogłam udawać kogoś innego niż ja sama. Kiedy wszyscy siedzieli przed telewizorem, zamknęłam się w pokoju wuja. Otworzyłam szafę i wyjęłam jego wyjściowy garnitur z granatowej wełny w prążki. Dodałam do niego śnieżnobiałą koszulę, jedwabny krawat, ciemne skarpetki, eleganckie angielskie lakierki i filcowy kapelusz. Włożyłam to wszystko na siebie; miałam tylko trochę kłopotów z zawiązaniem krawata w taki sam sposób, jak to robił wuj. Kiedy byłam gotowa, zawołałam Basmę. Na mój widok aż ją zgięło ze śmiechu.

– Powiedz tacie, że ktoś chce się z nim widzieć – poprosiłam.

– To przecież jego ubranie! O Boże, on cię zabije...

– Po prostu zawołaj go.

Stanęłam w korytarzu i czekałam na właściwą chwilę, żeby zacząć swój wielki występ.

– Tato! – usłyszałam głos Basmy. – Jakiś człowiek przyszedł do ciebie.

- O tej porze? - wuj wyraźnie niezbyt się ucieszył. - Kto to jest? Czego chce? Widziałaś go już kiedyś?

Basma zaczęła się jąkać:

- Nooo... nie wiem. Myślę... Tak, myślę, że go znasz.

- No to powiedz mu...

- Dlaczego nie chcesz sam się z nim zobaczyć? Czeka za drzwiami - odzyskała pewność siebie Basma.

- No dobrze... - zgodził się wuj z rezygnacją w głosie.

To był sygnał dla mnie. Wcisnęłam kapelusz na oczy tak głęboko, że ledwo co widziałam, wetknęłam ręce do kieszeni marynarki i wkroczyłam do pokoju.

- Cześć, czyżbyś mnie nie pamiętał? - spytałam barytonem.

Oczy wuja zwęziły się w szparki i przykucnął, żeby zajrzeć mi pod kapelusz. Kiedy zobaczył, z kim ma do czynienia, zaczął śmiać się do rozpuku. Ciocia i reszta rodziny też rżała w najlepsze.

Wreszcie wuj Mohammed pogroził mi palcem.

- Ejże, czy pozwoliłem ci...

- Po prostu musiałam spróbować, wujku. Nie uważasz, że to zabawne?

- O Allachu...

Powtarzałam ten pokaz jeszcze parę razy, zawsze wybierając taki moment, żeby wuj był zupełnie zaskoczony. W końcu powiedział mi:

- Już wystarczy, Waris. Nie przymierzaj więcej moich ubrań, dobrze? Zostaw je w spokoju.

Wiedziałam, że mówi poważnie, choć nadal był zdania, że to było bardzo śmieszne. Słyszałam, jak zaśmiewał się, opowiadając kolegom: ,,...no więc ta dziewczyna poszła do mojego pokoju i ubrała się w mój najlepszy garnitur. Słyszę, jak Basma mnie woła: Tato, ktoś do ciebie przyszedł. Patrzę, a tu ona wchodzi ubrana zupełnie jak ja! Żebyście to widzieli...".

Przyjaciółki cioci uważały, że powinnam spróbować pracy modelki. Cioci nie bardzo się ten pomysł spodobał. Tłumaczyła im:

– My nie robimy takich rzeczy. Wiecie przecież, że pochodzimy z Somalii i jesteśmy muzułmankami.

Niemniej jednak nigdy nie miała nic przeciwko karierze Iman* – córki jednej z jej przyjaciółek. Znała matkę Iman od lat i zawsze kiedy przyjeżdżały do Londynu, ciocia Maruim nalegała, żeby mieszkały u nas w domu. Słuchając ich rozmów, po raz pierwszy spotkałam się z pomysłem, że można zarabiać pieniądze na przymierzaniu ubrań. Zaczęłam wycinać fotografie Iman z magazynów czytanych przez kuzynki i wytapetowałam nimi ściany mojego pokoiku. Skoro ona była z Somalii i mogła to robić, to może i mnie by się udało?

Kiedy Iman pojawiła się w naszym domu, zaczęłam szukać okazji, żeby z nią porozmawiać. Chciałam dowiedzieć się, jak zostać modelką, chociaż ledwo miałam pojęcie, na czym to polega. Ona jednak cały czas spędzała na rozmowach z dorosłymi. Wiedziałam, że cioci i wujkowi raczej by się nie spodobało, gdybym wtrąciła się do konwersacji ze swoimi bzdurnymi rojeniami. W końcu pewnego wieczoru trafił się odpowiedni moment. Iman czytała sama w swoim pokoju. Zapukałam do drzwi.

– Czy mam ci coś podać, zanim pójdziesz spać? – spytałam.

– Tak, przydałaby mi się filiżanka herbaty ziołowej.

Zeszłam do kuchni i wróciłam z zastawioną tacą. Postawiłam ją na nocnym stoliku i zaczęłam:

– Wiesz, mam dużo twoich zdjęć. – Huczało mi w uszach tykanie budzika stojącego obok tacy, czułam się jak kompletna idiotka, ale brnęłam dalej: – Bardzo chciałabym być modelką, jak ty. Czy trudno jest... Jak ty... To znaczy... Jak ci się udało zacząć?

Do dziś nie wiem, czego tak naprawdę od niej oczekiwałam – że dotknie mnie czarodziejską różdżką i zamieni Kopciuszka w księżniczkę? Moje marzenia o karierze modelki były czysto abstrakcyjne; tak odległe od rzeczywistości, że w sumie mało

---

* Jedna z najlepiej zarabiających modelek na świecie. Obecnie nieco mniej popularna (przyp. tłum.).

o tym myślałam. Tymczasem więc wróciłam do codziennej rutyny, śniadań, obiadów, zmywania naczyń i odkurzania.

Miałam wtedy około szesnastu lat. Mieszkałam w Londynie od dwóch lat i na tyle oswoiłam się z zachodnim podejściem do spraw czasu, że wiedziałam, jaki mamy rok: 1983.

Tego lata umarła w Niemczech siostra wuja, zostawiając osieroconą córeczkę. Mała Sophie zamieszkała u nas i wuj zapisał ją do szkoły przy kościele Wszystkich Świętych. Do moich licznych obowiązków doszedł jeszcze jeden: miałam ją odprowadzać kilka przecznic dalej, do starego gmachu z czerwonej cegły.

Jednego z pierwszych poranków, gdy pomaszerowałyśmy do szkoły, zauważyłam, że przypatruje mi się biały, mniej więcej czterdziestoletni mężczyzna z włosami związanymi w kucyk. Nie ukrywał wcale swojego zainteresowania moją osobą, wręcz przeciwnie – gapił się zupełnie otwarcie. Kiedy odprowadziłam Sophie do wejścia, mężczyzna podszedł do mnie i zaczął coś mówić. Oczywiście nic z tego nie zrozumiałam, bo mój angielski pozostawiał wiele do życzenia. Przestraszona, nawet nie chciałam na niego patrzeć i uciekłam do domu. I tak to się powtarzało każdego dnia: zostawiałam Sophie, mężczyzna podchodził i próbował do mnie zagadnąć, a ja uciekałam.

W drodze powrotnej do domu Sophie często wspominała o nowej koleżance z klasy. – Taaa,... uhum... – odpowiadałam, kompletnie bez zainteresowania. Któregoś dnia spóźniłam się i zastałam Sophie, jak stała przed szkołą, bawiąc się z jakąś małą dziewczynką.

– O, Waris. To jest właśnie moja przyjaciółka i jej tata – oznajmiła dumnie.

Obok stał zboczeniec z kucykiem, dręczący mnie od blisko roku.

– Dobra, idziemy – rzuciłam nerwowo, oglądając się na mojego prześladowcę.

On jednak pochylił się i zaczął coś mówić do Sophie, która znała angielski, niemiecki i somalijski.

– Chodź, Sophie. Odsuń się od tego mężczyzny – ostrzegłam i szarpnęłam ją za rękę.

Odwróciła się do mnie i powiedziała bystro:

– On chce wiedzieć, czy mówisz po angielsku – i patrząc na niego potrząsnęła przecząco głową.

Ten znowu coś powiedział i Sophie przetłumaczyła:

– On chce cię o coś zapytać.

– Powiedz mu, że nie mam z nim o czym rozmawiać – odparłam hardo, patrząc w drugą stronę. – Niech sobie idzie. Może mnie... – ale nie dokończyłam, bo obok stała jego córka, a Sophie od razu by wszystko przetłumaczyła. – Nic nie mówiłam. Chodźmy już. – Ścisnęłam jej rękę i pociągnęłam w stronę domu.

Krótko po tym spotkaniu zostawiłam Sophie jak zwykle w szkole i wróciłam do domu. Wzięłam się do sprzątania na górze, gdy zadzwonił dzwonek do drzwi. Poszłam otworzyć, ale ubiegła mnie ciocia Maruim. Przez pręty balustrady zobaczyłam coś, na widok czego aż mnie zatkało: w drzwiach stał pan Kucyk. Pewnie mnie wyśledził. Od razu pomyślałam, że przyszedł opowiedzieć cioci jakieś wymysły – że flirtowałam z nim, że poszłam z nim do łóżka albo że widział, jak coś ukradłam. Ciocia spytała swoim płynnym angielskim:

– Kim pan jest?

– Nazywam się Malcolm Fairchild. Przepraszam, że panią niepokoję, ale czy moglibyśmy porozmawiać?

– A o czym chce pan ze mną rozmawiać? – Ciocia była wstrząśnięta.

Wracając na górę, czułam się potwornie. Nie dawało mi spokoju, co on takiego ciotce opowie, ale już po chwili usłyszałam trzaśnięcie drzwi. Zbiegłam do salonu i przechwyciłam ciocię Maruim, która parła jak burza w stronę kuchni.

– Kto to był, ciociu?

– Nie wiem, jakiś mężczyzna. Mówił, że przyszedł tu za tobą, że chce z tobą porozmawiać i jakieś bzdury, że chce ci robić zdjęcia. – Patrzyła na mnie przy tym uważnie.

– Ciociu, nie mówiłam mu, żeby tu przychodził. W ogóle z nim nie rozmawiałam.

– Wiem o tym! I dlatego sam tu przyszedł! – Minęła mnie, mówiąc na odchodnym: – Wracaj do pracy i nie zawracaj sobie tym głowy. Już ja się nim zajmę!

Niechęć ciotki do poruszania szczegółów tej rozmowy, jej złość i niesmak doprowadziły mnie do wniosku, że pan Kucyk chciał mi robić zdjęcia w stylu porno. Przeraziłam się i już więcej nie poruszałam sprawy dziwnej wizyty.

Od tej pory mężczyzna, mimo że każdego dnia widzieliśmy się pod szkołą przy kościele Wszystkich Świętych, nie próbował ze mną rozmawiać. Uśmiechał się uprzejmie, lecz trzymał się z daleka. Któregoś dnia jednak dogonił mnie, kiedy wracałam z Sophie do domu, i wcisnął mi do ręki wizytówkę. Patrząc mu prosto w oczy, schowałam ją do kieszeni. Zawrócił w stronę szkoły, a ja zaczęłam mu wymyślać po somalijsku:

– Odwal się ode mnie, ty cholerna świnio!

W domu od razu pobiegłam na górę. Sypialnie wszystkich dzieci znajdowały się na poddaszu, które było czymś w rodzaju naszego sanktuarium, rzadko odwiedzanego przez ciocię i wujka. Weszłam do pokoju kuzynki. Ta, jak zwykle, czytała.

– Basma, obejrzyj to. – Podałam jej wizytówkę. – Dostałam ją od tego faceta, o którym ci mówiłam. Tego, co bez przerwy chodzi za mną. Co tam jest napisane?

– Że jest fotografem.

– Ale co to jest fotograf?

– On robi zdjęcia.

– Tak, ale jakie zdjęcia?

– Tu jest napisane: fotograf mody.

– Fo-to-graf mo-dy – smakowałam sylaba po sylabie. – To znaczy, że fotografuje ubrania? Chciał robić mi zdjęcia w różnych strojach?

– Nie wiem, Waris – westchnęła. – Naprawdę nie wiem.

Widziałam, że jej przeszkadzam; chciała wrócić do swojej lektury. Wstałam, wzięłam kartonik i wyszłam. Schowałam go do paszportu i ukryłam głęboko w swoich rzeczach, bo coś mi mówiło, że kiedyś może mi się przydać.

Basma była jedyną osobą, na którą zawsze mogłam liczyć. Najbardziej jestem jej wdzięczna za pomoc w awanturze z jej bratem, Hajim.

Haji miał dwadzieścia cztery lata i był drugim co do starszeństwa synem wuja i ciotki. Uchodził za bystrego młodzieńca i podobnie jak wuj Abdullah uczył się na uniwersytecie. Zawsze okazywał mi sympatię.

Wołał na przykład:

– Hej, Waris, skończyłaś już sprzątać łazienkę?

– Nie, ale jeśli chcesz skorzystać, nie ma problemu, zrobię to później – odpowiadałam.

– Nie, nic... tylko myślałem, czy nie trzeba ci pomóc.

Albo pytał:

– Idę po coś do picia. Tobie też przynieść?

Byłam mu wdzięczna, że tak się o mnie troszczy. Kiedy rozmawialiśmy, żartom nie było końca.

Często wpadałam na niego, wychodząc z łazienki – zupełnie jakby tam na mnie czekał. Udawał wtedy, że nie chce mnie przepuścić. Ja w lewo, on w lewo, ja w prawo, on w prawo. Kiedy próbowałam go odepchnąć, wrzeszcząc przy tym: „Z drogi, chamie!", wybuchał śmiechem. I tak sobie trwały te igraszki, lecz choć starałam się uważać je za przejawy dość praśnego poczucia humoru, czułam się zakłopotana. Denerwował mnie jakiś obleśny podtekst jego zachowania. Często wodził za mną rozmarzonym wzrokiem; kiedy stawał przy mnie, to zawsze trochę za blisko. Aż mnie od tego mdliło. Starałam się wybić sobie z głowy podejrzenia – myślałam: „Coś ty, Waris. Przecież to twój brat. Twoje przeczucia są chorobliwe".

Któregoś dnia wychodziłam z łazienki z moim wiadrem i szmatami i znowu wpadłam na Haji'ego. Chwycił mnie za ramię, przycisnął do siebie i zbliżył swoją twarz do mojej.

– O co ci chodzi? – ofuknęłam go i zaśmiałam się nerwowo.

– Nic, nic. – Uwolnił mnie natychmiast.

Wzięłam wiadro i poszłam sprzątać jak gdyby nigdy nic, ale myśli pędziły w mojej głowie jak szalone. Od tej chwili już nie miałam wątpliwości. Byłam pewna, że sytuacja jest mocno niezdrowa.

Następnej nocy zasnęłam jak zwykle w moim pokoju – gdzie mieszkała również Shukree, młodsza siostra Basmy – a sen zawsze miałam bardzo lekki. Około trzeciej nad ranem obudziły mnie czyjeś skradające się kroki na schodach. Domyśliłam się, że to Haji – jego pokój był po drugiej stronie korytarza. Nierówny rytm kroków świadczył o tym, że jest pijany. Ciocia i wujek nie tolerowali nocnych powrotów, a już zwłaszcza po pijanemu. Byli prawowiernymi muzułmanami, więc w ich domu alkohol był zabroniony pod każdą postacią. Haji jednak – jak się domyślam – uważał, że jest wystarczająco dorosły, żeby chadzać własnymi drogami.

Kiedy drzwi mojego pokoju zaczęły się powoli uchylać, zesztywniałam ze strachu. Nasze posłania znajdowały się na podwyższeniu składającym się z kilku stopni. Zobaczyłam, jak Haji skrada się na palcach, żeby nie obudzić swojej siostry, która spała bliżej drzwi. Zapomniał o schodach, potknął się i do mojego łóżka dotarł na czworakach. W świetle padającym z okna zobaczyłam, jak wyciąga szyję, żeby mnie dostrzec.

– Hej, Waris – zaszeptał. – Waris...

Moje podejrzenia były słuszne: jego oddech cuchnął wódą. Leżałam w ciemności jak martwa, udając, że śpię. Wyciągnął rękę i zaczął macać poduszkę, szukając mojej twarzy. Pomyślałam sobie: „Boże, nie pozwól, żeby to się stało", po czym odwróciłam się na bok i zachrapałam donośnie, w nadziei, że to obudzi kuzynkę Shukree. Nerwy mu puściły i uciekł do swojego pokoju.

Następnego dnia poszłam do Basmy.

– Słuchaj, musimy porozmawiać – powiedziałam, a wyraz

paniki na mojej twarzy przekonał ją, że nie przyszłam tu tylko dla zabicia czasu.

– Wchodź i zamknij drzwi.

– Chodzi o twojego brata – oznajmiłam, nabierając oddechu. Nie wiedziałam, jak jej to powiedzieć; modliłam się w duchu, żeby mi uwierzyła.

– Co z nim? – teraz ona się przestraszyła.

– Ostatniej nocy przyszedł do mnie do pokoju. O trzeciej nad ranem.

– I co zrobił?

– Próbował mnie obmacywać. Szeptał moje imię.

– O, nie. Jesteś pewna? Nie śniło ci się?

– Daj spokój. Widzę, jak się na mnie gapi, zwłaszcza jak jesteśmy sami. Nie wiem, co mam robić.

– A to kawał gnoja! Weź pałę do krykieta i schowaj pod łóżko. Albo kij od szczotki. Nie – lepiej weź wałek do ciasta. Jak znowu przyjdzie w nocy, walnij go w łeb! I wiesz co powinnaś potem zrobić? – dodała. – Drzyj się. Wrzeszcz tak, żeby cię wszyscy usłyszeli.

Dzięki Bogu, przynajmniej ona była po mojej stronie.

Cały dzień modliłam się: „Panie, nie dopuść, żebym musiała zrobić tę straszną rzecz; powstrzymaj go". Nie chciałam robić afery, ale bałam się, że naopowiada rodzicom kłamstw i wyrzucą mnie na ulicę. Chciałam tylko, żeby dał mi spokój – żadnych żarcików, nocnych wizyt, żadnego gmerania w mojej pościeli. Niedobrze mi się od tego robiło. Instynkt jednak podpowiadał mi, że lepiej się przygotować na wypadek, gdyby modlitwy zawiodły.

Wieczorem poszłam do kuchni, wzięłam wielki wałek do ciasta, przemyciłam go do pokoju i schowałam pod łóżkiem. Kiedy kuzynka zasnęła, wyjęłam wałek, położyłam obok siebie i usnęłam, ściskając go mocno w garści. Przedstawienie z poprzedniej nocy powtórzyło się prawie we wszystkich szczegółach. Haji wrócił o trzeciej nad ranem. Kiedy stanął w drzwiach, zobaczyłam światło z korytarza odbijające się w jego okularach.

Leżałam z na wpół przymkniętymi oczami i czekałam, co zrobi dalej. Podszedł, wymacał poduszkę i zaczął trącać mnie w ramię. Śmierdziało od niego szkocką whisky tak strasznie, że zebrało mi się na wymioty, ale nie drgnęłam nawet na cal. Haji klęczał przy moim łóżku. Jego ręka wślizgnęła się pod kołdrę, powędrowała w górę mojego uda i zaczęła ściągać mi majtki.

Muszę rozwalić mu okulary – pomyślałam. – Przynajmniej będzie jakiś dowód na to, że wlazł do mojego pokoju.

Zacisnęłam rękę na wałku i z całej siły trzasnęłam go w samą twarz. Usłyszałam obrzydliwe mlaśnięcie i zaraz potem zaczęłam krzyczeć:

– Wynocha z mojego pokoju, ty cholerny...

Teraz krzyczała Shukree:

– Co się dzieje?!

We wszystkich zakątkach domu trzaskały drzwi i słychać było tupot bosych stóp. Stłukłam Haji'emu okulary, więc nie widząc dobrze drogi, wycofał się do drzwi na czworakach. Wpadł do swojej sypialni i pewnie legł w pościeli, udając śpiące niewiniątko.

Do pokoju weszła Basma i zapaliła światło. Wiedziała, co się stało, ale udawała całkowitą ignorancję.

– Co tu się dzieje? – spytała.

Shukree jej wyjaśniła:

– Haji tu był. Czołgał się po podłodze!

Kiedy przyszła ciocia owinięta szlafrokiem, rozwrzeszczałam się znowu:

– Ciociu, on był w moim pokoju! Dzisiaj – i wczoraj też! Uderzyłam go! – I pokazałam potłuczone okulary leżące na mojej pościeli.

– Cicho! – powiedziała ciocia surowym tonem. – Nie chcę tego słuchać, nie teraz. Wszyscy do łóżek i spać!

10

Nareszcie wolna

Od nocy, kiedy Haji dostał w twarz wałkiem, nikt nie wspomniał o tym nawet słowem. Mogłoby się wydawać, że jego nocne wizyty były tylko złym snem, ale coś się zmieniło. Haji już nie patrzył za mną tęsknym wzrokiem – w jego oczach było teraz widać czystą, niemaskowaną nienawiść. Mimo to cieszyłam się, bo kolejny nieprzyjemny epizod mojego życia mogłam uznać za zakończony. Wkrótce jednak pojawiły się następne kłopoty.

Wuj Mohammed oznajmił, że za parę tygodni cała rodzina wraca do Somalii, bo jego czteroletnia kadencja ambasadora właśnie się kończy. Kiedy przyjechałam do Londynu, wydawało mi się, że cztery lata to prawie jak całe życie, a teraz nie mogłam uwierzyć, że tak szybko upłynęły. Pomysł powrotu do Somalii nie bardzo mi się podobał. Jak każdy przybysz z Afryki, chciałam wrócić do domu bogata i w pełni chwały, zwłaszcza po pobycie w kraju tak zasobnym jak Anglia.

Wiele osób z biednych krajów, w tym i z mojej ojczyzny, pragnie wyrwać się w szeroki świat – do Arabii Saudyjskiej, do Europy czy Stanów Zjednoczonych – i wesprzeć zarobionymi pieniędzmi swoje ubogie rodziny. A ja po czterech latach spędzonych za granicą miałam wrócić z pustymi rękami. Czym się pochwalę po powrocie? Powiem matce, że nauczyłam się robić kluski? Przy moich wielbłądach pewnie już nigdy klusek nie zobaczę. Powiem ojcu, że nauczyłam się szorować klozety? A co to jest klozet? – odpowie. Ale co to pieniądze, forsa, której moja rodzina nigdy nie miała w nadmiarze – zrozumie na pewno, bo to termin uniwersalny.

Co prawda zaoszczędziłam coś z moich dochodów służącej, ale nawet nie warto wspominać, ile tego było. Marzyłam, żeby zarobić na dom dla matki – żeby już nie musiała się bez przerwy przenosić i walczyć o przeżycie na pustyni. Nie było to aż tak nierealne marzenie, jak mogłoby się wydawać. Przy ówczesnych relacjach cenowych dom w Somalii można było kupić już za parę tysięcy dolarów. Żeby je zdobyć, musiałam zostać w Anglii. Gdybym wróciła do domu, na pewno nie dostałabym od życia drugiej takiej szansy. Niestety, nie wiedziałam, jak to zrobić. Wierzyłam jednak, że mi się uda, jeśli tylko skończę z niewolniczą pracą dla ciotki i wuja. Oczywiście oni się na to nie zgadzali.

– A cóż ty tu będziesz robić? – pytała ciocia. – Osiemnastolatka bez mieszkania, bez pieniędzy, bez zawodu i bez zezwolenia na pracę. I do tego jeszcze nie znasz angielskiego! To śmieszne. Wracasz z nami.

Mimo że do odlotu było jeszcze dużo czasu, wuj Mohammed bez przerwy powtarzał nam dwie rzeczy: datę wyjazdu i że mamy strzec paszportów. Wyciągnęłam z tego właściwe wnioski – włożyłam swój paszport do plastikowej torebki, zakopałam w ogrodzie i na dwa dni przed wyjazdem oznajmiłam, że nie mogę go znaleźć. Mój plan był prosty: jeśli nie będę miała paszportu, to nie będą mnie mogli ze sobą zabrać.

Wuj wyczuwał, że coś tu nie gra, i nie ustawał w pytaniach:

– No dobrze, Waris, ale kiedy straciłaś go z oczu? Co wtedy robiłaś?

Oczywiście wiedział, że przez te cztery lata nie zdarzyło się, żebym musiała się nim posługiwać, a już zwłaszcza poza domem.

– Nie wiem, może wyrzuciłam go ze śmieciami – odpowiedziałam z kamienną twarzą.

Rozpaczliwie łudziłam się, że wuj zrozumie, jak bardzo chcę zostać w Anglii, że nie zabierze mnie do domu i pomoże mi zdobyć wizę pobytową. Przecież nadal był ambasadorem i naprawdę mógł mi pomóc.

A wuj aż kipiał z wściekłości:

– No i co ja mam zrobić, Waris? Przecież nie możemy cię tu zostawić.

Przez następną dobę trwała wojna nerwów – kto kogo przetrzyma. Ja twierdziłam, że zgubiłam paszport, wuj tłumaczył, że nie może mi pomóc.

Ciocia Maruim miała własny pomysł:

– Zwiążemy ją, zapakujemy w walizę i przemycimy do samolotu. Już niejeden tak zrobił.

Groźba tylko wzmogła moją determinację.

– Jeśli mi to zrobisz – wycedziłam zimno – nigdy ci tego nie wybaczę, nigdy. Zostaw mnie tutaj, ciociu. Poradzę sobie.

– Taaa, poradzisz sobie – odpowiedziała z sarkazmem. – Nieee, przecież to nie ma sensu.

Widać było, że boi się o mnie, ale czy bała się aż tak bardzo, żeby mi pomóc? Przecież miała w Londynie mnóstwo przyjaciół. Wystarczyłby jeden telefon, żeby zagwarantować mi przetrwanie. Widziałam jednak, iż uwierzyli w to, że namówią mnie w końcu do powrotu do Somalii. Tak byłoby dla nich najwygodniej.

Następnego poranka wszystkie cztery kondygnacje rezydencji opanował chaos. Każdy się pakował, bez przerwy dzwonił dzwonek do drzwi, gromady ludzi wchodziły i wychodziły z domu. Ja też szykowałam się do opuszczenia mojego pokoiku na poddaszu. Spakowałam do szmacianej torby nieliczne dobra zgromadzone przez cztery lata spędzone na służbie. Większość podarowanych ciuchów wyrzuciłam, bo wydawały mi się zbyt brzydkie i staromodne. Po co miałam targać ze sobą kupę jakiegoś śmiecia? Byłam nomadem, a ci wolą podróżować z lekkim bagażem.

O jedenastej wszyscy zebrali się w salonie, tylko szofer ładował torby do samochodu. Zatrzymałam się na chwilę i przypomniałam sobie drogę, jaką odbyłam parę lat temu: szofer, samochód, marsz przez salon, rzut oka na sofę, kominek, spotkanie z ciocią. Tamtego szarego poranka po raz pierwszy w życiu zobaczyłam śnieg. Wszystko w tym kraju wydawało mi się wtedy takie dziwaczne. Wyszłam na zewnątrz ze strapioną ciocią Maruim.

– I co ja powiem twojej matce? – spytała bezradnie.

– Powiedz jej, że mi się dobrze wiedzie i że niedługo się do niej odezwę.

Pokręciła głową i wsiadła do samochodu.

Stałam na podjeździe, machając wszystkim na pożegnanie. Potem wyszłam przed bramę i patrzyłam, jak samochód znika w głębi ulicy.

Nie ukrywam – bałam się. Aż do chwili, gdy odjechali, nie wierzyłam, że mnie zostawią samą. Tymczasem stałam tu, na środku Harley Street, i naprawdę byłam zupełnie sama. Nie miałam żalu do wuja i ciotki. Byliśmy jedną rodziną, a poza tym należała im się moja dozgonna wdzięczność już choćby za to, że zabrali mnie do Londynu. Wiem, co sobie myśleli, zostawiając mnie na podjeździe: Chcesz zostać? Dobrze. Masz swoją szansę i zrób z nią, co chcesz. Ale niczego ci nie ułatwimy, bo naszym zdaniem powinnaś wracać z nami do domu. Uważali, że to hańba, by młoda kobieta została w Anglii sama, bez przyzwoitki. Skoro podjęłam decyzję, że zostaję, to musiałam wziąć odpowiedzialność za swój los.

Walcząc z ogarniającą mnie paniką, wróciłam do domu. Zatrzasnęłam frontowe drzwi i poszłam pogadać z jedyną osobą, jaka została w domu – z moim starym kumplem kucharzem. A ten mnie powitał jak trzeba:

– No dobra, masz stąd dzisiaj odejść. To ja tu zostaję, ty nie. Masz się wynosić – i pokazał mi drzwi.

Tak, tak, nie wytrzymał nawet minuty, żeby mi tego nie powiedzieć. Prawdziwego pana nie było, więc w krótkim antrakcie przed przybyciem nowego ambasadora kucharz czuł się panem tego domu. Zarozumiały wyraz jego głupiej gęby świadczył o tym, że rozkazywanie sprawiało mu wielką przyjemność. Stałam oparta o framugę drzwi i myślałam, jaki cichy jest dom, który wszyscy opuścili.

– Waris, masz odejść. Chcę, żebyś się wyniosła...

– Przymknij się – odpowiedziałam. Jego mowa była dla mnie jak szczekanie parszywego kundla. – Już idę, no nie? Przyszłam tylko po torbę.

– Bierz ją i to szybko. Szybko! Pospiesz się, bo muszę...

– Reszty nie usłyszałam, bo byłam już w połowie schodów. Mijałam puste pokoje, wspominając dobre i złe rzeczy, które mnie tam spotkały. Zastanawiałam się, jak będzie wyglądał mój następny dom.

Wzięłam z łóżka swój plecaczek, przewiesiłam przez ramię i poszłam prosto do wyjścia. W przeciwieństwie do dnia, kiedy przybyłam, pogoda była wspaniała. Słońce świeciło na błękitnym niebie, powietrze przenikała jakaś świeżość, zupełnie jakby to była wiosna. Poszłam do malutkiego ogródka, wygrzebałam z ziemi paszport, otrzepałam dłonie i ruszyłam wzdłuż Harley Street. Nie mogłam powstrzymać się od uśmiechu – nareszcie byłam wolna. Nie wiedziałam, dokąd iść, ani nie miałam nikogo, kto by mi to powiedział. Ale przede mną było całe życie i wiedziałam, że jakoś się wszystko ułoży.

Niedaleko domu wuja miałam pierwszy przystanek w podróży – ambasadę somalijską. Zapukałam do drzwi. Otworzył mi portier, który dobrze znał moją rodzinę, bo czasami prowadził samochód wuja.

– Cześć, panienko. Co tu robisz? Czyżby pan Farah nadal był w mieście? – powitał mnie.

– Nie, wyjechał. Chcę porozmawiać z Anną, czy nie byłoby dla mnie jakiejś pracy w ambasadzie.

Roześmiał się, rozparł w swoim fotelu i założył ręce za głowę. Stałam na środku recepcji, a on nawet się nie ruszył. Trochę mnie to zaskoczyło, bo zawsze był dla mnie uprzejmy. I nagle zrozumiałam: zmiana jego zachowania była związana z dzisiejszym odlotem. Wuj wyjechał, a bez wuja byłam nikim. Mniej niż nikim. Portier aż się trząsł, żeby okazać swoją wyższość.

– O, Anna jest zbyt zajęta, żeby się z tobą widzieć. – Wyszczerzył się głupkowato.

– Posłuchaj – powiedziałam z naciskiem – ja muszę się z nią zobaczyć.

Anna była sekretarką ambasadora i zawsze okazywała mi swoją życzliwość. Na szczęście usłyszała mój głos i wyszła z biura, żeby zobaczyć, co się dzieje.

– Waris! A co ty tu robisz?

– Nie chciałam wracać z wujem do Somalii – wyjaśniłam. – Po prostu nie chcę tam wracać. Więc... wiesz, nie mogłam zostać w rezydencji. Pomyślałam sobie, że może znasz kogoś, kto... dla kogo mogłabym pracować... Cokolwiek, wszystko jedno co. Mogę robić wszystko.

– No cóż, kochanie – uniosła brwi – to trochę za mało. Gdzie się zatrzymasz?

– Nie wiem. Ale nie przejmuj się tym.

– Świetnie, tylko czy możesz mi podać numer telefonu?

– Nie, na razie nie wiem, gdzie zostanę. Znajdę sobie jakiś tani hotel.

Wiedziałam, że chętnie by mnie przygarnęła, gdyby jej mieszkanko było cokolwiek większe.

– Wrócę później i podam ci numer, żebyś dała mi znać, jakby co.

– No dobrze, Waris. Posłuchaj, uważaj na siebie. Jesteś pewna, że sobie poradzisz?

– O taaak, poradzę sobie. – Kątem oka widziałam, że portier dalej szczerzy się jak głupek. – Dzięki... Do zobaczenia!

Z ulgą wyszłam na słońce i postanowiłam coś sobie kupić. Jedyny majątek, z którego musiałam się utrzymać do czasu znalezienia pracy, to były pieniądze uciułane z pensji panny służącej. Byłam jednak kobietą, byłam w wielkim mieście i musiałam kupić jakiś wystrzałowy ciuch, żeby się podnieść na duchu. Poszłam więc prosto w stronę domów towarowych na Oxford Circus. Byłam tam kiedyś z Basmą zaraz po przyjeździe do Londynu – ciocia Maruim wysłała nas po zakupy, bo nie miałam żadnych zimowych rzeczy. W zasadzie to nic nie miałam oprócz sukienki, w której przyleciałam, i jednego sandałka.

Maszerowałam między stoiskami u Selfridge'a, a od możliwości wyboru aż mi się włosy jeżyły na głowie. Jak narkotyk działała na mnie myśl, że mogę tu zostać tak długo, jak mi się spodoba, i przymierzać wszystkie te ubrania, zmieniać kolory, style i rozmiary. Dodatkowo odurzała mnie świadomość, że po raz pierwszy w życiu nikt mi niczego nie będzie narzucał – żadnego dojenia kóz, karmienia dzieci, robienia herbatek, szorowania podłóg i pucowania klozetów.

Następne kilka godzin spędziłam w przymierzalni, wspomagana przez dwie ekspedientki. W moim ubogim angielskim i na migi życzyłam sobie a to czegoś dłuższego, a to czegoś krótszego, a to luźniejszego, a to bliższego ciału. Na koniec tego maratonu, gdy wokół ścieliły się stosy ubrań, jedna z pań uśmiechnęła się i zapytała:

– No dobrze, kochana, więc co chciałabyś sobie z tego zatrzymać?

Możliwość wyboru była wręcz przytłaczająca, ale nagle poraziła mnie myśl, że przecież w kolejnym sklepie może być coś lepszego, więc zanim rozstanę się z moimi cennymi funtami, lepiej będzie się jeszcze trochę rozejrzeć.

– Nic dzisiaj nie wezmę – powiedziałam uprzejmie – ale dziękuję za fatygę.

Biedne ekspedientki, obładowane naręczami ciuchów, popatrzyły z niedowierzaniem najpierw na mnie, a potem na siebie – były wyraźnie zdegustowane moją osobą. Przepłynęłam między nimi i kontynuowałam swoją misję: zbadać każdy cal Oxford Street.

Zwiedzałam kolejne sklepy, ale nadal nic nie kupowałam, cieszyłam się samym przymierzaniem. Między jednym domem mody a drugim zorientowałam się, że wiosenny dzień szybko przechodzi w zimowy wieczór, a ja nadal nie mam noclegu. Nurtowana tą myślą, weszłam do następnego sklepu i zobaczyłam wysoką, atrakcyjną Afrykankę, która oglądała swetry z wyprzedaży. Wyglądała na Somalijkę, więc zaczęłam się przymierzać, jak by tu ją zagadnąć. Wzięłam do ręki jakiś sweter i odezwałam się po somalijsku:

– Próbuję coś kupić, ale chyba sama nie wiem, czego chcę. Wierz mi, dziewczyno, dużo już dzisiaj obejrzałam.

Zaczęłyśmy rozmawiać. Powiedziała, że ma na imię Halwu, była sympatyczna i dużo się śmiała.

– Gdzie mieszkasz, Waris? I co porabiasz? – spytała.

– Uśmiejesz się. Pewnie pomyślisz, że mam świra, ale ja nigdzie nie mieszkam. Nie mam gdzie mieszkać, bo cała moja rodzina wyjechała dzisiaj do Somalii.

Zobaczyłam w jej oczach współczucie; jak się później dowiedziałam, jej też nie było w życiu lekko.

– Nie chce ci się wracać do Somalii, co?

Zrozumiałyśmy się bez słów – każda z nas porzuciła dom i rodzinę, ale jaki był wybór? Dać się przehandlować za wielbłąda? Stać się własnością jakiegoś chłopa? Harować jak wół przez cały dzień tylko po to, żeby przeżyć?

– O, nie. Ale tutaj też nic nie mam. Wuj był ambasadorem, ale wyjechał. Dzisiaj rano wykopali mnie z domu i nie mam pojęcia, dokąd pójść. – Zaśmiałam się.

Machnęła ręką, żeby mnie uciszyć, zupełnie jakby ten jeden ruch miał załatwić wszystkie moje problemy.

– Słuchaj, mieszkam zaraz za rogiem, w YMCA*. Nie ma

---

* YMCA: Young Men's Christian Association – Chrześcijańskie Stowarzyszenie Młodzieży Męskiej, międzynarodowa protestancka organizacja kulturalno-oświatowa założona w 1844 roku. Z biegiem czasu zarzucono zasadę rozdziału według płci osób korzystających z YMCA (przyp. tłum.).

U góry: Waris na sesji zdjęciowej na Mali, Afryka, 1994 r.

Powyżej: Waris z matką w Galadi, Etiopia (w pobliżu granicy z Somalią), 1995 r. *Zdjęcie Gerry Pomeroy*

Waris na sesji zdjęciowej na Brytyjskich Wyspach Dziewiczych, 1995

U góry: Waris
i Herb Ritts na
sesji zdjęciowej na
pustyni w Arizonie,
1995

Po prawej: Waris
na sesji zdjęciowej
w meksykańskiej
dżungli, 1996

Powyżej, z lewej: Waris na wakacjach w Gabonie 1996

Obok i poniżej: Waris i Dana na wakacjach w Gabonie, 1996

Z prawej: Waris na wakacjach na wyspie St. John (Wyspy Dziewicze), Boże Narodzenie 1997

Z prawej: Waris sfotografowana przez Koto Bolofo dla włoskiej edycji „Marie Claire", wiosna 1997

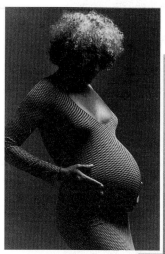

Waris w dziewiątym miesiącu ciąży z synem Aleeke.
Zdjęcia Sharon Schuster

Z lewej: Dana i Aleeke,
Brooklyn, styczeń 1998

Poniżej: Waris podczas sesji
zdjęciowej, wiosna 1998.
Zdjęcia Joe Grant

tam dużo miejsca, ale możesz zatrzymać się na noc. To tylko jeden pokój, gotujemy we wspólnej kuchni na innym piętrze.

– Och, byłoby cudownie! Ale czy jesteś pewna, że można się u ciebie zatrzymać?

– Tak, jasne. A co innego masz zamiar zrobić?

Poszłyśmy więc razem do mieszkania Halwu.

Hotel YMCA był to wysoki blok; mieszkali tam głównie studenci. Jej mieszkanie składało się z pokoiku, zapchanego dwoma łóżkami, regałami na książki i ogromnym telewizorem.

– Ojej! – Aż przysiadłam. – Mogę pooglądać telewizję?

Halwu spojrzała na mnie, jakbym przybyła z kosmosu.

– No pewnie. Włącz sobie.

Rozłożyłam się na podłodze i chciwie patrzyłam w ekran. Nareszcie po czterech latach nikt mnie nie przeganiał jak zbłąkanego psa.

– Nie oglądałaś telewizji w domu wuja? – spytała zaciekawiona.

– Żartujesz chyba. Czasem udało mi się coś podejrzeć, ale zawsze mnie na tym łapali. – Zaczęłam przedrzeźniać ciotkę: – Znowu oglądasz telewizję, Waris? Wracaj do pracy, no już! Nie sprowadziliśmy cię tutaj do oglądania telewizji.

Naukę życia w Londynie zaczęłam od lekcji u profesor Halwu. Spędziłam u niej pierwszą noc, potem jeszcze jedną i jeszcze jedną. W końcu podsunęła mi pomysł:

– A może byś wynajęła tutaj pokój dla siebie?

– Po pierwsze, nie dostanę go, a poza tym chciałabym chodzić do szkoły, a to znaczy, że nie będę miała czasu na pracę. – I dodałam ze wstydem: – Umiesz czytać i pisać?

– Tak.

– Znasz angielski?

– Tak.

– No widzisz. A ja nic nie potrafię, więc muszę się uczyć. Jak zacznę pracować, to nie będę miała na to czasu.

– Ale przecież możesz pracować tylko parę godzin, a przez resztę dnia się uczyć. Wszystko jedno, co będziesz robiła, złap cokolwiek, dopóki nie nauczysz się angielskiego.

– Pomożesz mi?

– No pewnie, że ci pomogę.

Próbowałam dostać pokój w Y*, ale lista oczekujących była bardzo długa. Wszyscy chcieli tu mieszkać, bo było tanio, przytulnie, a poza tym był pełnowymiarowy basen olimpijski i siłownia. Wpisałam się na listę i zaczęłam się rozglądać za czymś innym, bo nie chciałam już dłużej siedzieć Halwu na głowie. Dostałam pokój po drugiej stronie ulicy, w YWCA**. Dom był cokolwiek przygnębiający i pełen ludzi w starszym wieku, ale miałam się tam zatrzymać tylko na jakiś czas. Zaczęłam też szukać pracy. Moja przyjaciółka pomyślała logicznie:

– Dlaczego nie miałabyś znaleźć czegoś na miejscu?

– Tutaj? Co masz na myśli?

– Tak, tak, tutaj. Zaraz obok jest McDonald's.

– Nie dam rady. Jak mam obsługiwać ludzi? Nie pamiętasz, że nie mówię po angielsku? Do tego jeszcze nie mam pozwolenia na pracę.

Halwu dobrze jednak wiedziała, co mówi, i już wkrótce sprzątałam w kuchni McDonald'sa.

Przekonałam się, że wszyscy zatrudnieni na zapleczu są w identycznej sytuacji jak ja. Szefowie wykorzystywali nasz nielegalny status – płacili mało, mowy nie było o jakichkolwiek przywilejach pracowniczych. Wiedzieli dobrze, że cudzoziemiec bez prawa stałego pobytu przede wszystkim dba o to, żeby nie dowiedziały się o nim władze, więc skarżyć się raczej nie będzie. Kierownictwa nie obchodziło to, skąd się ktoś w Anglii wziął i jak się tu dostał, jeśli tylko potrafił ciężko pracować.

---

* Potoczny skrót od YMCA (przyp. tłum.).

** YWCA: Young Women's Christian Association – Chrześcijańskie Stowarzyszenie Młodzieży Żeńskiej, bliźniak org. YMCA założony w roku 1855 (przyp. tłum.).

W kuchni McDonald'sa przydały się umicjętności zdobyte na służbie u wuja: myłam naczynia, wycierałam stoły, skrobałam ruszty i zmywałam podłogi. Wszędzie walczyłam z tłuszczem z hamburgerów. Kiedy wracałam do domu, cała byłam nim oblepiona i sama śmierdziałam jak hamburger. Nie przejmowałam się tym jednak za bardzo, bo nareszcie miałam się z czego utrzymać. Cieszyłam się, że mam pracę, a poza tym przeczuwałam, że długo tam nie zostanę.

Zaczęłam chodzić do szkoły dla cudzoziemców. Szlifowałam angielski, uczyłam się czytać i pisać. Po raz pierwszy w życiu nie musiałam zajmować się tylko pracą. Czasami Halwu zabierała mnie do nocnych klubów. Wydawało się, że wszyscy ją tam znają. Gadała, śmiała się i wygłupiała do granic histerii – zachowywała się tak żywiołowo, że każdy chciał się z nią bawić. Kiedy pierwszy raz poszłyśmy do klubu, dopiero po paru godzinach tańca zorientowałam się, że otacza nas mnóstwo mężczyzn.

– Cholera! – krzyknęłam w ucho Halwu. – Czy my się tym wszystkim facetom podobamy?

Zaśmiała się:

– O tak! Bardzo!

Zaskoczyła mnie jej odpowiedź, ale spojrzałam na cisnące się dookoła twarze i przekonałam się, że ma rację. Nigdy nie miałam chłopaka, nigdy nie interesowali się mną mężczyźni; z wyjątkiem tych paru popaprańców w rodzaju kuzyna Haji, ale ich względy budziły we mnie tylko odrazę. Przez cztery lata uważałam, że jestem nikim – byłam przecież tylko służącą. A tutaj ci wszyscy goście po prostu ustawiają się w kolejce, żeby ze mną zatańczyć. Pomyślałam sobie: Waris, dziewczyno, nareszcie żyjesz!

Mężczyźni, którzy mi się podobali, byli zawsze czarni, ale tutaj interesowali się mną sami biali. Przezwyciężając zahamowania przywiezione z Afryki, zmusiłam się, żeby rozmawiać ze wszystkimi: z czarnymi, białymi, z kobietami i mężczyznami – z każdym bez wyjątku. Doszłam do wniosku, że aby przeżyć na nowym terenie, potrzebuję zupełnie innych technik przetrwania niż te, które były przydatne na pustyni. Obeznanie z kozami i wielbłądami nie wystarczało, żeby utrzymać się w Londynie. Musiałam jak najlepiej opanować angielski i nauczyć się nawiązywania kontaktu z każdym, kogo spotkam.

Następnego dnia Halwu uzupełniła te moje lekcje z dyskoteki. Obgadała wszystkich, którzy z nami rozmawiali – mówiła o ich osobowościach, o motywach postępowania i tak dalej. To był krótki, lecz pełny kurs obserwacji ludzkiej natury. Mówiła też o seksie: o co chodziło tym mężczyznom, czego trzeba się wystrzegać z ich strony oraz o szczególnych problemach kobiet z Afryki, takich jak my. Nigdy w życiu nikt mi o tym nawet nie wspomniał. Halwu ostrzegła mnie:

– Baw się, rozmawiaj, śmiej się, tańcz z nimi, ale potem wracaj do domu, Waris. Nie daj się nigdy namówić na seks. Oni nie mają pojęcia, jak bardzo różnimy się od kobiet angielskich, bo nic nie wiedzą o obrzezaniu.

Czekałam już parę miesięcy na pokój w YMCA, kiedy usłyszałam o studentce, która chciała przyjąć kogoś do siebie, bo nie stać jej było na samodzielne mieszkanie. To było doskonałe rozwiązanie, bo ja też nie miałam za dużo pieniędzy, a pokój okazał się wystarczająco duży dla dwóch dziewczyn. W ten sposób miałam pod ręką nie tylko Halwu, ale i towarzystwo młodych ludzi wypełniających Y. Nadal chodziłam do szkoły i pracowałam w McDonald's. Moje sprawy posuwały się naprzód gładko, bez przeszkód i nie miałam pojęcia, jak ważna zmiana nastąpi w moim życiu już niebawem.

Pewnego popołudnia skończyłam zmianę w McDonald'sie i choć cała byłam upaprana tłuszczem, zachciało mi się wyjść przez salę jadalną. A tam czekali na BigMaca znajomi: mężczyzna spod szkoły kościoła Wszystkich Świętych i jego córka.

– Cześć – rzuciłam, przechodząc koło nich.

– A, to ty! – powitał mnie pan Kucyk. Najwyraźniej nie spodziewał się zobaczyć mnie tutaj. – Jak leci? – zapytał z ożywieniem.

– Świetnie – rzuciłam swobodnie i dodałam w stronę koleżanki Sophie: – A co u ciebie?

Ucieszyłam się, że mogę się popisać swoim angielskim.

– Wszystko w porządku – odpowiedział za małą ojciec.

– Ależ ona szybko rośnie. No to ja już muszę lecieć. Cześć!

– Poczekaj! Gdzie mieszkasz?

– Cześć – pożegnałam go z uśmiechem. Nie chciałam wdawać się w dalszą rozmowę, bo nadal mu nie ufałam. Pomyślałam sobie, że jak tylko mu powiem, gdzie mieszkam, to zaraz potem zastuka do moich drzwi.

Po powrocie do Y wzięłam paszport, wyciągnęłam spomiędzy kartek wizytówkę Malcolma Fairchilda i poszłam poradzić się Halwu.

– Mam to od dłuższego czasu. Tu jest napisane, że on fotografuje modę, ale co to znaczy? – zapytałam.

Halwu obejrzała wizytówkę i odpowiedziała:

– To znaczy, że ktoś zakłada na ciebie ciuchy, a potem robi ci zdjęcia.

– Wiesz co? To mi się podoba.

– Co to za gość? Skąd masz jego wizytówkę?

– Znam go od dawna, ale mu nie ufam. Dał mi to, potem wyśledził, gdzie mieszkam, i rozmawiał o czymś z moją ciotką. Olała go i wydarła się na niego. Ale tak naprawdę to nie wiem, o co chodziło.

– No to dlaczego nie zadzwonisz i sama nie zapytasz?

Na myśl o tym aż się skrzywiłam.

– Mówisz, że powinnam? A może ty to zrobisz? Mój angielski nie jest jeszcze najlepszy.

– Dobrze, zadzwonimy razem.

Kiedy schodziłyśmy do automatu telefonicznego, nie słyszałam nic oprócz pulsowania krwi w uszach. Halwu wrzuciła monetę i mrużąc oczy usiłowała odczytać w półmroku korytarza numer z wizytówki. W końcu jej się udało i zaczęła stukać w klawiaturę automatu. Po pewnej chwili ktoś odebrał telefon.

– Czy mogłabym rozmawiać z panem Malcolmem Fairchildem?

Wymieniwszy jeszcze parę konwencjonalnych zwrotów, Halwu przystąpiła do rzeczy:

— Nie jesteś aby zboczeńcem albo coś w tym rodzaju? Nie spróbujesz zabić mojej przyjaciółki? Nooo, mam na myśli to, że nic o tobie nie wiemy – gdzie mieszkasz i tak dalej... Cha, cha, cha!!!... Dobrze. – Zaczęła coś pisać na wizytówce, zasłaniając się przede mną ramieniem.

– Co on mówi? – piszczałam.

Pokazała gestem, żebym była cicho.

– No dobra. Chyba to wystarczy... Tak zrobimy.

Halwu odwiesiła słuchawkę i wzięła głęboki wdech.

– No więc słuchaj. Powiedział, że jeśli mu nie ufasz, możemy pójść razem, obejrzeć studio i zobaczyć, na czym polega jego praca.

Zasłoniłam usta pięściami. W końcu spytałam:

– I co? Idziemy?

– Pewnie. Kurczę, co nam szkodzi sprawdzić? Przyjrzysz się wreszcie gościowi, co się za tobą włóczył dwa lata.

11

Modelka

Następnego dnia poszłyśmy zbadać studio Malcolma Fairchilda. Nie miałam pojęcia, co nas tam czeka, ale kiedy weszłam, od razu wiedziałam, że to krok w stronę innego świata.
Wszędzie wisiały ogromne plakaty i zdjęcia przedstawiające
przepiękne kobiety.

– Ojej... – jęknęłam cichutko, obracając się powoli, żeby je
wszystkie zobaczyć.

Tknęło mnie przeczucie takie jak wtedy, kiedy usłyszałam, jak
wuj Mohammed mówi cioci Sahru, że potrzebuje dziewczyny do
pracy w Londynie – to było to. Trafiłam na coś, co czekało na
mnie, czego zawsze pragnęłam.

Wszedł Malcolm. Przywitał się, poprosił, byśmy się rozgościły,
i poczęstował nas kawą. Kiedy wszyscy siedliśmy, zwrócił się do
Halwu:

– Zapewniam cię, że chcę tylko zrobić jej zdjęcie. – Tu wskazał
na mnie. – Chodziłem za tą dziewczynką dwa lata, nigdy nie
zadałem sobie tyle trudu dla jednego ujęcia.

Gapiłam się na niego z otwartymi ustami.

– To tylko o to ci chodziło? Po prostu chciałeś zrobić mi
zdjęcie takie jak to? – Wskazałam na jeden z plakatów.

– Tak – oświadczył dobitnie. – Wierz mi, że tylko o to. – Powiódł palcem przez środek swego czoła i nosa, po czym dodał: – I do tego jeszcze chodziło mi tylko o pół twojej twarzy.

Wyjaśnił Halwu: Ona ma najpiękniejszy profil, jaki kiedykolwiek widziałem.

Słysząc to, pomyślałam sobie: Ileż to on czasu zmarnował! Chodził za mną dwa lata, a tu wyjaśnił całą rzecz w dwie sekundy. Natychmiast się zgodziłam:

– Dobrze. – Nagle jednak wróciła mi czujność, przypomniałam sobie doświadczenia samotnych spotkań z obcymi mężczyznami. – Ale ona będzie cały czas ze mną! – dodałam, kładąc rękę na ramieniu Halwu, a ona przytaknęła. – Będzie tu, kiedy ty będziesz robił zdjęcie.

Spojrzał na mnie z zakłopotaniem.

– W porządku. Ona też tu będzie...

W tym momencie byłam już tak podekscytowana, że ledwo mogłam usiedzieć na krześle.

– Przyjdźcie tutaj pojutrze o dziesiątej, ja przez ten czas zorganizuję kogoś do makijażu.

Dwa dni później znowu zjawiłyśmy się w studio Malcolma. Charakteryzatorka posadziła mnie na krześle i zabrała się do pracy. Zmieniała bez przerwy waciki, szczoteczki, gąbki, kremy, pudry, cienie, masowała i naciągała mi skórę we wszystkich kierunkach. Nie miałam pojęcia, co ze mną wyrabia, lecz siedziałam bez ruchu, obserwując wszystkie te dziwne czynności wykonywane za pomocą równie dziwnych materiałów. Halwu, rozwalona na fotelu obok, szczerzyła zęby. Od czasu do czasu zerkałam na nią i robiłam głupią minę.

– Siedź spokojnie – strofowała mnie charakteryzatorka. – No dobra. – Skończyła pracę, odstąpiła o krok i oparła rękę na biodrze. – Teraz popatrz w lustro.

Popatrzyłam i zabrakło mi tchu – połowa twarzy zmieniła się

nie do poznania: była cała złota, jedwabista i błyszcząca. Druga połówka nadal należała do znanej mi, starej dobrej Waris.

– Ejże! Czemu zrobiłaś to tylko po jednej stronie? – spytałam zaniepokojona.

– Bo on tylko z tej strony chce ci zrobić zdjęcie.

– Ojej... Same zaskoczenia!

Poprowadziła mnie do atelier, gdzie Malcolm posadził mnie na stołku. Obracałam się dookoła, oglądając mroczny pokój wypełniony nie znanymi mi zupełnie przedmiotami. Wszędzie wisiały kable i reflektory, na podłodze walały się zużyte baterie. Malcolm przekręcił stołek i ustawił mnie bokiem do kamery.

– No dobra, Waris. Zamknij usta, patrz prosto przed siebie. Głowa trochę w górę... Tak, dobrze... Cudnie!

Usłyszałam cichy trzask, a potem pyknięcie tak dziwne, że aż mnie poderwało ze stołka. Lampy błyskowe zgasły od razu, reflektory żarzyły się jeszcze przez chwilę. To pyknięcie sprawiło, że poczułam się, jakbym była inną osobą – wyobraziłam sobie, że jestem jedną z tych gwiazd filmowych, które w telewizji śmieją się do kamer, wychodząc ze swoich limuzyn w dniu rozdania Oscarów.

Malcolm wyciągnął z kamery jakiś kawałek papieru i patrzył na niego w napięciu.

– Co robisz? – spytałam.

– Czekam.

Podszedł do mnie i zerwał folię z polaroidu. Na moich oczach działy się czary: z powierzchni zdjęcia wynurzała się twarz jakiejś kobiety. Ledwo mogłam siebie rozpoznać. Wiedziałam, że to prawa połówka mojej twarzy, ale zamiast Waris służącej widziałam Waris modelkę. Przeobraziłam się w cudowne stworzenie z plakatów obwieszających ściany pracowni Malcolma Fairchilda.

Parę dni później Malcolm pokazał mi ostateczny efekt swojej pracy. Kiedy wyświetlił przezrocze na ekranie, po prostu pokochałam ten widok. Zapytałam, czy mógłby mi zrobić jeszcze parę takich zdjęć. Dowiedziałam się, że niestety, za dużo by to kosztowało, ale da mi odbitki z ujęć pierwszej sesji zdjęciowej.

Dwa miesiące później Malcolm zadzwonił do Y.
– Posłuchaj, Waris. Nie wiem, czy interesuje cię praca modelki, ale jest parę osób, które chętnie by się z tobą zobaczyły. W jednej z agencji modelek zobaczyli twoje zdjęcia w moim albumie i stwierdzili, że powinnaś do nich zadzwonić. Jeśli chcesz, możesz podpisać z nimi umowę, a oni znajdą ci pracę.
– Fajnie, ale będziesz mnie musiał tam zaprowadzić... Wiesz, kiepsko się czuję, jak jestem sama. Zabierzesz mnie i przedstawisz?
– Nie, nie da rady. Mogę ci tylko dać adres.
Była to agencja Crawforda. Dobrze się nagłowiłam, zanim wybrałam odpowiedni strój na spotkanie. Lato było gorące, więc ubrałam się w czerwoną sukienkę z wyciętym w serek dekoltem i krótkimi rękawkami, nie za długą, nie za krótką – ot, do połowy uda. Poza tym była po prostu paskudna.

Poszłam więc do agencji w taniej sukienczynie i w tenisówkach. Myślałam sobie: To jest to! Coś się nareszcie dzieje! Chociaż dziś aż mną rzuca na wspomnienie tamtego dnia, to wtedy nie miałam pojęcia, jak beznadziejnie wyglądam – przecież włożyłam na siebie swój najlepszy ciuch. Na nic ładniejszego nie miałam po prostu pieniędzy.

W recepcji zapytali mnie, czy przyniosłam jakieś zdjęcia. A i owszem, miałam takie. Wyszła do mnie Weronika – piękna, elegancko ubrana kobieta o klasycznej urodzie. Zaprowadziła mnie do swojego biura, posadziła na krześle i zapytała:
– Ile masz lat, Waris?
– Jestem młoda! – wykrztusiłam z siebie pierwsze słowa, jakie mi przyszły do głowy. – Naprawdę jestem młoda. Te zmarszczki – wskazałam na okolice oczu – mam od urodzenia.
Uśmiechnęła się.

– W porządku. – Zaczęła wypełniać rubryki w formularzu.
– Gdzie mieszkasz? – pytała dalej.
– Mam pokój w Y.
– Że co? – spłoszyła się. – Gdzie mieszkasz?
– W YMCA.
– Pracujesz?
– Tak.
– Gdzie?
– W McDonald's.
– No dobrze... Umiesz pozować?
– Tak.
– Ale co wiesz o tej pracy? Masz o tym jakieś pojęcie?
– Nie. Ale bardzo chcę to robić.
– Fajnie. Masz album ze swoimi zdjęciami?
– Nie.
– Masz tu jakąś rodzinę?
– Nie.
– A gdzie oni są?
– W Afryce.
– To stamtąd pochodzisz?
– Tak, z Somalii.
– Więc tutaj nikogo nie masz?
– Nie, nikogo z rodziny.
– No dobrze. Twoje zdjęcia próbne zaraz się zaczynają, więc musisz się pospieszyć.

Aż mi w głowie trzeszczało, gdy starałam się za nią nadążyć. Ostatnie zdanie w ogóle do mnie nie dotarło:
– Przepraszam, ale nie zrozumiałam.
– Zdjęcia próbne – casting – powiedziała prawie litera po literze.
– Jaki casting?
– No wiesz, taka próba – ty chcesz u nich pracować, a oni cię sprawdzają. Rozmowa zapoznawcza. Rozumiesz?
– Tak, tak.

Nic nie zrozumiałam, ale ona napisała mi adres i kazała zaraz tam lecieć.

– Zadzwonię do nich i powiem, że jesteś w drodze. Masz pieniądze na taksówkę?

– Nie, ale mogę pójść pieszo.

– Nie, nie, to za daleko. Za da-le-ko. Musisz tam jechać taksówką. Tak-sów-ką! Rozumiesz? Posłuchaj, masz tu dziesięć funtów. Zadzwoń, jak z nimi skończysz. Dobrze?

Jechałam taksówką przez miasto w kompletnej euforii. „No, teraz to się naprawdę zaczęło!" – tłukło mi się po głowie. „Będę modelką!" Ale nagle zdałam sobie sprawę, że zapomniałam zapytać Weronikę, na czym ma polegać moja praca. „Co tam! Bez znaczenia. Będzie świetnie, wyglądam przecież wystrzałowo!"

Casting odbywał się w studio jakiegoś fotografa. Za drzwiami zobaczyłam tłum zawodowych modelek, wszystkie z nogami aż po szyję. Przechadzały się jak lwice żądne żeru – prężyły się przed lustrami, potrząsały grzywami, smarowały sobie uda fluidem, żeby wydawały się szczuplejsze. Klapnęłam na krzesło i zagadnęłam sąsiadkę:

– Słuchaj, co to za praca?

– Kalendarz firmy Pirelli.

– Taaa... – przytaknęłam z pewną siebie miną. – Kalendarz Prulliego. Dzięki.

Nerwy napięły mi się jak postronki, nie mogłam usiedzieć na miejscu. Założyłam lewą nogę na prawą, potem prawą na lewą i tak w kółko. Cały czas myślałam: „Co to jest, u diabła, kalendarz Prulliego?".

.Nagle zamarłam – asystentka wywołała moje nazwisko. Popchnęłam sąsiadkę.

– Idź ty. Ja czekam na koleżankę.

Powtarzałam ten chwyt za każdym razem, kiedy mnie wołali.

W końcu zostałam sama, bo wszystkie dziewczyny poszły już do domu. Kompletnie wyczerpana asystentka wyszła ostatni raz, oparła się o ścianę i powiedziała:

– Śmiało, teraz twoja kolej.

Popatrzyłam na nią jak sparaliżowana, wreszcie pomyślałam sobie: „Starczy tego, Waris. Masz zamiar to zrobić czy nie? No już, wstawaj i idź".

Weszłam do atelier i zobaczyłam jakiegoś mężczyznę z okiem przyklejonym do kamery.

Wrzasnął na mnie:

– Podejdź do znaku! – I pokazał coś ręką przed sobą.

– Znaku?

– Tak, stań na znaku.

– Dobra, już stoję.

– W porządku. Teraz zrzuć górę.

Z początku miałam wrażenie, że nie rozumiem, co on mówi, ale po chwili aż mi się zebrało na wymioty.

– Górę? Znaczy – mam się rozebrać?

Podniósł głowę znad kamery i popatrzył na mnie jak na głupią. Najwyraźniej zdenerwowany, odezwał się zimno:

– Tak. Zdejmij to, co masz na sobie. Rozumiesz? Po coś ty tu w ogóle przyszła?

– Ale ja nie mam biustonosza!

– I o to chodzi! Chcemy zobaczyć twoje piersi.

– Nie!!!

Myślałam gorączkowo: „Co tu jest grane? Chodzi im o moje piersi?". Do tego jeszcze nie było mowy o żadnej górze – miałam na sobie tylko czerwoną sukienkę. „Co ten palant sobie myśli? Że tak po prostu wszystko to zrzucę i stanę przed nim w samych gaciach i tenisówkach?"

– Nie? Nie?!!! Każda aż się skręca, żeby tu przyjść na casting, a ty mówisz mi: nie?

– Nie. Przepraszam, pomyłka... Pomyliłam się. – W panice wycofałam się w stronę drzwi. Po drodze nadepnęłam na rozrzucone po podłodze zdjęcia z polaroidu. Przykucnęłam i zaczęłam je oglądać.

Fotograf patrzył na mnie z rozdziawionymi ustami.

– O Boże! Ale mi się trafiło! – Odwrócił się i rzucił przez ramię: – Terence! Mamy tu mały kłopot.

Do sali wszedł krzepki grubas o rumianych policzkach, z grzywą siwych włosów. Popatrzył na mnie zaciekawiony, uśmiechnął się i zapytał:

– Co jest grane?

Wstałam i rozpłakałam się.

– Nie, nie zrobię tego! Nie mogę! – Wskazałam na trzymane w ręku zdjęcie nagiej modelki.

Z początku poczułam wielkie rozczarowanie – to miało być to, czego tak bardzo chciałam, mój wielki sen o karierze modelki! Pierwszy angaż i już mam się rozbierać! Potem ogarnęła mnie złość, dostałam prawie szału, i zaczęłam im wymyślać po somalijsku:

– Pieprzone chłopy! Gówniarze! Świnie! Zabierajcie się ze swoją cholerną robotą!

Fotograf patrzył na mnie zdezorientowany.

– Co mówisz? – zapytał i dodał: – Wiesz co, chyba jestem za bardzo zmęczony, żebyśmy się do tego teraz brali...

Ale ja już byłam za drzwiami. Trzasnęłam nimi tak, że o mało nie wyleciały z zawiasów. Przez całą drogę do Y płakałam i mówiłam do siebie: „Wiedziałam, że w tym całym pozowaniu musi być coś świńskiego! Ukryli to przede mną!".

Leżałam w łóżku, rozpamiętując swoje upokorzenie, kiedy moja współlokatorka zawołała:

– Waris, telefon do ciebie!

Dzwoniła Weronika.

– To ty! – wrzasnęłam w słuchawkę. – Nie chce mi się z wami wszystkimi gadać! Musiałam się przez was wtsy... stwy... – próbowałam powiedzieć „wstydzić", ale nie mogłam tego z siebie wykrztusić. – To było straszne! Okropne! Nie będę tego robiła! Nie będę! Nie chcę mieć z wami więcej do czynienia!

– No już dobrze. Uspokój się, Waris. Wiesz, co to był za fotograf?

– Nie.

– Czy wiesz, kto to jest Terence Donovan?

– Nie.

– Masz jakąś koleżankę, która dobrze zna angielski?

– Mam.

– No to twoja koleżanka powinna wiedzieć, kto to jest Terence Donovan. Jak skończymy rozmawiać, zapytaj ją. On robi zdjęcia rodzinie królewskiej, Lady Di i wszystkim sławnym modelkom. Mimo tego, co między wami zaszło, chce się z tobą zobaczyć i zrobić ci zdjęcia.

– Ale on kazał mi się rozebrać! Nie uprzedziłaś mnie o tym!

– Zgadza się, ale tu wszystko dzieje się tak szybko, że nie miałam czasu cię o to zapytać – myślałam, że jesteś na to przygotowana. Wyjaśniłam mu już, że nie jesteś za dobra w angielskim i że to, czego od ciebie oczekiwał, kłóci się z twoim wychowaniem. Jednak ty pamiętaj, że chodzi o kalendarz firmy Pirelli. Jeśli teraz ci się powiedzie, będziesz miała potem mnóstwo propozycji. Czy ty w ogóle kupujesz magazyny mody? „Vogue" albo „Elle"?

– Nie stać mnie na to. Oglądam je w kiosku, ale zaraz odkładam.

– No dobrze, ale czy się im przyjrzałaś? To może być właśnie praca dla ciebie, a Terence Donovan jest najlepszy. Jeżeli chcesz zostać modelką, musisz skorzystać z takiej okazji. Potem będziesz pracować za dowolne stawki, będziesz robiła, co tylko zechcesz!

– Nie będę zdejmowała żadnej góry!

Veronica westchnęła.

– Waris, gdzie teraz pracujesz?

– W McDonald's.

– Ile ci płacą?

Powiedziałam jej.

– To świetnie, ale u Terence'a dostaniesz tysiąc pięćset funtów za dzień pozowania.

– Co? I wszystko dla mnie?

– Tak. Do tego jeszcze będziesz jeździć po całym świecie. Na razie praca jest w Bath. Nie wiem, czy tam byłaś, ale miejsce jest piękne. Będziesz mieszkała w Royalton. – Ostatnie hasło rzuciła takim tonem, jakbym wiedziała, o co chodzi. – Więc jak? Chcesz czy nie chcesz?

Przekonała mnie – zarabiając takie pieniądze, mogłam od razu zacząć pomagać mamie.

– Nie ma sprawy. Kiedy mam do niego jechać?

– Może być jutro rano?

– I tylko trzeba będzie stać bez niczego na górze? Jesteś pewna, że za te tysiąc pięćset funtów nie będzie chciał ze mną spać?

– Nie, nic z tych rzeczy. I nie ma tu żadnego kantu.

– Żadnego rozkładania nóg i takich tam...? Jakby co, powiedz mi od razu.

– Tylko pokażesz, co masz na górze. Ale pamiętaj, jutro będą tylko zdjęcia z polaroidu. Dopiero potem on ci powie, czy masz tę pracę. Więc bądź grzeczną dziewczynką!

Kiedy następnego dnia spotkałam się z Terence'em Donovanem, uśmiał się na mój widok:

– Aaa, to znowu ty. Podejdź no. Jak ci na imię?

Teraz był bardzo cierpliwy. Sam był ojcem, więc zrozumiał, że jestem tylko wystraszonym dzieckiem potrzebującym opieki. Poczęstował mnie herbatą i pokazał swoje prace – zdjęcia najpiękniejszych kobiet świata. Potem poszliśmy do pełnego półek i szuflad pokoju, gdzie na stole leżał kalendarz Pirellego z poprzedniego roku. Terence zaczął przerzucać kartki, jedna po drugiej – zobaczyłam, że na każdej jest inna, niesamowicie piękna kobieta.

– Rozumiesz, o co tu chodzi? Robię ten kalendarz co roku. Teraz ma być zupełnie inny – tylko kobiety z Afryki. Na jednych zdjęciach będziesz ubrana, na innych nie – wyjaśnił.

Potem opowiedział mi, jak wygląda cały cykl robienia kalendarza. Nareszcie zrozumiałam, że to na pewno nie jest kolejny stary świntuch.

– No dobra, teraz zrobimy ci parę ujęć. Jesteś gotowa? – zakończył rozmowę.

Byłam gotowa już wtedy, kiedy Veronica powiedziała mi, ile będę zarabiać, ale teraz zupełnie się wyluzowałam.

– Tak, jestem gotowa.

Od tej chwili zachowywałam się jak prawdziwa profesjonalistka. Stanęłam na wyznaczonym miejscu. Ciach! – zdjęłam górę ubrania i spojrzałam z pełnym zaufaniem w kamerę. Doskonale! Kiedy pokazał mi wywołany polaroid, miałam wrażenie, jakbym znowu znalazła się w Afryce. Zdjęcie było czarno-białe, uczciwe i bardzo proste: żadnych dwuznaczności i sprośnych skojarzeń. Widać było na nim Waris – wychowaną na pustyni dziewczynkę z małym, sterczącym biustem.

Wieczorem zadzwonili do mnie do Y z agencji, że dostałam tę pracę i mam jechać za tydzień do Bath. Zadzwoniłam do Veroniki i zaczęłam jej wyjaśniać, że akurat w tym czasie mam pracować w McDonald's i nie bardzo mogę odmówić, bo nie wiem, kiedy dostanę pieniądze za pozowanie. Uspokoiła mnie i zapewniła, że jeśli potrzebuję pieniędzy, może dać mi zaliczkę. Od tego dnia moja stopa nie przekroczyła progu żadnego McDonald'sa.

Po rozmowie z Weroniką obleciałam w Y wszystkich znajomych i nie tylko. Opowiadałam o nowej pracy każdemu, kto tylko chciał mnie słuchać. Halwu zrzędziła:

– Och, daj już spokój i przestań się popisywać, na litość boską! Masz pokazywać cycki i tyle!

– Tak, ale za tysiąc pięćset funtów!

– Za te maleństwa? Powinnaś się wstydzić! – śmiała się ze mnie.

– To nie jest tak, jak myślisz. To jest naprawdę fajne! Żadnych świństw... No i jak pojadę do Bath, to będę mieszkała w fantastycznym hotelu.

– No dobrze, ale ja już nie chcę o tym słuchać. I przestań opowiadać o tym w całym bloku.

Nie spałam całą noc przed wyjazdem, czekając, kiedy wreszcie będzie rano. Wszystkie rzeczy stały już przy drzwiach, spakowane w moim wiernym plecaczku. Ciągle nie mogłam uwierzyć w to, co się wokół mnie działo. Nigdy nie zdarzyło mi się wyjechać poza Londyn, a tu jeszcze mają mi zapłacić za wycieczkę! Limuzyna wynajęta przez Terence'a zawiozła mnie na Victoria Station. Miała się tam zebrać cała ekipa: fotografowie, technicy, reżyser, wizażystka, fryzjer i cztery pozostałe modelki. Tak się bałam, żeby zdążyć na pociąg do Bath, że pierwsza zjawiłam się na dworcu. Zaraz po mnie przyszła Naomi Campbell.

W Bath zameldowaliśmy się w hotelu Royalton. W moich oczach wyglądał jak pałac – aż mnie zatkało, kiedy zobaczyłam, jak wielki pokój mam do wyłącznej dyspozycji. Wieczorem przyszła Naomi i zapytała, czy może spać u mnie w pokoju. Była uroczą szesnasto- czy siedemnastolatką i bała się zostać sama. Zgodziłam się chętnie, ucieszona, że będę miała towarzystwo. Poprosiła tylko:

– Ale nie mów nikomu, dobrze? Wścieknął się, że wydali kupę pieniędzy na pokój, z którego nie będę korzystała.

– Nie przejmuj się. Po prostu zostań, Naomi. Nikomu nic nie powiem. – Doświadczenia życiowe sprawiły, że matkowanie przychodziło mi zawsze z tak naturalną łatwością, iż znajomi przezwali mnie Mamą.

Praca zaczęła się od wczesnego rana. W czasie gdy jedne dziewczyny były czesane i malowane, pozostałe pozowały do zdjęć, a potem zmiana i tak w kółko. Pierwszego dnia fryzjer zaczął ode mnie. Miałam jeszcze na włosach tłuszczyk z McDonald'sa i w ogóle jak na modelkę wyglądałam dość topornie, postanowiłam więc ściąć włosy na krótko, żeby zadać nieco szyku. Fryzjer ciął i ciął, aż w końcu nie zostało mi na głowie nic dłuższego niż dwa centymetry. Opinie były zgodne: „Och, ty! Ale się zmieniłaś!". Chciałam jednak naprawdę czymś ich zaszokować. Powiedziałam więc fryzjerowi:

– Wiesz, co zrobię? Utlenię sobie włosy na blond!

– O nie, beze mnie! Będziesz wyglądała jak wariatka!

Naomi Campbell zaśmiała się i stwierdziła:

– Wiesz co, Waris? Kiedyś będziesz sławna! Nie zapomnij wtedy o mnie!

Oczywiście wyszło odwrotnie – to ona stała się znana na całym świecie.

I tak pracowaliśmy przez następne sześć dni, a ja cały czas nie mogłam uwierzyć, że za coś takiego mają mi zapłacić. Wieczorem, po zakończeniu sesji zdjęciowej, na pytanie, co chciałabym robić, miałam zawsze jedną odpowiedź: iść na zakupy. Wsiadałam do limuzyny, szofer woził mnie, gdzie tylko chciałam, i odstawiał z powrotem do hotelu.

Ze wszystkich zrobionych przez sześć dni zdjęć właśnie moje trafiło na okładkę kalendarza. Byłam z tego bardzo dumna. Poza tym wiedziałam, że świetnie się to przysłuży mojej popularności.

Kiedy wróciliśmy pociągiem do Londynu, na dworcu czekała limuzyna z agencji. Wskoczyłam do środka, przekonana, że tam pojedziemy. Siedzący w środku gość powitał mnie:

– Zgadnij, co mamy dla ciebie? Kolejny casting, i to tuż za rogiem! Tylko pospiesz się, musisz tam zaraz być.

– Jutro, dzisiaj jestem zmęczona – zaprotestowałam.

– Nic z tego. Jutro będzie za późno. Oni szukają dziewczyn dla Bonda do nowego odcinka z Timothy Daltonem – *W obliczu śmierci*. Zostaw torbę w samochodzie i lecimy. Pokażę ci, gdzie to jest.

Podeszliśmy do rogu ulicy i wskazał mi palcem jakiś budynek:

– Widzisz te drzwi, gdzie wszyscy wchodzą? To właśnie tam.

W środku było jak w studio Terence'a Donovana, ale poczułam się znacznie gorzej niż podczas pierwszego castingu. Była tam cała armia dziewczyn – chodzących, siedzących, podpierających ściany, plotkujących i pewnych siebie.

Wyszedł do nas asystent i oznajmił:

– Każda z was zostanie poproszona o to, by powiedziała parę słów.

Wiadomość zabrzmiała złowrogo, ale opanowałam się, tłumacząc sobie, że przecież teraz jestem zawodową modelką. Ostatecznie pracowałam dla samego Terence'a Donovana przy kalendarzu Pirellego i nie ma nic takiego, z czym nie dałabym sobie rady.

Kiedy przyszła moja kolej, wprowadzili mnie do atelier i kazali stanąć na znaku. Zaczęłam tak:

– Chcę wam, chłopaki, powiedzieć, że nie mówię za dobrze po angielsku.

Asystent pokazał mi jakąś kartkę.

– Nie ma sprawy. Musisz tylko to przeczytać.

„O mój Boże!" – pomyślałam. „Co teraz? Mam im powiedzieć, że nie umiem czytać? Nie, to zbyt upokarzające. Nie zrobię tego". I odpowiedziałam:

– Przepraszam, muszę na chwilę wyjść. Zaraz wracam.

Wyszłam ze studia i udałam się prosto do agencji. Powiedziałam ludziom Crawforda, że chcę zabrać torbę, bo jeszcze mnie

nie wywołali na castingu i zapowiada się, że trzeba będzie jeszcze długo czekać.

Kiedy wróciłam do Y, była jakaś pierwsza, druga po południu. Zostawiłam torbę w pokoju i poszłam szukać fryzjera. Weszłam do pierwszego z brzegu salonu, zaraz obok Y.

– Czym możemy pani służyć? – zapytał fryzjer.

– Proszę rozjaśnić mi włosy – zażądałam.

Brwi fryzjera uniosły się wysoko.

– No cóż, możemy to zrobić, ale zajmie to trochę czasu, a pracujemy tylko do ósmej.

– Świetnie, to mamy czas do ósmej.

– Owszem, ale przed panią umówieni są inni klienci.

Błagałam go tak długo, aż w końcu zgodził się zacząć od razu. Nałożył mi na głowę perhydrol, a ja natychmiast pożałowałam swojej zachcianki. Miałam tak mało włosów, że bielidło zaczęło mi wyżerać skórę na czaszce – czułam, jakby mi ją ktoś odrywał po kawałku. Czekałam jednak cierpliwie, zaciskając z bólu zęby. Po spłukaniu perhydrolu okazało się, że włosy są pomarańczowe. Powtórzyliśmy zabieg – stały się żółte. Za trzecim razem nareszcie stałam się blondynką.

Bardzo mi się to podobało, dopóki jakieś dziecko nie wczepiło się na mój widok w matkę, wrzeszcząc:

– Mamo, mamo! Co to jest? Mężczyzna czy kobieta?

Pomyślałam sobie: „Coś tu chyba nie gra, bo dzieciaki się mnie boją. Czyżbym popełniła jakiś błąd? Ale zanim doszłam do Y, już mnie to nic nie obchodziło – moje włosy miały się podobać nie dzieciom, tylko mnie, a moim zdaniem wyglądały odjazdowo.

Po powrocie do domu zastałam plik karteczek z wiadomościami z agencji: „Gdzie jesteś? Cała ekipa na ciebie czeka", „Kiedy wrócisz? Oni dalej na ciebie czekają" – i tak dalej. Agencja była już nieczynna, więc zadzwoniłam do domu Weroniki. Natychmiast wsiadła na mnie:

– Gdzieś ty się podziała? Oni myśleli, że wyszłaś do ubikacji! Obiecaj mi, że pójdziesz do nich jutro!

Obiecałam. Oczywiście nic jej nie wspomniałam o tym, co ludzie z castingu zauważyli natychmiast, gdy się tam pojawiłam: wczoraj byłam zwykłą czarną dziewczyną, dzisiaj – somalijską blondyną. Wszyscy się zbiegli, żeby coś takiego zobaczyć.

– Fantastycznie! Zrobiłaś to wczoraj wieczorem?

– Tak.

– A niech cię... Podoba mi się to. Ale niczego już nie zmieniaj, dobrze?

Powiedziałam, żeby się nie martwili, bo nie mam zamiaru męczyć się jeszcze raz, więc na razie zostanę blondynką.

Zaczęliśmy od nowa w miejscu, w którym skończyliśmy wczoraj.

– Martwisz się, że nie znasz dobrze angielskiego – o to ci chodziło?

– Nooo. – Nadal nie mogłam zdobyć się na wyznanie, że nie umiem czytać.

– W porządku. Po prostu staniesz tutaj, popatrzysz w lewo, potem w prawo, powiesz, jak się nazywasz, skąd pochodzisz, dla jakiej agencji pracujesz, i to wszystko.

Po castingu zaszłam w okolice agencji Crawforda i wpadłam na pomysł, że fajnie by było pokazać im nową fryzurę. A oni dostali szału:

– Coś ty, do cholery, zrobiła z tymi włosami?

– Ale nieźle wyglądam, co?

– Nie, źle! Nie mamy czasu, żeby ci zrobić nowe zdjęcia do albumu! Wszystkie zmiany wyglądu masz uzgadniać z nami, Waris. Klienci muszą wiedzieć, co od nas dostają, więc niech ci się nie wydaje, że jeśli to twoje włosy, to już możesz z nimi robić, co ci się tylko zachce.

Po tym wydarzeniu ludzie z agencji nazwali mnie Guinness – czarny spód i białe po wierzchu. Jednak na castingu bardzo się spodobałam i dostałam pracę dziewczyny Bonda.

* * *

Bardzo cieszyłam się perspektywą kariery filmowej, dopóki nie poszłam któregoś dnia do agencji, gdzie Weronika oznajmiła mi:

– Świetne wieści, Waris. Zaczynasz zdjęcia do *W obliczu śmierci*. Jedziesz do Maroka.

Zamarłam.

– Wiesz, hmmm... muszę ci coś powiedzieć. Pamiętasz, jak pierwszego dnia zapytałaś mnie o paszport? No więc paszport mam, ale skończyła mi się wiza. Jeśli wyjadę z Anglii, to nie wpuszczą mnie z powrotem.

– Waris, okłamałaś mnie! Żeby pracować dla nas jako modelka, musisz mieć ważny paszport, bo trzeba ciągle jeździć za granicę. Boże! Nie możesz wziąć tej pracy. Musimy to odwołać.

– Nie, nie, nie... Poczekaj. Wymyślę coś.

Weronika popatrzyła na mnie z niedowierzaniem, ale powiedziała, żebym robiła, jak uważam.

Przez następne kilka dni siedziałam w pokoju i myślałam, ale nic z tego nie wychodziło. Radziłam się wszystkich znajomych, ale jedyne, co im przychodziło do głowy, to żebym wyszła za mąż za Anglika, co z braku chętnego kandydata nie wchodziło w grę. Czułam się strasznie – nie dość, że cała moja kariera legła w gruzach, to jeszcze okłamałam Weronikę i rozczarowałam wszystkich ludzi z agencji.

Roztrząsając te dylematy, poszłam któregoś wieczoru na basen. Pracowała tam ratowniczka Marilyn. Miała czarną skórę, jak ja, ale urodziła się w Londynie. Kiedy wprowadziłam się do Y, zaczęłam chodzić na basen, żeby choć poprzyglądać się ukochanej wodzie. Pewnego dnia Marilyn zapytała mnie, dlaczego nie wchodzę do basenu, więc wyjaśniłam jej, że nie umiem pływać. Zaproponowała, że mnie nauczy.

– W porządku! – Od razu pobiegłam do najgłębszego końca basenu, wzięłam głęboki wdech i dałam nura. Wyszłam z założenia, że skoro Marilyn jest ratowniczką, to mnie w razie potrzeby uratuje. I wiecie co? Przepłynęłam całą długość basenu pod wodą jak rybka.

Wynurzyłam się z uśmiechem od ucha do ucha.

– Udało mi się! Nie do wiary, udało mi się!

Ale ona rozzłościła się:

– Dlaczego mówiłaś, że nie umiesz pływać?

– Bo nigdy w życiu nie pływałam!

Po tym wydarzeniu zaprzyjaźniłyśmy się z Marilyn. Mieszkała z matką po drugiej stronie miasta, więc kiedy kończyła pracę zbyt późno, żeby wracać do domu, spała u mnie w pokoju.

Kiedy tak sobie pływałam, próbując zapomnieć o paszportowej biedzie, nagle pojawiło się rozwiązanie. Podpłynęłam do brzegu basenu, zdjęłam okulary i zawołałam Marilyn.

– Słuchaj – wydyszałam – potrzebuję twojego paszportu.

– Co?! O czym ty mówisz?

Wyjaśniłam jej, o co chodzi.

– Coś ci się pochrzaniło, Waris! Wiesz, co się stanie? Złapią cię, deportują bez prawa powrotu, a mnie wsadzą do więzienia. I po co ja mam ryzykować? Żebyś ty się znalazła w jakimś kretyńskim Bondzie. Akurat!

– Daj spokój, Marilyn. To zabawa, przygoda. Zaryzykuj. Wystąpię o paszport w twoim imieniu, podrobię podpis i dam swoje zdjęcie. Mam już tylko parę dni. Marilyn, proszę! Ten film to moja wielka szansa!

Moje prośby i błagania złamały ją dopiero w dzień przed wyjazdem do Maroka. Zrobiłam sobie zdjęcie i po godzinie miałam w ręku brytyjski paszport. Ale przez całą drogę do domu Marilyn bała się coraz bardziej. Pocieszałam ją:

– Uśmiechnij się, Marilyn. Daj spokój – wszystko będzie dobrze. Musisz tylko w to wierzyć.

– Wierzę mojemu tyłkowi, a ten aż się trzęsie ze strachu. Wierzę, że przez jakąś głupią wpadkę zrujnujesz mi życie.

Tej nocy miałyśmy spać u jej matki. Zaproponowałam, żeby dla rozluźnienia atmosfery wypożyczyć trochę kaset wideo i kupić chińskiego żarcia. Jednak kiedy dotarłyśmy do domu, Marilyn nie wytrzymała:

– Waris, nie da rady. To zbyt niebezpieczne. Oddaj mi go.

Ze smutkiem podałam jej paszport – kariera filmowa odpłynęła do świata straconych złudzeń.

– Zostań tutaj – idę go schować – rozkazała mi i poszła na górę do swojego pokoju.

– Nie ma sprawy – rzuciłam za nią. – Jeżeli tak to widzisz, nie ma sensu, żebyś się męczyła. Skoro uważasz, że się nie uda, dajmy sobie z tym spokój.

Kiedy tylko zasnęła, poszłam przeszukać jej pokój. Marilyn trzymała tam setki książek – byłam pewna, że schowała paszport w którejś z nich. Kartkowałam jedną po drugiej, wreszcie usłyszałam, że coś upadło na podłogę. Schyliłam się, podniosłam paszport, wetknęłam do torby i wróciłam do łóżka. Wstałam raniutko, ubrałam się i wymknęłam po cichu z domu. Trzęsąc się z zimna czekałam na ulicy na umówiony samochód z agencji. Szofer przyjechał o siódmej i zawiózł mnie na lotnisko Heathrow.

Wyjazd z Anglii przebiegł bezproblemowo. Moja marokańska przygoda filmowa polegała przede wszystkim na odgrywaniu – jak to określał scenariusz – „pięknej dziewczyny wylegującej się na brzegu basenu". Była tam też scena, w której piłam z innymi dziewczynami herbatę we wnętrzu jakiegoś niesamowicie luksusowego domu w Casablance – z nieznanych bliżej powodów wszystkie byłyśmy nagie. James Bond spadał między nas z dachu, a my, zasłaniając sobie oczy, wołałyśmy: „O mój Boże!". Jednak nie widziałam powodów, żeby się uskarżać: nie musiałam nic mówić przed kamerą, więc fakt, że nie umiem czytać, nie przysparzał mi szczególnych zmartwień.

Przez resztę czasu włóczyłam się po planie, siadałam na brzegu basenu, jadłam, ile się dało, i w zasadzie nic nie robiłam. Bez przerwy przebywałam na słońcu, rozkoszując się nim do upojenia po latach spędzonych w mglistym Londynie. Trzymałam się jednak na uboczu, bo nie potrafiłam wkręcić się w całe to filmowe towarzystwo. Zawstydzali mnie – byli piękni i złośliwi, świetnie mówili po angielsku, sprawiali wrażenie, że doskonale się znają, i cały czas plotkowali o tej robocie i innych robotach. A ja aż trzęsłam się z radości, że znowu jestem w Afryce. Wieczorem wychodziłam, żeby popatrzeć na mamuśki pichcące różnokolorowe jedzenie dla swoich rodzin. Wystarczyło, że uśmiechnęłam się i rzuciłam parę z niewielu znanych mi arabskich słów, wtedy oni odpowiadali coś po angielsku i już wkrótce śmialiśmy się wszyscy.

Pewnego dnia filmowcy zaproponowali:

– Chcesz iść na wyścigi wielbłądów? Wszyscy się tam wybierają.

Poszłam z nimi i przyglądałam się przez jakiś czas, aż w końcu zapytałam arabskiego dżokeja, czy i ja nie mogłabym się pościgać. Mieszając wyrazy arabskie z angielskimi oznajmił, że nie, kobietom nie wolno dosiadać wielbłądów.

– Pewnie nie chcesz dać mi pojeździć, bo się boisz, że wygram – odpowiedziałam. – No chodź, sprawdzimy się! Założę się, że cię pokonam.

Dżokeja o mało nie rozsadziła złość w związku z tym, że jakaś dziewczyna śmie rzucać mu wyzwanie, i zgodził się, żebym wzięła udział w wyścigach. Od razu rozniosło się to po całej ekipie filmowej – wszyscy zebrali się wokół mnie i parę osób nawet twierdziło, że lepiej, żebym dała sobie z tym spokój. Powiedziałam im, żeby raczej wyciągnęli pieniądze i obstawili Waris, bo Waris ma zamiar dać tym marokańskim facetom nauczkę.

Na starcie stanęło dziesięć wielbłądów pod Arabami – jedenastego dosiadałam ja. Na sygnał startera pognaliśmy przed siebie. To była straszna jazda. Nie znałam swojego wierzchowca i nie miałam pojęcia, jak „dodać mu gazu". Do tego jeszcze przez cały wyścig w zasadzie walczyłam o życie – wielbłąd w galopie nie tylko przemieszcza się do przodu, ale też gwałtownie pod-skakuje w górę i w dół i kołysze się na boki. Gdybym spadła, pozostałe wielbłądy rozdeptałyby mnie na miazgę. Dotarłam do mety na drugim miejscu. Cała ekipa Bonda była pod wrażeniem. Można nawet powiedzieć, że nabrali do mnie szacunku, zwłaszcza ci, którzy postawili na mnie pie-niądze.

– Skąd wiedziałaś, jak to zrobić? – spytała mnie jedna z dziew-czyn.

Roześmiałam się:

– Spoko! Kto urodził się na grzbiecie wielbłąda, ten wie, jak na nim jeździć.

Ściganie się na wielbłądach było jednak niczym w porównaniu z tym, co mnie czekało po lądowaniu na Heathrow. Wszyscy wyszli z samolotu i ustawili się w kolejce do kontroli granicznej. Po obsłużeniu kolejnej osoby urzędnik wrzeszczał: „Następny!", co dla mnie było straszliwą torturą, bo każdy taki wrzask przy-bliżał wizję aresztu.

Brytyjscy urzędnicy graniczni w ogóle są mało przyjemni, ale jeśli masz czarną skórę i pochodzisz z Afryki, stają się wręcz bezwzględni – oglądają twój paszport z każdej możliwej strony. W miarę jak zbliżałam się do stanowiska kontrolnego, robiło mi się coraz bardziej niedobrze. W końcu zaczęłam wyobrażać sobie, że padam na podłogę i umieram, żeby tylko nie przedłużać cierpienia. Modliłam się: „Boże, pomóż mi. Jeśli uda mi się przez to przejść, przysięgam, że już nigdy nie zrobię takiej głu-poty".

Stałam już na początku kolejki i nogi prawie przestały mnie słuchać, kiedy pewien obrzydliwy model imieniem Geoffrey wy-rwał mi paszport z ręki. Był to wkurzający bystrzacha, lubiący się w poniżaniu innych ludzi, i akurat w tym momencie nie mógł lepiej wybrać sobie ofiary.

– Proszę, oddaj mi to... – błagałam, ale on trzymał mój paszport nad głową, a że był znacznie wyższy ode mnie, nie mogłllam go dosięgnąć.

Wszyscy z naszej ekipy wiedzieli, że nazywam się Waris Dirie, a tu Geoffrey otwiera mój paszport i rży:

– O Boże! Słuchajcie! Zgadnijcie, jak ona się nazywa? Marilyn Monroe!!!

– Oddaj mi to... – zażądałam, wstrząśnięta.

Geoffrey latał w kółko, zwijając się ze śmiechu, i pokazywał wszystkim mój paszport.

– Ona się nazywa Marilyn Monroe! Ale jaja! Coś z tobą jest nie tak, dziewczyno! Nic dziwnego, że się wybieliłaś!

Nie miałam pojęcia, że nie tylko moja przyjaciółka z basenu, ale także ktoś jeszcze mógł się nazywać Marilyn Monroe. I całe szczęście, że nie zdawałam sobie sprawy ze wszystkich wynikających z tego skojarzeń. Wystarczyła mi już świadomość, że w paszporcie napisano, iż jestem Marilyn Monroe, urodzona w Londynie, a ja ledwo mówię po angielsku. W głowie tłukło mi się bez przerwy: ,,Już po mnie... Już po mnie...''.

Ludzie Bonda dołączyli do zabawy i zaczęli się naśmiewać:

– Jak ty się właściwie nazywasz? Skąd jesteś? Urodziłaś się w środku Londynu i nie znasz angielskiego?

W końcu głupek Geoffrey oddał mi paszport. Zawróciłam na koniec kolejki, żeby cała ta zgraja przeszła, zanim nadejdzie moja kolej. Ale nic z tych planów nie wyszło. Po przejściu przez kontrolę paszportową, zamiast jak zwykle wskoczyć do samochodów i zająć się swoimi sprawami, wszyscy czekali za bramką, co się ze mną stanie.

– Następny!!! – zagrzmiało mi w uszach.

,,Weź się w garść, Waris. Uda ci się'' – powiedziałam sobie i wręczyłam urzędnikowi paszport.

– Dzień dobry! – Uśmiechnęłam się ujmująco i wstrzymałam oddech. Wiedziałam, że lepiej nic więcej nie mówić, bo zorientuje się, że mój angielski jest godny pożałowania.

– Miły dzień, nieprawdaż? – odpowiedział.

– Hmmm... – przytaknęłam i posłałam mu kolejny uśmiech. Oddał mi paszport i wskazał drogę do wyjścia. Bondziaki stali i gapili się zdumieni. Chciało mi się na przemian mdleć i rzygać, ale dzielnie przemaszerowałam przez sam środek ich grupy. Poczułam się pewnie dopiero poza budynkiem lotniska.

12

U lekarza

Nadal mieszkałam w YMCA i często korzystałam z basenu. Pewnego popołudnia ubrałam się właśnie w szatni i chciałam wrócić do siebie na górę, kiedy usłyszałam, że ktoś woła mnie po imieniu. To był William, chłopak mieszkający w Y. Siedział w kawiarence przy basenie i machał do mnie ręką.

– Przysiądź się, Waris. Nie zjadłabyś czegoś?

Przed nim leżał na talerzu sandwich, więc odpowiedziałam:

– Dobra. Zjem to, co ty.

Mój angielski nie był jeszcze za dobry, ale przynajmniej zrozumiałam, o co mu chodziło. Podczas jedzenia zapytał, czy nie poszłabym z nim do kina. Nie była to z jego strony pierwsza propozycja. Był młody, przystojny, biały i bardzo, bardzo miły. Namawiał mnie dalej, ale od razu przestałam go słuchać – patrzyłam tylko, śledząc ruchy jego ust, a w głowie przewijała mi się taśma ze znanym nagraniem:

Pójdziesz z nim, bo przecież
sama chcesz tam iść.
Wiesz, jak dobrze mieć kogoś,

z kim chce się mówić –
kochającego.
Ale jeśli pójdziesz,
pocałuje cię,
w nadziei, że z nim będziesz.
Jeśli się zgodzę,
odkryje, że ja...
różnię się od innych.
Jeśli odmówię,
zawiodę go, będzie zły.
Nie... serce boli.
Nie. To bez sensu.

Uśmiechnęłam się i potrząsnęłam głową.
– Nie, dzięki. Mam strasznie dużo pracy.
Przez jego twarz przemknął cień rozczarowania, ale wzruszyłam ramionami i dodałam:
– Nic na to nie mogę poradzić.
Nie da się ukryć, że i mnie było żal.
Cały problem zaczął się od chwili przeprowadzki do Y. Dopóki mieszkałam z rodziną, nigdy nie zdarzało mi się przebywać w towarzystwie obcych mężczyzn bez przyzwoitki. Mężczyzna odwiedzający dom rodziców, cioci Sahru czy też wuja Mohammeda nie miał wyboru: musiał przestrzegać naszych zasad, które nie przewidywały samotnych spotkań z kobietą. W przeciwnym razie miałby wszystkich członków rodziny przeciwko sobie. Ale od kiedy opuściłam dom wuja, musiałam radzić sobie w takich sytuacjach sama.
W Y wprost roiło się od samotnych młodych mężczyzn. W nocnych klubach, które odwiedzałam z Halwu, spotykałam ich jeszcze więcej. O pracy modelki już nie warto wspominać. Jednak żaden z nich nie wzbudzał mojego zainteresowania. Nigdy nie przyszło mi do głowy, żeby z którymkolwiek z nich pójść do

łóżka, ale zdawałam sobie sprawę, że ich to ograniczenie nie dotyczy. Mimo starań, nigdy nie mogłam sobie wyobrazić, jak wyglądałoby moje życie, gdybym nie była obrzezana, chociaż lubię towarzystwo mężczyzn i potrafię kochać. W tamtym czasie, sześć lat po ucieczce od ojca, samotność zaczęła mi ciążyć coraz bardziej. Marzyłam, że kiedyś będę miała męża i własną rodzinę, ale świadomość, że jestem zaszyta na głucho, oddalała myśli o związku z jakimkolwiek mężczyzną. Zupełnie jakby moje kalectwo uniemożliwiało mi wszelkie bliższe kontakty, zarówno fizyczne, jak i emocjonalne.

Świadomość tego, jak bardzo różnię się od innych kobiet, zwłaszcza angielskich, docierała do mnie powoli. Dopiero po przybyciu do Londynu odkryłam, że nie wszystkim somalijskim dziewczynom zrobiono to, co mnie. Kiedy mieszkałam w domu wuja Mohammeda, zdarzało mi się bywać w toalecie razem z jego córkami. Nie mogłam się nadziwić, jak szybko są w stanie się wysikać – mnie zajmowało to około dziesięciu minut, bo mocz wylatywał przez dziurkę pozostawioną przez znachorkę pojedynczymi kropelkami.

– Waris, dlaczego ty tak dziwnie sikasz? Jesteś chora czy co? – pytały kuzynki.

Nie chciałam im mowić, w czym tkwi przyczyna, bo myślałam, że po powrocie do Somalii też zostaną obrzezane, więc tylko zbywałam je śmiechem.

Ale moje miesiączki to nie było nic do śmiechu. Ten prawdziwy koszmar prześladował mnie bez przerwy, odkąd się zaczęły. Miałam wtedy jakieś jedenaście, dwanaście lat. Byłam poza obozowiskiem ze swoimi owcami i kozami; słońce grzało wręcz niemiłosiernie. Siadłam pod drzewem, zmożona nie tylko upałem, ale i nie znanym dotychczas bólem brzucha. Zastanawiałam się: ,,Co to za ból? Czyżbym była w ciąży? Czy będę miała dziecko? Ale przecież z żadnym mężczyzną do niczego nie doszło, więc skąd ciąża?". Rozpieranie w brzuchu narastało coraz bardziej, a razem z nim mój lęk. Mniej więcej po godzinie zachciało mi się siusiu i zobaczyłam, że wylatuje ze mnie krew. Miałam wrażenie, że umieram.

Zostawiłam zwierzęta na pastwisku i pobiegłam do matki. Dopadłam jej z płaczem i krzykiem:

– Umieram! Mamo, ja umieram!

– O czym ty mówisz?

– Krwawię, mamo! Zaraz umrę!

Spojrzała na mnie zimno.

– Nie, nie umrzesz. Wszystko jest w porządku. Masz okres i tyle.

Nigdy nie słyszałam o żadnych okresach czy miesiączkach i nie miałam o niczym pojęcia.

– Ale powiedz mi, o co w tym chodzi! – poprosiłam.

Matka wyjaśniała szczegóły całego procesu, a ja zwijałam się z bólu, trzymając się za brzuch.

– Ale jak pozbyć się tego bólu? Mamo, ja naprawdę tak się czuję, jakbym miała umrzeć!

– Nic na to nie poradzisz, Waris. Po prostu czekaj, aż się to skończy.

Ale mnie takie rozwiązanie nie wystarczało. Wróciłam na pustynię i, szukając ulgi, zaczęłam kopać dół w cieniu jakiegoś drzewa. Wysiłek odwrócił uwagę od bólu – ryłam i ryłam suchą gałęzią, aż zagłębienie w gruncie było wystarczająco głębokie, żeby pomieścić dolną połowę mojego ciała. Wskoczyłam do dołu i zaczęłam upychać ziemię wokół siebie. W tym półgrobie było dużo chłodniej niż na zewnątrz, więc ból nieco zelżał – spędziłam tam najbardziej upalną część dnia.

I tak radziłam sobie miesiąc po miesiącu. Kiedy pojawiał się znajomy ból, zakopywałam się w ziemi po pas. Co ciekawe, okazało się, że moja siostra Aman radziła sobie tak samo. Jednak metoda ta miała również pewne wady. Pewnego dnia ojciec zobaczył mnie w moim grobie pod drzewem

– z większej odległości wyglądałam, jakby mnie ktoś przeciął wpół i postawił na piasku.

– Co ty tam, u diabła, robisz? – zapytał. Na dźwięk jego głosu zaczęłam gorączkowo wydobywać się z dołu, ale ubiłam ziemię tak mocno, że szło mi to z ogromnym trudem. Szarpałam się bezradnie, a on śmiał się jak opętany. Byłam zbyt zawstydzona, żeby wytłumaczyć, skąd wziął się mój pomysł.

Ojcu zebrało się na żarty:

– Jeśli chcesz się pogrzebać za życia, zrób to porządnie. Co to za jakieś niedoróbki?

Wieczorem zapytał matkę, czy zna przyczyny mojego dziwnego zachowania – bał się, że jego córka zamieni się w zwierzę ryjące pod ziemią tunele – mama jednak wyjaśniła mu, o co chodzi.

Przepowiednia matki sprawdziła się: nic nie było w stanie powstrzymać bólu. Nie rozumiałam wtedy, że krew miesiączkowa ma takie same problemy z opuszczeniem mego ciała jak mocz – gromadziła się w ciasnej przestrzeni w moim brzuchu, rozpierała ją i powodowała przejmujący ból. Pozostałe po obrzezaniu ujście pozwalało jedynie, by krew wydobywała się kropla po kropli. W wyniku tego wszystkie moje miesiączki trwały przynajmniej dziesięć dni.

Problem osiągnął rozmiary kryzysu w domu wuja Mohammeda. Pewnego poranka jak zwykle zrobiłam dla wszystkich śniadanie. Zastawiłam tacę i zaczęłam nieść ją do jadalni, kiedy nagle zrobiło mi się ciemno w oczach. Upadłam na podłogę, a wokół mnie rozsypało się wszystko, co niosłam. Podbiegł wuj Mohammed i zaczął mnie cucić klepaniem w policzki. Odzyskałam przytomność na tyle, żeby jak przez mgłę usłyszeć jego krzyk:

– Maruim! Maruim! Ona zemdlała!

Kiedy doszłam do siebie, ciocia Maruim zapytała, co się stało. Wyznałam, że rano zaczęła mi się miesiączka.

– Coś mi tu nie gra, musimy pójść do lekarza. Umówię cię na popołudnie.

Powiedziałam lekarzowi cioci, że bardzo źle znoszę miesiączki i za każdym razem mdleję z bólu. Spytałam:
– Czy może mi pan pomoc? Czy coś można z tym zrobić, bo już dłużej tego nie wytrzymam.

Nie wspomniałam mu jednak, że zostałam obrzezana. Nie miałam pojęcia, jak zacząć rozmowę na ten temat. Dopiero co wyrwałam się z samego środka pustyni – niewiedza, zakłopotanie i wstyd uniemożliwiały mi mówienie o własnych dolegliwościach. Ponadto nie wiązałam ich z obrzezaniem, bo sądziłam, że dotyczy to wszystkich dziewcząt. Matka nie widziała powodów do obaw, bo zawsze miała do czynienia z kobietami obrzezanymi, a one wszystkie doznawały podobnych cierpień, które uważano za część losu kobiety.

Lekarz też nie odkrył mojego sekretu, bo mnie nie zbadał. Powiedział tylko:
– Dam ci pigułki antykoncepcyjne. Zatrzyma ci się miesiączka, więc nie będzie cię bolało.

Alleluja! Zaczęłam je brać, mimo że w ogóle nie lubiłam lekarstw, mimo że kuzynka Basma coś wspominała o ich nieprzyjemnym działaniu. Po miesiącu ból nie pojawił się, nie było też mowy o krwawieniu. Za to mój organizm nabrał przekonania, że jestem w ciąży, i zaczęło się coś, o czym doktor nie wspomniał. Urosły mi piersi, nabrzmiał tyłek, twarz się zaokrągliła i w ogóle nabrałam ciała. Tak nagłe zmiany wyglądu wydały mi się do tego stopnia dziwaczne i nienaturalne, że przestałam połykać pigułki – wolałam już raczej borykać się z bólem. I było mi z tym znacznie gorzej, bo ból był teraz silniejszy niż przedtem.

Odwiedziłam kolejnego lekarza, licząc na to, że mi lepiej pomoże, lecz on zalecił mi te same pigułki. Tłumaczyłam, że już tego próbowałam, ale nie podobają mi się objawy uboczne. Jednak nie chciałam też leżeć przez znaczną część miesiąca w łóżku i konać z bólu.
– Czy mógłby pan coś na to poradzić?

Doktor odpowiedział:

– O co ci chodzi? U większości kobiet przyjmujących leki antykoncepcyjne miesiączka zatrzymuje się. Jeśli masz miesiączkę, to czujesz także ból. Musisz wybierać.

Kiedy również trzeci lekarz poradził to samo, zdałam sobie sprawę, że trzeba mi czegoś innego.

Zapytałam ciocię Maruim:

– Czy nie powinien mnie zobaczyć jakiś inny lekarz?

Spojrzała na mnie świdrującym wzrokiem.

– Nie – odpowiedziała z naciskiem. – A tak w ogóle to co ty im wszystkim mówiłaś?

– Nic, tylko że chcę pozbyć się bólu.

Domyśliłam się, o co jej chodziło – obrzezanie to sprawa dotycząca tylko nas, pochodzących z Afryki, i nic do tego tym białym mężczyznom.

Zaczęłam jednak rozumieć, że mam do wyboru: albo sobie z tym poradzę, albo będę w nieskończoność wyłączona z normalnego życia przez trzecią część miesiąca. Zrozumiałam też, że żadne moje działanie w tym kierunku nie zostanie zaakceptowane przez rodzinę. W tej sytuacji następny krok był oczywisty: trzeba pójść do lekarza w tajemnicy przed nimi i powiedzieć mu, że jestem obrzezana. Może mi jakoś pomoże.

Wybrałam doktora Macrae, bo pracował w dużym szpitalu – pomyślałam, że gdyby było trzeba zrobić operację, będzie w stanie ją tam przeprowadzić. Czekałam na umówioną wizytę przez miesiąc. Wymyśliłam jakąś wymówkę na użytek cioci, poszłam do gabinetu doktora Macrae i powiedziałam mu:

– Jest coś, czego panu poprzednim razem nie powiedziałam. Pochodzę z Somalii i... ja... ja... – strasznie się męczyłam, wyjaśniając okrutny sekret łamaną angielszczyzną – ja obrzezana.

Nawet nie pozwolił mi dokończyć zdania. Powiedział szybko:

– Przebierz się. Muszę cię zbadać dokładniej. – Zobaczył

wyraz paniki na mojej twarzy i uśmiechnął się. – Nic się nie martw. Wszystko będzie dobrze.

Zadzwonił po pielęgniarkę i pokazał mi, gdzie mam się przebrać w jednorazową koszulkę.

Kiedy wszedł do pokoju badań, zaczęłam mocno wątpić, czy postępuję właściwie. Na samą myśl, że mam w tym obcym miejscu rozłożyć nogi, a biały mężczyzna będzie mi tam patrzył... No cóż, czegoś bardziej zawstydzającego nie mogłam chyba wymyślić. Doktor Macrae spróbował rozchylić mi kolana.

– Spokojnie. Nic się tu złego nie dzieje – ja jestem lekarzem, a obok siedzi pielęgniarka.

Wyciągnęłam szyję we wskazanym przez niego kierunku. Uśmiech pielęgniarki dodał mi otuchy, więc w końcu rozluźniłam mięśnie. Podczas badania starałam się myśleć, że znowu jestem na pustyni i przy pięknej pogodzie maszeruję z moimi kozami.

Kiedy doktor Macrae skończył, zapytał pielęgniarkę, czy nie ma w szpitalu kogoś, kto mówi po somalijsku. Odpowiedziała, że owszem, piętro niżej pracuje pewna kobieta i poszła jej poszukać. Niestety, wróciła z jakimś Somalijczykiem. Pomyślałam sobie: No to pięknie! Takie już mam parszywe szczęście, że kiedy odważyłam się o czymś takim porozmawiać, to muszę korzystać z pośrednictwa somalijskiego mężczyzny. Chyba nic gorszego nie mogło się zdarzyć!

Doktor Macrae powiedział:

– Wytłumacz jej, że zbyt ściśle ją zaszyli. Nie mam pojęcia, jak sobie z tym dotychczas radziła. Trzeba ją operować – im szybciej, tym lepiej.

Od razu zobaczyłam, że mój tłumacz nie jest zbyt szczęśliwy. Zacisnął usta i patrzył na lekarza. Po jego minie i dzięki tym szczątkom angielskiego, które rozumiałam, doszło do mnie, że wieści nie są dobre.

Somalijczyk chrząknął i odezwał się do mnie:

– No cóż, jeśli rzeczywiście tego chcesz, to oni mogą cię pokroić. – Wpatrywałam się w niego z napięciem. Po chwili dodał: – Ale wiesz, że to jest przeciwne naszym obyczajom? Czy twoja rodzina wie, że chcesz to zrobić?

– Szczerze mówiąc, to nie.

– Z kim mieszkasz?

– Z ciotką i wujem.

– Oni też nie wiedzą?

– Nie.

– No to najpierw będę musiał porozmawiać z nimi.

Przytaknęłam, myśląc sobie: „Typowa odpowiedź afrykańskiego faceta. Dzięki za pomoc, bracie. Na tym się to chyba skończy".

Doktor Macrae wyjaśnił, że nie może wykonać operacji od razu i muszę się z nim umówić na później. Zdałam sobie sprawę, że nie uda mi się tego zaaranżować tak, żeby nie dowiedziała się ciocia.

– Dobrze. Zadzwonię do pana – odpowiedziałam.

Musiałam jednak z tym poczekać jeszcze cały rok. Zadzwoniłam do niego natychmiast po wyjeździe cioci i wujka do Somalii. Doktor Macrae miał najbliższy wolny termin dopiero za dwa miesiące. Czas upływał, a ja przypomniałam sobie ze szczegółami horror związany z obrzezaniem. Wyobrażałam sobie, że operacja doktora Macrae będzie wyglądała podobnie, i w końcu doszłam do wniosku, że nie dam rady przejść przez ten koszmar jeszcze raz. Termin wizyty minął, a ja nigdzie nie poszłam.

Mieszkałam w Y i pracowałam w McDonald's. Problemy z miesiączkami trwały, ale teraz nie mogłam sobie pozwolić na to, żeby każdego miesiąca znikać z pracy na tydzień lub dwa. Starałam się jakoś to przetrwać, jednak przyjaciele z Y widzieli, że jestem w kiepskiej formie. Wreszcie Marilyn zapytała, co się ze mną dzieje. Wyjaśniłam, że gdy byłam dziewczynką, zostałam obrzezana. Marilyn wychowała się w Londynie i nie miała pojęcia, o czym mówię.

– O co ci chodzi, Waris? Może byś mi to pokazała? Pocięli cię? Tutaj? Co ci zrobili?

Ściągnęłam majtki i pokazałam. Nigdy nie zapomnę wyrazu jej twarzy. Łzy płynęły jej strumieniami po policzkach, w końcu odwróciła głowę. Byłam zrozpaczona. Pomyślałam sobie: „Czyżby to wyglądało aż tak źle?"

– Waris, czy ty w ogóle coś tam czujesz? – wykrztusiła.

– O co ci chodzi?

Potrząsnęła głową.

– Czy pamiętasz, jak wyglądałaś, zanim ci to zrobili?

– Tak.

– No więc u mnie tak to właśnie wygląda. Zupełnie inaczej niż u ciebie.

Teraz miałam pewność. Nie musiałam się już dłużej zastanawiać, czy wszystkie kobiety zostały okaleczone podobnie jak ja; wiedziałam, że różnię się od większości z nich.

– Więc to nie spotkało ani ciebie, ani twojej matki? – zapytałam.

Potrząsnęła głową i znowu się rozpłakała.

– To potworne, Waris. Nie mogę uwierzyć, że można to komuś zrobić.

– Och, daj już spokój, bo mi się robi smutno.

– Ja też jestem smutna. Smutna i wściekła. Płaczę, bo nie mieści mi się w głowie, że są na świecie ludzie zdolni zrobić coś takiego małej dziewczynce.

Siedziałyśmy w milczeniu. Nie mogłam spokojnie patrzeć na szlochającą Marilyn. Zdecydowałam, że już tego wystarczy.

– Dobra, zrobię sobie tę operację. Jutro dzwonię do lekarza. Przynajmniej będę miała przyjemność z chodzenia do ubikacji.

– Pójdę z tobą, Waris. Będę przy tobie. Obiecuję.

Marilyn zadzwoniła do doktora Macrae, ale trzeba było czekać jeszcze przez miesiąc. Cały czas ją pytałam:

– Na pewno ze mną pójdziesz?

– Nie martw się. Będę z tobą.

W dzień operacji wstałam wczesnym rankiem i poszłyśmy razem do szpitala. Pielęgniarka zaprowadziła mnie do jakiegoś pomieszczenia. Aaa, tu cię mam! – zobaczyłam stół operacyjny. Na ten widok o mało nie uciekłam z powrotem do wyjścia. Wyglądał lepiej niż kamień w krzakach, ale nie spodziewałam się, że procedura będzie przez to mniej przykra. Doktor Macrae podał mi do żyły środek usypiający. Czując jego działanie, pomyślałam, jak bardzo bym chciała go dostać, zanim zaszlachtowała mnie Morderczyni. Zasypiając, cały czas czułam uścisk dłoni Marilyn na mojej dłoni.

Obudziłam się w dwuosobowym pokoju, w którym oprócz mnie leżała kobieta po porodzie. Zarówno ona, jak i wszyscy, których spotkałam na lunchu w stołówce, pytali mnie:

– Po co się tu położyłaś?

A co ja miałam im odpowiedzieć: Och, miałam taką malutką operację pochwy, bo moja cipcia była za ciasna? Nie przeszło by mi to przez gardło. Wyjaśniłam im, że zoperowali mi guz w brzuchu. Jednak mimo że rana goiła się dużo lepiej niż po obrzezaniu, powróciły moje najgorsze wspomnienia. Przy każdym sikaniu pojawiało się znane mi już wrażenie, że ktoś mnie polewa wrzątkiem, a potem sypie sól. Brrr! Jednak nie było aż tak źle, bo dostawałam leki przeciwbólowe. Na szczęście wkrótce te przykre sensacje ustąpiły.

Doktor Macrae świetnie się sprawił i do końca życia będę mu za to wdzięczna. Powiedział mi po operacji:

– Nie ty jedna tu z tym byłaś. Bez przerwy przychodzą do tego szpitala kobiety z tym samym problemem: z Sudanu, Egiptu, z Somalii. Niektóre są w ciąży i strasznie się boją, bo poród po obrzezaniu jest bardzo niebezpieczny. Dziecko, wychodząc przez tak mały otwór, może się udusić, a matka może wykrwawić się na śmierć. Przychodzą w tajemnicy przed mężami i rodzinami, a ja im pomagam, najlepiej jak potrafię.

W ciągu paru tygodni wszystko wróciło do normy. No, możc nie całkiem, ale przynajmniej zbliżyłam się do świata nieobrzezanych. Stałam się inną kobietą. Mogłam wreszcie usiąść na sedesie i zrobić porządne – pśśś! Nie da się opowiedzieć, jakie to wspaniałe uczucie.

13

Paszportowe rozterki

Po powrocie z planu filmowego Bonda pojechałam prosto do domu Marilyn. W ciągu całego pobytu w Maroku tchórzliwie omijałam telefony, obiecując sobie, że ukoję lęki Marilyn osobiście, gdy wrócę. Stałam przed wejściem z torbą pełną prezentów, aż w końcu odważyłam się nacisnąć dzwonek. Marilyn otworzyła drzwi i uśmiechnęła się od ucha do ucha.

– Udało ci się! Ty wariatko, udało ci się!

Moje opanowanie i determinacja zrobiły na niej takie wrażenie, że wybaczyła mi kradzież trefnego paszportu. Pamiętając tortury kontroli granicznej na Heathrow, zgodziłam się, że nie ma sensu narażać się ponownie. Cieszyło mnie, że Marilyn już się nie gniewa, bo przyjaciółka była z niej świetna.

Już niebawem musiałam ją znowu poprosić o pomoc. Kiedy wróciłam do Londynu, zdawało mi się, że moja kariera modelki dopiero teraz zacznie się kręcić na dobre. Przecież tak świetnie mi poszło z Terence'em Donovanem i w filmie z Jamesem Bondem. Ale zainteresowanie moją osobą znikło równie tajemniczo, jak się pojawiło. Bez pracy w McDonald's nie stać mnie było na wynajmowanie mieszkania w YMCA. Chcąc nie chcąc, przeprowadziłam się do Marilyn i jej matki. Takie rozwiązanie miało tę przyjemną stronę, że stałam się członkiem prawdziwej rodziny.

Mieszkałam z nimi przez siedem miesięcy, ale chociaż się nie skarżyły, czułam, że nadużywam ich gościnności. Dostałam tu i tam parę drobnych zleceń na zdjęcia, lecz nadal miałam za mało pieniędzy, żeby się z tego utrzymać, więc przeniosłam się do Chińczyka imieniem Frankie, przyjaciela mojej fryzjerki. Dom Frankiego był bardzo duży – przynajmniej w moim mniemaniu, bo były tam dwie sypialnie. Pozwolił mi zostać u siebie, a ja próbowałam popychać do przodu swoją karierę.

W 1987 roku, krótko po przeprowadzce do Frankiego, na ekrany wszedł mój Bond – *W obliczu śmierci*. Parę tygodni później zostałam zaproszona na Wigilię do pewnego kolegi. Wszyscy w Londynie świętowali, ja też złapałam odpowiedni nastrój, więc wróciłam do domu bardzo późno. Zasnęłam, kiedy tylko moja głowa dotknęła poduszki. Obudziło mnie pukanie w okno sypialni. Za oknem stał przyjaciel, którego dopiero co pożegnałam, i pokazywał mi jakąś gazetę. Nie słyszałam, co mówi, więc otworzyłam okno.

– Waris! Jesteś na okładce „Sunday Timesa".

– Ooo... – Przetarłam oczy. – Poważnie? Jestem tam?

– Tak! Zobacz! – Podniósł gazetę do góry.

I rzeczywiście: całą pierwszą stronę wypełniała moja twarz w ujęciu trzy czwarte. Przede wszystkim rzucała się w oczy blond fryzura i zacięta mina.

– To miłe... ale wracam do łóżka... spać. – I padłam w posłanie.

Doskonale zdawałam sobie sprawę ze znaczenia takiego rozgłosu. Obecność na pierwszej stronie „Sunday Times'a" musiała wywołać jakieś efekty. Zaczęłam się gorączkowo krzątać. Biegałam po całym Londynie na castingi, zostawiałam, gdzie tylko się dało, swoje fotosy, dzwoniłam po wszystkich agencjach, ale nie działo się nic.

W mojej nowej agencji powiedzieli mi:

– No cóż, Waris. W Londynie nie ma zapotrzebowania na czarne modelki. Powinnaś poszukać sobie pracy za granicą – w Paryżu, Mediolanie albo Nowym Jorku.

Pewnie, że chętnie bym wyjechała, ale nie został jeszcze rozwiązany mój stary problem: paszport. W agencji słyszeli o adwokacie, który pomaga imigrantom – nazywał się Harold Wheeler. Może bym pogadała z nim?

W biurze tego Wheelera okazało się, że chce całą górę pieniędzy – dwa tysiące funtów. Pomyślałam, że z paszportem w ręce mogę zarobić tyle, że cała suma zwróci mi się raz-dwa. Wyskrobałam resztki własnych pieniędzy i zapożyczyłam się, gdzie tylko się dało. Bałam się jednak powierzać tak trudno zdobyte pieniądze człowiekowi, który przecież mógł być oszustem, więc przed następnym spotkaniem zostawiłam gotówkę w domu Frankiego i zadzwoniłam po Marilyn.

Poszłyśmy razem do biura Wheelera, podałam swoje nazwisko przez domofon i bzzz! – sekretarka zwolniła elektryczny zatrzask przy drzwiach. Marilyn została w poczekalni, a ja weszłam do gabinetu Wheelera.

Zaczęłam prosto z mostu:

– Powiedz mi prawdę, czy ten mój paszport za dwa tysiące funtów będzie na tyle dobry, żebym mogła jeździć spokojnie po całym świecie? Nie mam zamiaru być deportowana na jakieś sakramenckie zadupie. Skąd ty w ogóle go weźmiesz?

– O, nie, nie! Nie będę ci się zwierzał, jakie mam dojścia. Zostaw to mnie. Chcesz paszportu, kochaniutka, będziesz go z pewnością miała. Masz moje słowo, że będzie absolutnie legalny. Zajmie mi to około dwóch tygodni. Sekretarka zadzwoni do ciebie, jak będzie gotowy.

„Świetnie – pomyślałam. Już za dwa tygodnie będę mogła się wyrwać, gdzie tylko zechcę!"

– No dobrze – odpowiedziałam. – Od czego zaczynamy?

Wheeler wyjaśnił, że wyjdę za mąż za Irlandczyka, którego ma akurat pod ręką. Większa część z dwóch tysięcy funtów to wynagrodzenie dla mojego małżonka za wyświadczoną grzeczność. Wheeler weźmie z tego dla siebie tylko jakieś tam drobne. Napisał na kartce, gdzie i kiedy odbędzie się ślub, kazał mi też wziąć ze sobą sto pięćdziesiąt funtów na ekstra wydatki.

– Spotkasz się z panem O'Sullivanem – oznajmił adwokat z nienagannym brytyjskim akcentem. Pisał coś dalej i mówił: – Tak nazywa się dżentelmen, którego poślubisz. A przy okazji – moje gratulacje. – Ukłonił się i przesłał mi nad biurkiem nikły uśmiech.

Po wyjściu z gabinetu Wheelera zapytałam Marilyn, czy jej zdaniem mogę facetowi zaufać.

– No wiesz, ma miłe biuro w ładnym budynku, sąsiedztwo też przyzwoite. Ma sekretarkę na stałe. Na budynku jest tabliczka z jego nazwiskiem. Jak dla mnie, to wystarczy.

Moja ufna przyjaciółka miała być świadkiem na ślubie. Czekając przed wejściem do urzędu stanu cywilnego, zobaczyłyśmy, że po chodniku zygzakuje w naszą stronę obdarty staruch z przekrwioną twarzą i brudnosiwą czupryną. Śmiałyśmy się z niego, dopóki nie skręcił na schody do urzędu. Spojrzałyśmy na siebie wstrząśnięte. W końcu odważyłam się zapytać:

– Czy pan O'Sullivan?
– We własnej osobie. Tak się właśnie nazywam. – Zniżył głos: – A ty jesteś ta...? – Skinęłam głową. – Masz pieniądze, dzierlatko? Przyniosłaś forsę?
– Tak.
– Sto pięćdziesiąt funciaków?
– Tak.
– Dobra dziewczyna. No to spieszmy się! Lecimy! Szkoda czasu.

Od pana młodego zionęło whisky – był po prostu pijany jak bela. Wchodząc za nim do środka, zapytałam Marilyn szeptem:
– Czy on pożyje wystarczająco długo, żebym zdążyła dostać swój paszport?

Urzędniczka zaczęła przygotowania do ceremonii, a ja nie mogłam się wcale skupić. Cały czas zerkałam na pana O'Sullivana, jak chwieje się na wszystkie strony. Gdy wreszcie urzęd-

niczka spytała: „Czy bierzesz sobie, Waris, tego mężczyznę...",
padł na podłogę z głuchym łomotem. Z początku pomyślałam,
że umarł, ale już po chwili usłyszałam charczący oddech. Klęk-
nęłam przy nim i zaczęłam go szarpać, wrzeszcząc:
– Pobudka, panie O'Sullivan!!!
Nie zareagował.
Spojrzałam na Marilyn i krzyknęłam:
– Świetnie. Ale wesele! – Marilyn skręcała się ze śmiechu,
oparta o ścianę, trzymając się za brzuch. – Takie już moje
szczęście. Drogi małżonek zemdlał mi przy ołtarzu.
Urzędniczka pochyliła się, oparła dłonie o kolana i sponad
okularów-połówek spojrzała z troską na mojego narzeczonego.
– Czy on dojdzie do siebie?
Już miałam wrzasnąć: – A skąd mam to, cholera, wiedzieć?
– ale powstrzymałam się, bo taka odzywka oznaczała koniec gry.
– Obudź się! No, obudź się!!! – Zaczęłam go tłuc po policzkach. – Niech mi ktoś przyniesie wody. Niech ktoś mi pomoże!
Dusiłam się przy tym ze śmiechu. Urzędniczka przyniosła
szklankę wody – wylałam ją starcowi na twarz.
– Hrmmm... – zaczął się krztusić i chrapać, wreszcie zamrugał
i otworzył oczy. Po dłuższej szarpaninie udało się nam wspólnie
postawić go na nogi.
– O Boże, zróbmy to wreszcie! – mamrotałam pod nosem,
bojąc się, że O'Sullivan zaraz znowu padnie.
Do samego końca ceremonii trzymałam ramię ukochanego
w żelaznym uścisku. Kiedy znaleźliśmy się na zewnątrz urzędu,
pan O'Sullivan poprosił mnie o sto pięćdziesiąt funtów, a ja jego
o adres – ot, tak, na wszelki wypadek. Ruszył ze śpiewem na
ustach, zataczając się po całej szerokości chodnika, a z nim
odpłynęły moje ostatnie funty.
Tydzień później zadzwonił osobiście Harold Wheeler i oznajmił, że paszport czeka na mnie w jego biurze. Pobiegłam tam
natychmiast, przepełniona radością. Wheeler wręczył mi dokument z moim zdjęciem, wystawiony na nazwisko Waris O'Sullivan. Co prawda nie bardzo znałam się na paszportach, ale ten

wydał mi się trochę dziwny. Nawet nie trochę – bardzo dziwny. Wyglądał jakby go ktoś zrobił ręcznie na kolanie. Zapytałam:
– I to jest to? To znaczy: czy on jest legalny? Mogę z nim podróżować?
– Ależ oczywiście – Wheeler skinął z godnością. – Irlandzki, jak widzisz. Tak wygląda irlandzki paszport.
– Hmmm... – Obejrzałam go ze wszystkich stron, przekartkowałam powoli. – No dobra. Jeżeli jest taki przydatny, nie mam co się czepiać tego, jak wygląda.

Nie musiałam długo czekać, żeby poddać go próbie. Agencja załatwiła mi zdjęcia próbne w Paryżu i Mediolanie, więc zostawiłam im paszport, żeby załatwili wizy. Parę dni później dostałam list polecony. Kiedy spojrzałam na adres zwrotny, aż mnie zemdliło – było to oficjalne pismo z urzędu imigracyjnego. Żądali, żebym się stawiła natychmiast. Rozważałam wiele możliwości, jak mam na to zareagować – w tym kilka zupełnie głupich – ale w końcu doszłam do wniosku, że nie da rady, muszę tam iść. Dobrze wiedziałam, że mają prawo deportować mnie, kiedy tylko zechcą, albo nawet wsadzić do więzienia. Żegnaj, Paryżu! Żegnaj, Londynie! Żegnaj, Mediolanie! Żegnaj, pozowanie! Witajcie, wielbłądy!
Następnego dnia pojechałam metrem do urzędu imigracyjnego. Błąkałam się po korytarzach ogromnego rządowego gmaszyska z uczuciem, że zstępuję do grobu. Kiedy weszłam do właściwego pokoju, stanęłam twarzą w twarz z najbardziej poważnymi ludźmi, jakich w życiu widziałam.
– Siadaj – rozkazał kamiennolicy urzędnik i zarzucił mnie tysiącem pytań: – jak się nazywasz? jak nazywałaś się przed małżeństwem? od kogo dostałaś swój paszport? gdzie go dostałaś? ile za niego zapłaciłaś?
Notowali i nagrywali każde moje słowo. Wiedziałam, że jedna drobna pomyłka – i na przegubach biednej Waris zatrzasną się kajdanki. Wiedziona instynktem, starałam się powiedzieć jak

najmniej. Ciągle jąkałam się i robiłam przerwy, pokazując im z wrodzonym talentem, jak bardzo męczę się z barierą językową.

Urzędnik zatrzymał mój irlandzki paszport i powiedział, że nie oddadzą mi go, dopóki nie przyprowadzę męża na rozmowę. Nie da się ukryć, że wiadomość ta nie sprawiła mi przyjemności. W końcu udało mi się stamtąd wyrwać nie mówiąc ani słowa o Haroldzie Wheelerze. Postanowiłam, że spróbuję wydostać od złodzieja pieniądze, zanim wpadnie w ręce urzędu imigracyjnego.

Z urzędu poszłam prosto do szpanerskiego biura mojego adwokata. Powiedziałam sekretarce przez domofon, że Waris Dirie chce się widzieć z panem Wheelerem w pilnej sprawie. W odpowiedzi usłyszałam, że pan Wheeler jest nieobecny i nie wiadomo, kiedy wróci. Dzień po dniu gadałam z domofonem i dzień po dniu słyszałam to samo. Lojalna sekretarka broniła mi dostępu do tego szczura. Przez długie godziny obserwowałam wejście do biura w nadziei, że przechwycę Wheelera na ulicy, ale nie pojawił się ani razu.

W tym samym czasie próbowałam ściągnąć pana O'Sullivana do urzędu imigracyjnego. Mieszkał w Croydon, na południowym przedmieściu Londynu, pełnym imigrantów, w tym wielu z Somalii. Pojechałam najpierw pociągiem, potem taksówką, bo nie docierała tam komunikacja publiczna. Szłam po ulicy, oglądając się bez przerwy za siebie, bo nastrój tej dzielnicy aż mnie przyprawiał o dreszcze. Znalazłam właściwy dom – a raczej rozpadającą się budę – i zapukałam do drzwi. Cisza. Obeszłam dom naokoło, podskakując, żeby zajrzeć przez okno, ale nic nie mogłam zobaczyć. Zaczęłam się zastanawiać, gdzie on się może podziewać o tej porze. Ach, tak – w pubie. Zawróciłam w stronę najbliższej knajpy. Weszłam do środka. Siedział przy barze.

– Pamiętasz mnie? – zapytałam.

O'Sullivan obejrzał się przez ramię, po czym dalej gapił się na rzędy butelek z gorzałą. Sytuacja była niełatwa: nie tylko miałam dla niego złe wieści, ale jeszcze trzeba go było namówić, żeby poszedł ze mną do urzędu imigracyjnego, a wicdziałam, że nie będzie miał na to chęci.

– Sprawa wygląda tak, panie O'Sullivan: imigracyjni zatrzymali mój paszport. Oddadzą mi go, jeśli odpowie im pan na kilka pytań. Wie pan, chcą mieć pewność, że rzeczywiście jesteśmy małżeństwem. Nie mogę dopaść tego przeklętego adwokata. Ulotnił się gdzieś i zostałam z tym wszystkim sama.

Dalej patrzył przed siebie. Siorbnął trochę whisky i potrząsnął przecząco głową.

– Posłuchaj, dostałeś przecież dwa tysiące funtów za to, że pomożesz mi uzyskać paszport!

Wzmianka o pieniądzach poruszyła go wyraźnie. Odwrócił się w moją stronę z otwartymi ze zdziwienia ustami.

– Dałaś mi sto pięćdziesiąt, kochaniutka. W życiu nie miałem naraz dwóch tysięcy funtów. Gdyby było inaczej, nie pętałbym się w takich miejscach jak Croydon.

– Ale ja dałam Haroldowi Wheelerowi dwa tysiące dla ciebie, żebyś się ze mną ożenił!

– Fajnie, ale on mi ich nie dał. Jeżeli byłaś na tyle głupia, żeby mu podarować dwa tysiące funciaków, to twój problem, a nie mój.

Dalej błagałam go, żeby mi pomógł, ale nie zwracał już na mnie uwagi. Obiecałam, że zawiozę go pod sam urząd imigracyjny taksówką, ale nawet nie drgnął na barowym stołku.

Gorączkowo usiłowałam wymyślić, co by go mogło przekonać. W końcu zaproponowałam:

– Dobrze, dam ci jeszcze więcej pieniędzy, a po rozmowie w imigracji pójdziemy do pubu i będziesz mógł się napić na mój rachunek do oporu. – To już było coś, bo odwrócił się i podniósł pytająco brwi. – Whisky, mnóstwo whisky, tyle drinków, ile się zmieści na barze! Kiwnął głową na zgodę i wrócił do obserwacji butelek.

Następnego dnia wróciłam do Croydon i zapukałam do drzwi O'Sullivana. Znowu nikt nie odpowiadał. Poszłam przez pustą ulicę do znajomego pubu i otworzyłam drzwi – nie było nikogo poza barmanem w białym fartuchu. Czytał gazetę, popijając kawę z kubka.

– Nie było tu pana O'Sullivana? – spytałam.

Potrząsnął głową.

– Za wcześnie na niego, kochaniutka.

Pobiegłam z powrotem do dziadowskiej budy i zaczęłam walić do drzwi. Żadnej odpowiedzi. Usiadłam na schodkach śmierdzących sikami, zatkałam nos i zaczęłam się zastanawiać, co dalej. Nagle zobaczyłam przed sobą dwóch młodych osiłków.

– Czego tu? – warknął jeden z nich. – Co robisz na schodach mojego starego?

– O, cześć! – Uśmiechnęłam się wdzięcznie. – Nie wiem, czy już o tym wiesz, ale wyszłam za mąż za twojego ojca.

Obydwaj wpatrywali się we mnie złowrogo, aż większy z nich wydarł się:

– Cooo? Co ty trujesz?

– Wiesz, mam straszne kłopoty i potrzebuję pomocy twojego ojca. Musi tylko pójść do biura w śródmieściu i odpowiedzieć na parę pytań. Zatrzymali mi paszport, a ja go strasznie potrzebuję, więc proszę...

– Spadaj, lala!

– Ejże, dałam twojemu staremu wszystkie swoje pieniądze – wskazałam na drzwi za sobą – i nie ruszę się stąd bez niego.

Jednak synek miał na to inny pogląd – wyszarpnął spod kurtki pałkę i zaczął nią wymachiwać, jakby miał zamiar roztrzaskać mi czaszkę. Jego brat szczerzył radośnie szczerbate uzębienie.

– Taaak? Jak ci spuścimy manto, to przestaniesz się tu plątać i wciskać ten kit...

Więcej nie musiał mówić – sama widziałam, że nie żartuje. Mogli mnie tu zakatować na progu i nikt by się o tym nie dowiedział. Zerwałam się na równe nogi i pognałam przed siebie. Gonili mnie jeszcze przez parę przecznic, aż w końcu dali mi spokój – wystarczyło im pewnie, że się przestraszyłam.

Jednak po powrocie do domu stwierdziłam, że nie mam wyboru – muszę wrócić do Croydon, żeby spotkać się ze swoim mężem. Frankie nie tylko trzymał mnie za darmo pod dachem, ale jeszcze musiałam korzystać z zawartości jego lodówki, bo nie został mi nawet jeden pens. Zapożyczyłam się u wszystkich przyjaciół, żeby zebrać łup dla oszusta. Pracować nie mogłam, bo nie miałam paszportu. Co miałam do stracenia? Zęby, których i tak nie stracę, jeśli uda mi się przechytrzyć tych łobuzów. To akurat nie wydawało mi się trudne.

Wróciłam więc do Croydon następnego dnia po południu. Tym razem kręciłam się w pobliżu domu O'Sullivana, trzymając się z dala od jego drzwi. Znalazłam mały skwerek i przysiadłam na ławce. W ciągu paru minut zobaczyłam, że żwawym krokiem zbliża się pan O'Sullivan. Z nie znanych mi powodów był w tak doskonałym nastroju, że nawet ucieszył się na mój widok. Od razu zgodził się wsiąść do taksówki i popędziliśmy do Londynu. Po drodze upewniał się:

– Zapłacisz mi, nie? – Skinęłam głową. – A potem damy sobie w szyję?

– Jak załatwimy sprawę, zapłacę za wszystko, co zechcesz wypić. Ale najpierw porozmawiasz z imigracyjnymi i musisz to zrobić przytomnie. Wiesz, że to skończone bydlaki. Dopiero potem pójdziemy do pubu.

Urzędnik imigracyjny na widok pana O'Sullivana zrobił kwaśną minę i zapytał:

– To jest twój mąż?

– Tak.

– No dobrze, panie O'Sullivan, skończmy tę zabawę. O co tu chodzi?

Westchnęłam ciężko, bo zdałam sobie sprawę, że nie ma sensu ciągnąć dalej tej gry. Wywnętrzyłam się przed urzędnikami aż po samo dno – opowiedziałam o pracy modelki, o Haroldzie Wheelerze i moim tak zwanym małżeństwie. Najbardziej zaciekawił ich Wheeler – dostarczyłam im wszystkich informacji, z adresem włącznie.

– W sprawie twojego paszportu odezwiemy się za parę dni, po zakończeniu dochodzenia.

I było po wszystkim. Pozwolili nam pójść precz.

Na ulicy O'Sullivan zaczął ryczeć, że chce do pubu.

– Dobra! Chcesz pieniędzy? To masz... – Sięgnęłam do torebki, wyciągnęłam ostatnią dwudziestkę i wcisnęłam mu do ręki.

– A teraz zejdź mi z oczu. Nie mogę na ciebie patrzeć.

– To wszystko? – Wyciągnął banknot w moją stronę. – Nic więcej nie dostanę?!

Zawróciłam na pięcie i poszłam wzdłuż ulicy.

– Zdzira!!! – darł się za mną. – Ty dziwko!!!

Wszyscy ludzie na ulicy patrzyli na nas. I zapewne niejeden się zdziwił, co to za dziwka, co płaci klientowi.

Po kilku dniach wezwali mnie znowu do urzędu imigracyjnego. Usłyszałam, że poszukują Harolda Wheelera, ale bez specjalnego powodzenia. Sekretarka powiedziała, że wyjechał do Indii, nie podając terminu powrotu. Na razie dali mi paszport tymczasowy – był ważny tylko przez dwa miesiące, ale mogłam z nim jeździć po całym świecie. Nareszcie w otaczającym mnie bałaganie zaczęło się coś układać. Obiecałam sobie, że wykorzystam te dwa miesiące, najlepiej jak tylko mi się uda.

Postanowiłam pojechać najpierw do Włoch, ponieważ miałam pewne pojęcie o ich języku. Co prawda większość znanych mi włoskich słów to były przekleństwa zasłyszane od mamy, ale i to mogło się przydać. Zaczęłam od Mediolanu i pokochałam go. Pracowałam tam na pokazach mody, prezentując różne rzeczy na wybiegu. W Mediolanie zaprzyjaźniłam się z Julie. Też była modelką, miała blond włosy do ramion i wspaniałe ciało – pracowała głównie przy bieliźnie. Świetnie nam się razem zwiedzało Mediolan, więc kiedy skończył się sezon pokazów, postanowiłyśmy spróbować wspólnie szczęścia w Paryżu.

To były cudowne dwa miesiące. Poznawałam nowe miejsca,

nowych ludzi, próbowałam nie znanych mi wcześniej potraw. I chociaż nie zarobiłam dużych pieniędzy, to starczyło mi ich na zjeżdżenie całej Europy. Kiedy i w Paryżu skończyły się możliwości pracy, wróciłyśmy z Julie do Londynu.

Po powrocie spotkałam się z agentem z Nowego Jorku, który szukał nowych twarzy. Namawiał mnie na wyjazd do Stanów, obiecując, że znajdzie mi tam mnóstwo pracy. Strasznie się do tego zapaliłam, bo każdy z branży wiedział, że w Nowym Jorku płacą modelkom najwięcej, a już zwłaszcza czarnoskórym. Agencja załatwiała kontrakty, a ja wystąpiłam o wizę do Stanów.

W ambasadzie amerykańskiej, jak tylko zobaczyli moje papiery, od razu dali znać władzom brytyjskim. Efektem tej korespondencji był list informujący mnie, że w ciągu trzydziestu dni zostanę deportowana do Somalii. Zalałam się łzami i zadzwoniłam do Julie, która mieszkała z bratem w Cheltenham.

– Mam kłopoty. – Szlochałam w słuchawkę. – I to duże. Już po mnie, dziewczyno! Muszę wracać do Somalii.

– Och, nie!... A może byś tak przyjechała na kilka dni do mnie i odpoczęła? To tylko parę godzin pociągiem od Londynu i jest tu pięknie. Dobrze ci zrobi mała wycieczka na wieś i może coś wspólnie wymyślimy.

Julie przyjechała po mnie na stację. Droga do jej domu prowadziła wśród aksamitnozielonych pól. Siedziałyśmy w salonie, kiedy wszedł jej brat, Nigel. Był wysoki, bardzo blady i miał długie, cienkie włosy; jego przednie zęby i opuszki palców pociemniały od papierosów, które miał zwyczaj odpalać jeden od drugiego. Przyniósł na tacy kawę i dołączył do nas. Opowiedziałam im o mojej paszportowej biedzie i jej smutnym końcu. Nigel słuchał wyciągnięty w fotelu. Nagle przerwał mi:

– Nie martw się. Pomogę ci.

Wstrząsnęła mną taka deklaracja z ust faceta, którego znałam dopiero od pół godziny. Zapytałam go:

– Jak masz zamiar to zrobić? Jak ty mi możesz pomóc?

– Ożenię się z tobą.

Potrząsnęłam głową.

– O nie! Już przez coś takiego przeszłam i mają mnie za to deportować. Nie mam zamiaru robić tego jeszcze raz. Już mi wystarczy, nie poradzę sobie. Chcę wrócić do Afryki – mam tam rodzinę, wszystko znam i rozumiem. Będę szczęśliwa. A o tym zwariowanym kraju dalej nie wiem nic. Wszytko tutaj jest pokręcone i świrowate. Wracam do domu.

Nigel zerwał się z fotela i pognał po schodach na piętro. Wrócił trzymając w ręku „Sunday Timesa" z moim zdjęciem na pierwszej stronie – wydanie sprzed ponad roku, a więc z czasu, kiedy jeszcze w ogóle nie znałam Julie.

– Po co ci to? – zapytałam.

– Zachowałem to zdjęcie, bo wiedziałem, że kiedyś cię spotkam. – Pokazał coś palcem na zdjęciu. – Zobaczyłem łzy w twoich oczach. Płaczesz, więc potrzebujesz pomocy. Allach do mnie przemówił i kazał mi cię uratować.

Och, ty! Patrzyłam na niego szeroko rozwartymi oczami, myśląc sobie: „A co to za szajbus? To on potrzebuje pomocy". Jednak w ciągu weekendu przekonali mnie, że skoro może mi pomóc, to dlaczego miałabym nie skorzystać. Jaką przyszłość miałam w Somalii? Co tam na mnie czekało? Kozy i wielbłądy? Zadałam Nigelowi dręczące mnie cały czas pytanie:

– A co ty będziesz z tego miał, chłopie? Po co chcesz się ze mną żenić i pakować w to wszystko?

– Powiedziałem już: nic od ciebie nie chcę. Allach mnie tobie zesłał.

Wyjaśniłam mu, że aby się ze mną ożenić, nie wystarczy tylko wyskoczyć do urzędu stanu cywilnego. Byłam przecież nadal zamężna.

– To się z nim rozwiedziesz i powiemy tym rządowym głąbom, że chcemy się pobrać, więc nie ma mowy o deportacji – kombinował Nigel. – Mam brytyjskie obywatelstwo, więc nie będą mogli odmówić. Słuchaj, strasznie mi ciebie żal i jestem tu po to, żeby ci pomóc. Zrobię, co tylko będzie trzeba.

– No cóż, dziękuję bardzo...

Julie dodała:

– Waris, jeżeli on chce i może ci pomóc, skorzystaj z tej szansy. Masz jakiś lepszy pomysł?

Kładli mi tak w głowę przez kilka dni. W końcu pomyślałam, że przecież Julie to moja serdeczna przyjaciółka, a Nigel to jej brat. Wiem, gdzie mieszkają, i mogę im zaufać. Miała rację – trzeba skorzystać z okazji.

Nie chciałam znowu spotkać się sama z chłopcami O'Sullivana, więc wymyśliliśmy, że na pertraktacje rozwodowe pójdę z Nigelem. Założyłam, że starszy pan – jak to ze wszystkim u niego bywało – będzie chciał jakichś pieniędzy, zanim na cokolwiek się zgodzi. Już na samą myśl o tym robiło mi się niedobrze. Jednak moi przyjaciele tak mnie ponaglali, że zaczęłam patrzeć na nasz plan z większym optymizmem.

– Idziemy – powiedział Nigel. – Wskakujemy do mojego samochodu i jedziemy prosto do Croydon.

Zatrzymaliśmy się w pobliżu domu O'Sullivana. Pokazałam Nigelowi, gdzie to jest, i ostrzegłam go:

– Ci faceci, jego synowie, mają świra. Boję się wyjść z samochodu.

Nigel roześmiał się.

– Mówię poważnie – gonili mnie i próbowali pobić. To wariaci. Musimy być bardzo ostrożni.

– Daj spokój, Waris. Po prostu powiemy temu gościowi, że się z nim rozwodzisz, i już. To nic trudnego.

Podjechaliśmy bliżej i Nigel zaparkował przed samym domem O'Sullivana. Kiedy pukał do drzwi, cały czas rozglądałam się lękliwie na wszystkie strony. Nikt się w domu nie odzywał, ale to akurat mnie nie zdziwiło. Wpadłam na pomysł, żeby zajrzeć do pubu na rogu ulicy. Nigel powstrzymał mnie:

– Zajrzyjmy przez okno, czy rzeczywiście nikogo tam nie ma.

Był ode mnie dużo wyższy, więc poszło mu to bez problemów. Chodził tak od jednego okna do drugiego, aż w końcu popatrzył na mnie z niepewną miną.

– Czuję, że coś tu nie gra – powiedział.

Dopiero teraz, chłopcze? – pomyślałam. – Ja to czuję za każdym razem, kiedy mam z nim do czynienia.

– Co ci „nie gra"?

– Nie wiem... tylko mam takie wrażenie... ale gdybym dostał się przez to okno... – I mówiąc to, zaczął popychać okno ręką.

Z sąsiedniego domu wyszła jakaś kobieta w fartuchu i wrzasnęła:

– Jeśli szukacie O'Sullivana, to nikt go nie widział od paru tygodni!

Kiedy tak stała i patrzyła na nas z założonymi na piersiach rękoma, naciskane przez Nigela okno uchyliło się trochę, a ze środka buchnął potworny smród. Natychmiast odskoczyłam do tyłu, zasłaniając nos i usta obydwiema rękami. Nigel zajrzał do środka przez szczelinę w oknie.

– Nie żyje – stwierdził. – Widzę, jak leży na podłodze.

Powiedzieliśmy sąsiadce, żeby wezwała karetkę, wskoczyliśmy do samochodu i podaliśmy tyły. Wstyd mi się przyznać, ale poczułam wielką ulgę.

Wkrótce po znalezieniu na kuchennej podłodze ciała pana O'Sullivana pobraliśmy się z Nigelem. Brytyjskie władze wstrzymały moją deportację, ale nikt nie ukrywał przede mną, że uważają nasze małżeństwo za szwindel. I oczywiście nim było. Doszliśmy do wniosku, że najlepiej dla mnie będzie, jeśli do czasu uzyskania własnego paszportu zamieszkam z Nigelem w Cotswold Hills koło Cheltenham, na zachód od Londynu.

Po siedmiu latach spędzonych w mieście – najpierw w Mogadiszu, potem w Londynie – zupełnie zapomniałam, jak wielką radość sprawia mi kontakt z przyrodą. I chociaż pełen pól i jezior, zielony wiejski pejzaż Cheltenham różnił się bardzo od somalijskiej pustyni, wolałam przebywać na świeżym powietrzu zamiast na zatłoczonych ulicach i w fotograficznych atelier pozbawionych okien. W Cheltenham wróciłam do drobnych przyjemności umilających życie koczownikowi: biegania, spacerów, zbierania kwiatków i sikania w krzakach.

Zajmowaliśmy z Nigelem osobne pokoje, prowadząc życie typowe raczej dla kolegów z akademika niż męża i żony. Nasza umowa przewidywała, że on żeni się ze mną wyłącznie po to, żebym dostała paszport. Chociaż twierdziłam, że kiedy się dorobię, to wesprę go finansowo, Nigel utrzymywał, że niczego ode mnie nie oczekuje. Miała mu wystarczyć sama radość ze spełnienia rozkazu Allacha, aby pomógł ludzkiej istocie będącej w potrzebie.

Pewnego poranka wstałam wcześniej niż zwykle, około szóstej, ponieważ miałam jechać do Londynu na casting. Zeszłam po schodach do kuchni i zaczęłam właśnie robić kawę, kiedy usłyszałam dzwonek.

Otworzyłam drzwi – w progu stali dwaj mężczyźni o szarej cerze, w szarych garniturach; w rękach dzierżyli czarne teczki.

– Czy pani Richards? – zapytał jeden z nich.

– Tak.

– Czy pani mąż jest w domu?

– Tak, śpi na górze.

– Proszę nas wpuścić. Przyszliśmy w sprawie urzędowej. – Zupełnie jakby ktoś wyglądający jak oni mógł przychodzić z innego powodu.

– Ależ proszę wejść! Może kawy albo czegoś innego? Siadajcie, panowie. Zaraz go zawołam.

Usiedli w wielkich fotelach klubowych Nigela, ale tak, żeby przypadkiem nie dotknąć plecami oparcia.

– Kochanie! – zawołałam słodkim głosem. – Zejdź, proszę, na dół! Mamy gości.

Nigel schodził na wpół śpiący, z potarganymi włosami.

– Witam. – Od razu poznał po ich wyglądzie, z kim ma do czynienia. – Czym mogę panom służyć?

– No cóż... chcemy zadać panu kilka pytań. Po pierwsze, chcemy się upewnić, czy mieszkacie państwo razem. Czy mieszkacie razem?

Sądząc z pełnego obrzydzenia wyrazu twarzy Nigela, zapowiadało się ciekawie, więc oparłam się o ścianę i czekałam, co będzie dalej. Warknął:

– A jak się wam wydaje?

Agenci rozejrzeli się nerwowo po pokoju.

– Hmmm... Wydaje się nam, że tak, proszę pana, ale musimy się trochę rozejrzeć po domu.

Twarz Nigela pociemniała złowrogo – zbliżała się burza.

– Posłuchajcie: nie będziecie mi łazić po domu. Nie obchodzi mnie, kim jesteście. To jest moja żona i żyjemy tu razem – sami to widzicie. Przyszliście bez zapowiedzi... nie zdążyliśmy się nawet ubrać... więc wynoście się z mojego domu!

– Nie ma powodu, żeby się złościć, panie Richards. Przepisy zobowiązują nas do...

– Przyprawiacie mnie o mdłości!!!

Uciekajcie, chłopaki, póki można – pomyślałam. Ale oni siedzieli przyklejeni do foteli, z niepewnymi minami na chorobliwie bladych twarzach.

– Wynocha z mojego domu!!! Jeśli któryś się tu jeszcze pojawi albo zadzwoni, to go zastrzelę! I... i umrę dla niej... – zakończył szeptem i wskazał mnie ręką.

Kręciłam głową, mówiąc sobie w duchu: Ten gość oszalał. Zakochał się we mnie, a z tego będę miała same kłopoty. Co ja tu, u diabła, robię? Powinnam była wrócić do Afryki... Lepiej było dać sobie z tym spokój.

Po paru miesiącach wspólnego mieszkania zaczęłam go namawiać:

– Nigel, dlaczego nie umyjesz się, nie założysz jakichś szykownych ciuchów i nie znajdziesz sobie panienki? Chcesz? Pomogę ci.

A on odpowiadał:

– Panienki? Nie chcę panienek. Na litość boską, przecież mam żonę – po co mi panienka?

Słysząc to, dostawałam szału.

– Wsadź ten swój pokręcony łeb do kibla, psycholu, i spuść wodę! Nie kocham cię! Zawarliśmy układ – miałeś mi tylko pomóc! Nie mogę być kimś, kim chcesz, żebym była. Nie mogę udawać, że cię kocham, tylko po to, żeby cię uszczęśliwić!

Ale chociaż zawarty przez nas układ był jasny, Nigel zrozumiał go po swojemu. Kiedy wrzeszczał na agentów czerwony z wściekłości, niczego nie udawał. W jego mniemaniu każde słowo, które wykrzyczał, było prawdziwe. Sprawa była tym bardziej skomplikowana, że byłam od niego zależna, lubiłam go jako przyjaciela i byłam mu wdzięczna za pomoc. Ale nic mnie do niego nie ciągnęło w romansowym sensie i naprawdę miałam mordercze myśli, kiedy zaczynał mnie traktować jak ukochaną żonę i swoją własność. Szybko zdałam sobie sprawę, że muszę od niego uciekać, zanim sama nie dostanę kota.

Ale sprawa paszportu przeciągała się. Wynikające z mojej zależności poczucie władzy prowadziło Nigela do coraz dzikszych żądań. Dostał na moim punkcie obsesji – ciągle pytał, gdzie byłam, co i z kim robiłam. Bez przerwy błagał, żebym z nim poszła do łóżka, a im częściej o to prosił, tym bardziej mnie od niego odrzucało. W trosce o równowagę umysłu łapałam wszelkie możliwe prace w Londynie i przesiadywałam u przyjaciółek – wszystko po to, żeby trzymać się od niego jak najdalej.

Jednak traciłam tę równowagę, mieszkając ciągle z człowiekiem najwyraźniej niezrównoważonym. Miałam już tak dosyć zwlekania z paszportem – tym moim biletem do wolności – że kiedyś, gdy czekałam na peronie na pociąg do Londynu, zachciało mi się rzucić pod rozpędzone wagony. Już prawie słyszałam łomot kół po szynach, czułam potężny podmuch powietrza rozwiewający mi włosy i tony stali miażdżące moje kości. Pokusa, żeby skończyć naraz ze wszystkimi kłopotami, była bardzo silna, ale w końcu zadałam sobie pytanie: „Po co tracić życie z powodu jakiegoś nieudacznika?".

Muszę jednak przyznać, że po ponad roku oczekiwania Nigel poszedł do urzędu imigracyjnego i odegrał scenę, która skłoniła ich do wydania mi wreszcie paszportu. Krzyczał:

– Moja żona jest sławną modelką! Potrzebuje jakiegoś dokumentu, żeby móc jeździć po świecie i rozwijać swoją karierę!

– Łup! Rzucił im na biurko album z moimi fotosami. – Jestem, u diabła, obywatelem brytyjskim, a wy tak traktujecie moją żonę! Wstyd mi za was, za mój kraj! Żądam, żebyście dali jej paszport od razu!

Krótko po jego wizycie władze skonfiskowały mój paszport somalijski i dostałam tymczasowy dokument podróży, który pozwalał mi wyjeżdżać z Wielkiej Brytanii, ale musiałam go za każdym razem odnawiać. W środku był wbity stempel: „Przeznaczony do podróży po całym świecie z wyjątkiem Somalii". To był najbardziej przygnębiający tekst, jaki mogłam sobie wyobrazić. W Somalii toczyła się wojna, więc władze nie mogły pozwolić mi na podróż w tak niebezpieczne miejsce, bo jako osoba z prawem stałego pobytu w Wielkiej Brytanii, byłam pod ich opieką. Przeczytałam jeszcze raz słowa: „Przeznaczony do podróży po całym świecie z wyjątkiem Somalii", i wyszeptałam:

– O mój Boże! Co ja zrobiłam? Nawet nie mogę pojechać do własnego kraju.

Teraz byłam rzeczywiście cudzoziemką.

Gdyby ktokolwiek uprzedził mnie, że tak się stanie, powiedziałabym – rezygnuję, oddajcie mi paszport somalijski. Ale nikt mnie o nic nie zapytał. Teraz było już za późno. Cofnąć się nie mogłam, więc pozostał mi tylko jeden kierunek – naprzód. Złożyłam wniosek o wizę amerykańską i zarezerwowałam lot do Nowego Jorku. Dla jednej osoby.

14

Pierwsza liga

Nigel bardzo nalegał, żebyśmy do Nowego Jorku pojechali razem. Nigdy w życiu tam nie był, ale wiedział o tym mieście wszystko:

– To zupełnie zwariowane miejsce, Waris. Nie masz pojęcia, na co się rzucasz – zginiesz tam beze mnie. To zbyt niebezpieczne, żebyś tam mieszkała sama – będę cię bronił.

Fajnie, ale kto mnie obroni przed nim? Jednym z jego ukochanych chwytów było powtarzanie w kółko tych samych argumentów, tyle że ich logika była zupełnie pokręcona. Gadał jak zwariowana papuga, nie zwracając w ogóle uwagi, co się do niego mówi, nic sobie nie dawał wytłumaczyć. Jednak tym razem nie ustąpiłam. Czekająca mnie podróż nie tylko miała służyć karierze zawodowej, zależała od niej cała moja przyszłość. Mogłam nareszcie zacząć wszystko od początku, z dala od Anglii, Nigela i naszych chorych układów. Pojechałam więc do USA sama. Był rok 1991.

Zatrzymałam się w mieszkaniu pracownika nowojorskiej agencji modelek. Odstąpił mi je na trochę, a sam zamieszkał z kolegą. Była to kawalerka w Greenwich Village, w samym sercu Manhattanu. Umeblowanie ograniczało się w zasadzie do wielkiego łóżka, ale mnie taka skromność wyposażenia nawet się spodobała.

W agencji czekało już na mnie mnóstwo zleceń, więc pracy miałam od razu jak nigdy dotąd. Tak samo też zaczęłam zarabiać. Przez cały pierwszy tydzień po przylocie byłam bez przerwy zajęta, jednak po czterech latach czekania nie miałam zamiaru się na to skarżyć.

Wszystko szło mi świetnie aż do pewnego popołudnia. Podczas przerwy w kolejnej sesji zdjęciowej zadzwoniłam do agencji, żeby się dowiedzieć o spotkania na jutro. Usłyszałam głos właściciela mojego mieszkania:

– Przyjechał twój mąż. Macie się spotkać wieczorem u ciebie.

– Mój mąż? Powiedziałeś mu, gdzie mieszkam?

– Hmmm... Powiedział, że tak się spieszyłaś, że zapomniałaś mu o tym powiedzieć. Był taki troskliwy – mówił, że chce się upewnić, czy wszystko u ciebie w porządku, bo pierwszy raz znalazłaś się w Nowym Jorku.

Walnęłam słuchawką w aparat, ciężko dysząc. Nie mogłam wprost uwierzyć, że to zrobił. Nie było jednak powodu, żeby mieć do niego pretensje – biedny chłopak nie miał przecież pojęcia, jaki to z Nigela mąż. Czy miałam mu powiedzieć: „Wiesz, pobraliśmy się i tak dalej, ale to zupełny świr. Wyszłam za niego dla paszportu, bo byłam w Anglii nielegalnie i chcieli mnie deportować do Somalii. Chwytasz? No dobra, a teraz podaj mi adresy i godziny na jutro..."? Najbardziej przykre było to, że faktycznie poślubiłam świra.

Wróciłam do domu z opracowanym planem działania. Tak jak się spodziewałam, wieczorem zapukał do moich drzwi Nigel. Wpuściłam go, ale zanim zdążył zdjąć marynarkę, powiedziałam śmiertelnie poważnym tonem:

– Idziemy. Zabieram cię na kolację.

Kiedy już znaleźliśmy się pośród innych ludzi, wycedziłam lodowato:

– Posłuchaj, Nigel. Mam cię dość. Mdli mnie na twój widok. Kiedy jesteś w pobliżu, nie mogę pracować, nie mogę myśleć. Staję się spięta i sfrustrowana. Chcę, żebyś się wyniósł z mojego życia.

Mówienie tych strasznych rzeczy nie było dla mnie przyjemne. Wiedziałam, że go ranię, ale doprowadził mnie do ostateczności. Zdawało mi się, że jeśli będę wystarczająco okrutna, to uda mi się go wreszcie pozbyć.

Wyglądał tak bezradnie i smutno, że aż mi się go zrobiło żal. Odezwał się w końcu:

– Masz rację. Nie powinienem był przyjeżdżać. Złapię jutro pierwszy poranny samolot do Londynu.

– Dobrze! Jedź! Kiedy wrócę po zdjęciach, ma po tobie nie być nawet śladu w moim mieszkaniu. Ja tu pracuję, a nie odpoczywam. Nie mam czasu na twoje wariactwa.

Ale następnego wieczora nadal go miałam na karku. Kiedy wróciłam, siedział w ciemnym mieszkaniu i patrzył przez okno, niemy, samotny i żałosny – we własnej osobie. Zaczęłam na niego wrzeszczeć. Obiecał, że wyjedzie następnego dnia. Następnego dnia było to samo. I następnego, i następnego... Kiedy w końcu wyjechał do Londynu, odetchnęłam pełną piersią: „Dzięki Ci, Boże. Nareszcie trochę spokoju".

Mój pobyt w Nowym Jorku przedłużał się, bo zlecenia pojawiały się jedno za drugim. Jednak Nigel nie dał mi spokoju na długo. Spisał sobie cichcem numery moich kart kredytowych i jeszcze dwa razy nawiedził mnie bez zapowiedzi – na mój koszt.

Nie licząc beznadziejnej szarpaniny z Nigelem, wszystko układało się doskonale. Poznawałam wciąż nowych wspaniałych ludzi, a moja kariera po prostu kwitła. Pracowałam dla Benettona i Levisa, odziana w białą afrykańską suknię wystąpiłam w cyklu reklamówek jubilera Pomelatto. Reklamowałam kosmetyki firmy Revlon, potem ich nowe perfumy o nazwie Ajee. Wszystkie te firmy posłużyły się moją odmiennością – egzotycznym afrykańskim wyglądem, który tak utrudniał mi pracę w Londynie. Na rozdanie Oscarów Revlon nakręcił specjalną reklamówkę, gdzie wystąpiłam razem z Cindy Crawford, Claudią Schiffer i Lauren Hutton. Miałyśmy tam między innymi odpowiedzieć na pytanie: co świadczy o kobiecej rewolucji? Moja odpowiedź była podsumowaniem krętych ścieżek mojego losu: „Koczowniczka z Somalii stała się modelką firmy Revlon".

Zostałam pierwszą czarnoskórą modelką na plakatach Oil of Olaz. Wystąpiłam w wideoklipach Roberta Palmera i Meat Loafa. Kariera toczyła się jak śnieżna kula i wkrótce moje zdjęcia znalazły się w wielkich magazynach mody: „Elle", „Allure", „Glamour", włoskim wydaniu „Vogue" i francuskim wydaniu „Vogue". Jednocześnie pozowałam największym fotografom w branży, w tym legendarnemu Richardowi Avedonowi. Pokochałam go od razu, bo mimo że był sławniejszy niż jego najsławniejsze modelki, pozostał skromny i bezpośredni. Chociaż pracował w tym fachu od dziesiątków lat, ciągle prosił mnie o opinie na temat zdjęć: „Waris, co o tym myślisz?". Darzę go równie wielkim szacunkiem, co mojego pierwszego fotografa, Terence'a Donovana.

Przez lata pracy utworzyłam sobie listę ulubionych fotografów. Z pozoru ich praca to zwykłe pstrykanie przez cały dzień, ale z biegiem czasu zaczęłam dostrzegać ogromne różnice jakościowe między zdjęciami, przynajmniej z punktu widzenia osoby fotografowanej. Prawdziwie wielki fotograf potrafi wydobyć i uwypuklić istotę indywidualności modelki, a nie tworzy tylko wymyślone przez siebie obrazy. Zrozumiałam to, gdy z upływem lat sama zaczęłam doceniać w sobie przede wszystkim to, co różni mnie od innych modelek. Wyróżniała mnie choćby czarna skóra – rzecz wyjątkowa w świecie pełnym mających metr osiemdziesiąt blondynek o porcelanowo białej cerze. Pracowałam również dla fotografów, którzy posługując się światłem, makijażem i ułożeniem włosów robili ze mnie kogoś, kim nigdy nie byłam i nie będę. Nie sprawiało mi to frajdy i nie podobały mi się ich zdjęcia. Jeżeli chcesz zobaczyć na zdjęciu Cindy Crawford, to fotografuj Cindy – zamiast wkładać na głowę czarnej dziewczyny blond perukę i oświetlać ją jak stadion piłkarski, tylko po to, żeby uzyskać jakąś dziwaczną, crawfordopodobną namiastkę. Najbardziej lubiłam pracować dla fotografów ceniących naturalne piękno kobiety, którzy starali się to piękno wydobyć. Bez wątpienia w moim przypadku musieli się przy tym nieźle natrudzić. Szanuję ich bardzo za ten wysiłek.

Moja popularność rosła, sieć kontaktów rozwijała się, a kalendarz pęczniał od terminów castingów, pokazów i sesji zdjęciowych. Z moim podejściem do zegarów ogromnie trudno było mi nad tym zapanować. Okazało się, że tradycyjna orientacja w czasie nie za bardzo się sprawdza, bo pośród drapaczy chmur na Manhattanie trudno jest oszacować długość własnego cienia. Miałam mnóstwo kłopotów z powodu spóźnień na spotkania. Odkryłam też, że mam dysleksję: w adresach przekazywanych mi przez agencję wciąż przestawiałam numery. Na przykład miałam być na Broadway numer 725, a szłam na Broadway numer 527 i dziwiłam się, gdzie się wszyscy podziali. W Londynie też mi się to zdarzało, ale w Nowym Jorku miałam dużo więcej pracy, stąd i kłopoty były z tym większe.

W miarę przypływu doświadczenia i wiary we własne siły coraz bardziej lubiłam pracę na wybiegu. Dwa razy do roku projektanci mody organizują wielkie pokazy nowych kolekcji. Zaczyna się to w Mediolanie, potem przychodzi Paryż, Londyn i na końcu Nowy Jork. Dzieciństwo spędzone w rodzinie nomadów dobrze mnie przygotowało do tego sposobu życia: do podróży z namiastką bagażu, ciągłych przeprowadzek, brania od życia tego, co przynosi, i korzystania z tego w całej pełni.

Przed rozpoczęciem sezonu pokazów wszystkie dziewczyny i kobiety pracujące w branży i marzące o karierze modelki podążają do Mediolanu. Całe miasto wypełnia się wtedy tłumem wyjątkowo szczupłych postaci biegających to tu, to tam, jak zmutowane mrówki. Modelki – widać je wszędzie: na każdej ulicy, na każdym przystanku autobusowym, w każdej kawiarni i restauracji. O, jeszcze jedna! I tam! Tam też idzie! Takiego wyglądu nie można pomylić z niczym innym. Niektóre zachowują się przyjaźnie – „Cześć!". – Inne tylko cię obrzucą spojrzeniem z góry na dół i zamruczą coś pod nosem. Jedne dobrze się znają i trzymają razem, inne pozostają na uboczu – przeważnie są pierwszy raz w życiu zupełnie same i boją się wszystkiego śmiertelnie. Spotyka się tu wszystkie możliwe ich rodzaje. A jeśli ktoś mówi, że nie ma między nimi zazdrości, to gada kompletne bzdury. Pełno tu tego.

Agencje podają im miejsca i terminy spotkań, a one rozbiegają się po całym Mediolanie na castingi, żeby zdobyć sobie miejsce na pokazie. To wtedy właśnie zdajesz sobie sprawę, że praca modelki to nie tylko sława i chwała. Ciężko to idzie. Może być i tak, że musisz stawić się dziennie na siedem, dziesięć, jedenaście spotkań. I to jest bardzo, bardzo ciężka praca: trzeba biegać po całym mieście, nie ma czasu na jedzenie, bo przeważnie tkwisz na jakimś castingu, a już jesteś spóźniona na dwa następne. Kiedy skończyłaś z jednym, na następnym trafiasz na kolejkę trzydziestu dziewczyn i dobrze wiesz, że wszystkie wejdą przed tobą. Kiedy przychodzi wreszcie twoja kolej, pokazujesz swój album ze zdjęciami. Jeżeli się spodobasz, proszą cię, żebyś się przeszła. Jeżeli bardzo się spodobasz, proszą, byś coś przymierzyła. I już po wszystkim – ,,Dziękuję bardzo. Następna!''.

Nie wiesz, czy dostałaś tę pracę, czy nie, ale nie masz czasu się tym przejmować, bo już czeka kolejne spotkanie. Jeżeli są zainteresowani, zadzwonią do twojej agencji i złożą zamówienie. I lepiej sobie od razu wbić do głowy, że nie ma sensu cierpieć, jeśli nie dostałaś pracy, na której ci zależało, albo odrzucił cię twój ulubiony projektant. Jeżeli zaczniesz myśleć: czy mnie wybrali? czy mnie wybiorą? dlaczego mnie nie wybrali? – to jest to prosta droga do szaleństwa. Jeżeli zaczniesz się przejmować porażkami, rozpadniesz się na kawałki. Musisz zrozumieć, że każdy casting składa się w większości z czyichś rozczarowań. Na początku też się przejmowałam: ,,Dlaczego się nie dostałam? Cholera! Zależało mi na tym!'' – jednak po pewnym czasie nauczyłam się żyć zgodnie z mottem całego tego biznesu: *C'est la vie*. ,,No i co z tego? Po prostu nie wyszło! Nie spodobałaś im się i już. Ale to nie twoja wina. Jeżeli szukali dwumetrowej blondynki ważącej trzydzieści pięć kilogramów, to Waris raczej nie była w stanie ich zainteresować. Ruszaj dalej, dziewczyno!''.

Kiedy klient złoży na ciebie zamówienie, wracasz tam, żeby zrobić przymiarkę ciuchów, które będziesz nosiła na pokazie. A wszystko to odbywa się w dzikim pośpiechu. W końcu zaczynasz opadać z sił, nie dosypiasz i nie dojadasz. Na twarzy pojawia się zmęczenie, chudniesz w oczach. A przecież każdego dnia musisz walczyć o to, żeby wyglądać jak najlepiej, bo od tego zależy twoja kariera. I wtedy pojawiają się wątpliwości: co ja tutaj robię? po co mi to?

Kiedy zaczynają się pokazy mody, czasami masz jeszcze umówione castingi, bo pokazy trwają tylko dwa tygodnie. W dzień pokazu musisz stawić się na jakieś pięć godzin przed jego rozpoczęciem. Dziewczyny się tłoczą wokoło, a tobie ktoś robi makijaż. Potem siadasz na trochę, ale już czeka fryzjer. Znowu siadasz i czekasz na początek pokazu. Kiedy wreszcie założysz pierwszą kreację – a przebierać się trzeba na oczach wszystkich tych obcych ludzi – to już nie wolno ci usiąść, bo materiał się pogniecie. I nagle zaczyna się kompletne szaleństwo, totalny chaos – pokaz się rozpoczął!

– Ej! Gdzie jesteś? Co ty tam robisz? Gdzie jest Waris? Gdzie jest Naomi? Chodźcie tutaj! – ustawcie się w szeregu. Szybko, szybciej! Ty masz numer dziewiąty. Ty będziesz następna.

Wszyscy wszystkich potrącają.

– Już idę! Co ty tu robisz? Z drogi – teraz ja!

I po całej tej harówie nareszcie to, co najlepsze: nadchodzi twoja kolej. Czekasz chwilę w kulisach i – buuum!!! Wchodzisz na wybieg, światła biją po oczach, muzyka grzmi, wszyscy w ciebie wpatrzeni, a ty idziesz rozkołysanym krokiem i myślisz: To właśnie ja. Patrzcie na mnie – wszyscy!!! Twoja fryzura i makijaż wyszły spod ręki najlepszych fachowców na świecie i masz na sobie coś tak drogiego, że nawet nie możesz marzyć, iż kiedyś będzie cię na to stać. Jednak przez parę chwil to wszystko jest twoje i wiesz, że wyglądasz jak milion dolarów. Aż cię od tego przenikają dreszcze. Kiedy opuszczasz wybieg, nie możesz się doczekać, żeby zmienić suknię i wrócić tam jeszcze raz. Mimo ogromu przygotowań cały pokaz trwa tylko dwadzieścia, trzydzieści minut, ale ty możesz być umówiona na trzy, cztery, pięć pokazów jednego dnia, więc musisz od razu zabierać się na następny.

Po dwóch wariackich tygodniach w Mediolanie kolonia projektantów, wizażystek, fryzjerów i modelek rusza jak cygański tabor do Paryża. I tam wszystko od początku. Potem Londyn, a na końcu Nowy Jork. Po zaliczeniu całego cyklu masz chęć powiesić się na samą myśl o pracy. Lepiej wziąć sobie wtedy trochę wolnego. Jakaś mała wyspa na oceanie, bez telefonów, i nic do roboty. Jeśli spróbujesz pracować bez odpoczynku, dostaniesz po prostu kota.

Chociaż zawód modelki to świetna zabawa – przyznaję, że kocham jego blask, rozgłos i piękno – to ma on i swoje ciemne strony, które mogą zniszczyć kobietę, zwłaszcza gdy jest młoda i brak jej pewności siebie. Kiedy przychodzę w sprawie pracy, a stylista lub fotograf wykrzykuje ze zgrozą: ,,Mój Boże! Co się stało z twoimi stopami? Skąd masz te wstrętne czarne znaki?'', to co mam odpowiedzieć? Czy mam tłumaczyć projektantowi z Paryża, że te blizny to pamiątka po tysiącach kamieni i cierni somalijskiej pustyni, po których przez trzynaście lat chodziłam boso?

Zawsze robi mi się niedobrze, gdy dowiaduję się, że mam założyć na casting minispódniczkę. Muszę wtedy tak chodzić i stać, żeby nikt nie zauważył mojego kolejnego feleru – krzywych nóg. Nieraz z tego powodu nie dostawałam zleceń, na których bardzo mi zależało. A ich wygląd to skutek braku właściwego odżywiania w dzieciństwie.

Tak się wstydziłam tej ułomności, że w końcu poszłam do lekarza, żeby mi je wyprostował:

– Niech pan je połamie i zestawi na nowo, żebym już nie musiała więcej czuć się tak poniżana – zażądałam.

Dzięki Bogu, wytłumaczył mi, że w tym wieku kości są już do tego stopnia ukształtowane, że nic mi taki zabieg nie da. Dopiero kiedy zrobiłam się starsza, doszłam do wniosku: ,,No i dobrze – to moje nogi, świadczą o tym, kim jestem i skąd pochodzę''. Kiedy lepiej poznałam swoje ciało, polubiłam kształt moich nóg. Gdybym je połamała tylko dla tych paru minut na wybiegu, bardzo bym tego teraz żałowała. No bo niby po co miałabym to zrobić – żeby ciuchy jakiegoś faceta lepiej przez to wypadły? Jestem dumna ze swoich nóg, bo są nieodłączną częścią mojego życia. Te krzywulce nosiły mnie przez tysiące mil pustyni, a powolny, falujący chód świadczy o tym, że pochodzę z Afryki – to część mojego dziedzictwa.

Kolejnym problemem w pracy modelki jest konieczność współpracy z mało przyjemnymi ludźmi, a takich w przemyśle zwanym modą jest mnóstwo. Być może wynika to konieczności ciągłego podejmowania ważkich finansowo decyzji – niejednemu związany z tym stres odbija się niekorzystnie na charakterze. Szczególnie dobrze pamiętam szefową do spraw artystycznych pewnego czołowego magazynu mody. Upatrzyła mnie sobie za cel tak wrednych ataków, że każda sesja zdjęciowa z jej udziałem była ponura jak pogrzeb. Robiliśmy wtedy zdjęcia na cudownej małej wysepce Archipelagu Karaibskiego; było tam jak w raju. Ale jej to nie ruszało. Wsiadła na mnie od samego początku:

– Waris, weź się w garść! Wstawaj i do roboty! Jesteś taka leniwa. Nie znoszę pracować z ludźmi takimi jak ty.

Zadzwoniła do mojej nowojorskiej agencji i wylała potok pretensji – mówiła, że jestem głupia, że odmawiam współpracy i tak dalej. Mocno się w agencji zdziwili, bo akurat do mnie to im raczej nie pasowało.

Sprawiała tak smutne wrażenie, że aż mi się serce krajało. Bezustannie sfrustrowana, bez mężczyzny, bez przyjaciół, bez kogokolwiek bliskiego. Jej jedyną życiową pasją była praca. Kiedy zaczęła wyżywać się na mnie, miałam pewność, że nie jestem ani jej pierwszą, ani ostatnią ofiarą. Jednak po paru dniach ulotniło się moje współczucie. Popatrzyłam na nią i stwierdziłam, że mam do wyboru tylko dwie możliwości: albo dać jej w twarz, albo uśmiechać się i nie odpowiadać na zaczepki. Wybrałam to drugie.

Najbardziej przykro jest patrzeć, gdy ludzie pokroju wspomnianej pani redaktor mają do czynienia z dziewczynami, które dopiero zaczynają pracę modelki. Często są to prawie dzieci.

Żeby spróbować szczęścia, wyjeżdżają same jak palec ze swojej Oklahomy czy Dakoty Północnej do Nowego Jorku, Francji czy Włoch. Często nie znają ani kraju, do którego jadą, ani używanego w nim języka. Są naiwne i biorą wszystko do siebie – jeśli ktoś ich nie zaakceptuje, nie potrafią sobie z tym poradzić, bo brak im wiedzy i życiowego doświadczenia, które są niezbędne, żeby zrozumieć, że przyczyna odrzucenia modelki nie ma tak naprawdę nic wspólnego z nią samą. Wiele takich dziewczyn wraca potem do domu z płaczem, są załamane i zgorzkniałe.

W całym tym interesie kręci się mnóstwo naciągaczy. Dziewczyny rozpaczliwie marzące o karierze modelki często wpadają w łapy kanalii prowadzących rzekome agencje, żądające fortuny za sporządzenie albumu prezentacyjnego. Dla mnie to praktyka równie odrażająca jak działalność złodziei w rodzaju Harolda Wheelera. Być modelką to nie znaczy wydawać na to pieniądze, ale je na tym zarabiać. Jeżeli chcesz zostać modelką, jedyne pieniądze, jakie masz wydać, to opłata za bilet do miasta, gdzie są agencje. Wystarczy potem wziąć książkę telefoniczną, zadzwonić, gdzie trzeba, i umówić się na kilka wizyt. Jeżeli zaczną coś mówić o opłatach – uciekaj! W dobrej agencji, jeżeli będą uważać, że twój wygląd odpowiada zapotrzebowaniu rynku, sami zrobią ci album, a potem umówią cię z potencjalnymi klientami. I od razu zaczynasz pracować.

W pracy modelki trafiają się nie tylko nieprzyjemni ludzie, ale także nieprzyjemne sytuacje. Przyjęłam kiedyś zlecenie, o którym wiedziałam jedynie, że będzie miało coś wspólnego z bykiem.

Leciałam z ekipą zdjęciową najpierw samolotem, potem helikopterem. Wylądowaliśmy w samym środku kalifornijskiej pustyni. Czekał tam już na nas ogromny czarny byk ze spiczastymi rogami. Poszłam do małej przyczepy, żeby mi zrobili makijaż i fryzurę. Kiedy skończyłam, fotograf podprowadził mnie do zwierzaka i poprosił:

– Przywitaj się z Szatanem.

– Cześć, Szatan. – Spodobał mi się. – Piękny jest. Fantastyczny. Nic mi nie zrobi?

– Ależ oczywiście, że nie. To jego właściciel. – Wskazał na mężczyznę trzymającego kółko w nosie byka. – On wie, co robić. Wyjaśnił mi, że chodzi tu o zdjęcie na nalepkę jakiegoś alkoholu – miałam tam być na grzbiecie byka. Naga. To już był dla mnie prawdziwy szok, bo nikt mnie o tym nie uprzedził. Nie chciałam jednak im wszystkim sprawić zawodu i pomyślałam sobie, że ostatecznie mogę się tego podjąć.

Żal mi było byka, bo w potwornym upale pot aż kapał z jego boków i pyska. Do tego jeszcze przymocowali mu kopyta do podłoża – żałosny widok. Fotograf splótł dłonie, żebym się wspięła na bestię, a kiedy już się tam znalazłam, oddalił się parę kroków i zaczął machać ręką.

– Połóż się! – polecił. – Wyciągnij się cała, tułów i nogi mają być jak najbliżej jego grzbietu!

Starałam się wyglądać jak kobieta piękna, wyluzowana, rozbawiona i seksowna, ale w duchu mówiłam sobie: „Jak mną rzuci, to nie żyję". Nagle poczułam, że potężne mięśnie kurczą się pod włochatą skórą i już po chwili oglądałam pejzaż pustyni Mojave z lotu ptaka. Upadłam na suchą ziemię z głuchym łomotem.

– Wszystko z tobą w porządku?

– Tak, tak! – zgrywałam twardziela. Nie mogłam dopuścić, żeby ktoś nazwał Waris Dirie tchórzem, który boi się jakiegoś tam starego byka. Jedziemy z tym dalej. Pomóżcie mi na niego wejść.

Ekipa podniosła mnie z ziemi, otrzepała z kurzu i zaczęliśmy od nowa. Najwyraźniej bykowi nie podobała się pogoda, bo zrzucił mnie jeszcze dwa razy. Przy trzecim lądowaniu wykręciłam sobie kolano – spuchło i zaczęło okropnie boleć.

– Zrobiłeś już te zdjęcia? – spytałam z poziomu gleby.

– Wiesz, byłoby wspaniale zrobić jeszcze jedną rolkę...

Na szczęście bycze zdjęcia nigdy nie zostały wykorzystane. Dlaczego tak się stało, nie wiem, ale byłam z tego zadowolona.

Robiło mi się nieswojo na myśl, że zgraja facetów sączy wódę i gapi się na mój nagi tyłek. Dałam sobie słowo, że już nigdy nie przyjmę zlecenia na rozbierane zdjęcia, bo tego po prostu nie lubiłam. Zarobione pieniądze nie były warte wstydu i uczucia bezradności, jakie mnie ogarniały, gdy stałam naga przed obcymi ludźmi – cały czas nie mogłam się doczekać, żeby w przerwie okręcić się ręcznikiem.

Poza drobnymi przykrościami w rodzaju byka, kochałam pracę modelki – to najwspanialszy zawód, jaki można sobie wyobrazić. Nigdy nie przywykłam do samego pomysłu, że płaci się komuś tylko za to, jak wygląda; nigdy mi przez myśl nie przeszło, że będę się utrzymywać z czegoś wymagającego ode mnie tak niewielkiego wysiłku. Cały ten biznes wydawał mi się śmieszną zabawą, ale cieszę się, że w to wdepnęłam. Zawsze czułam wdzięczność, że dano mi osiągnąć w tej pracy sukces, bo nie każdej dziewczynie udaje się pokonać początkowe trudności. Przykro jest patrzeć, jak wiele z nich ogromnie się stara i nic z tego nie wychodzi.

Cały czas pamiętam ten wieczór w domu wuja Mohammeda, kiedy ośmieliłam się powiedzieć Iman, że marzę, by zostać modelką. Dziesięć lat później miałam w Nowym Jorku sesję zdjęciową dla firmy Revlon. Do studio weszła wizażystka i powiedziała, że w sali obok Iman fotografuje swoją nową linię kosmetyków. Wybiegłam, żeby się z nią zobaczyć.

– Ooo, widzę, że masz już własną markę. Nie mogłabyś zaangażować Somalijki? – spytałam.

Spojrzała na mnie niepewnie i wymamrotała:

– No cóż, nie stać mnie na ciebie.

Odpowiedziałam jej po somalijsku:

– Zrobię to dla ciebie za darmo.

Co zabawne, nie zorientowała się wcale, że jestem tą samą dziewczynką, służącą, która przynosiła jej herbatę.

Być może dlatego, że to nie ja szukałam tego zawodu, lecz w zasadzie on mnie odnalazł, nigdy nie traktowałam pracy modelki zbyt poważnie. Nie podnieca mnie bycie „supermodelką" czy też „gwiazdą", bo cały czas dziwię się, skąd bierze się tyle szumu wokół modelek. Na moich oczach cała scena mody – te wszystkie magazyny i telewizyjne show – zaczęła kręcić się coraz bardziej szaleńczo wokół supermodelek, a ja wciąż pytam: O co w tym chodzi?

Już przez sam fakt, że jesteśmy modelkami, ludzie są skłonni traktować nas albo jak boginie, albo jak idiotki. Z tym drugim podejściem spotykałam się nieraz – wielu ludzi sądzi, że ktoś, kto zarabia na życie swoją twarzą, koniecznie musi być głupi. Już słyszę te uwagi wymawiane z pełną wyższości miną: Modelka? Fatalnie – bezmózgowie. Jedyne, co musi zrobić, to ładnie wyglądać przed kamerą.

Poznałam mnóstwo modelek i owszem, niektóre nie były za bystre. Ale większość jest inteligentna i wykształcona, mają doskonałe maniery i nie różnią się umiejętnościami od innych światowych ludzi. Potrafią kierować swoją karierą i prowadzić interesy – we wszystkim, co robią, działają na wskroś profesjonalnie. Ludziom takim jak ta jędza pani redaktor do spraw artystycznych ciężko jest znieść fakt, że kobieta może być piękna i mądra. Odczuwają potrzebę stawiania nas w kącie, dołowania – żebyśmy stały się stadem zastraszonych przygłupów.

Kwestie moralne dotyczące przemysłu reklamowego są moim zdaniem wyjątkowo zwikłane. Osobiście wierzę, że najważniejsze na świecie są przyroda, godność osobista, rodzina i przyjaźń. Lecz zarabiam na życie, wciskając wam z szerokim uśmiechem jakiś towar: Kup to, bo wygląda pięknie. Moglibyście nieraz zapytać: Po co to robisz? Przecież pomagasz niszczyć tę planetę. Jednak moim zdaniem prawie każdy w jakimś momencie swojego zawodowego życia mógłby sobie zadać to samo pytanie. Dzięki temu, że wykonuję taką, a nie inną pracę, poznałam wspaniałych ludzi i wspaniałe miejsca, zetknęłam się z przeróżnymi kulturami, i przez to wszystko zapragnęłam pomóc temu światu. I tylko dzięki temu, że zostałam modelką, mam możliwość działania w tym kierunku. Nie miałabym jej nigdy, gdybym pozostała ubogą Somalijką.

Nie zależy mi na byciu gwiazdą, na sławie. W życiu modelki najbardziej liczy się dla mnie poczucie, że jestem obywatelem świata, że mogę podróżować do najwspanialszych miejsc na naszej planecie. Gdy robię zdjęcia na jakiejś pięknej wyspie, to kiedy tylko mam okazję, urywam się samotnie na plażę i po prostu biegnę przed siebie. Wolność na łonie natury, znowu słońce – cudowne uczucie. Potem przemykam się między drzewami i słucham śpiewu ptaków. Oooch! Zamykam oczy, czuję zapach kwiatów, słońce ogrzewa mi twarz i wydaje mi się, że znowu jestem w Afryce. Próbuję sobie przypomnieć wrażenie ogromnego spokoju, jakiego nieraz zaznałam w Somalii, i wyobrażam sobie, że wróciłam do domu.

15

Znowu w Somalii

W 1995 roku, po całej serii zdjęć i pokazów mody, wyrwałam się na odpoczynek na wyspę Trynidad. Był to czas karnawału, wszędzie widziało się poprzebieranych ludzi, tańczyli, bawili się i cieszyli się życiem. Zatrzymałam się w domu znajomych.

Byłam tam już od paru dni, kiedy do drzwi zapukał jakiś człowiek. Otworzyła mu ciocia Monica, „matriarcha" całej rodziny. Było późne popołudnie, słońce stało już nisko, więc widziałam tylko sylwetkę gościa na tle jasnej plamy wejścia. Powiedział coś cioci Monice. Odwróciła się i zawołała:

– Waris, telefon do ciebie!

– Telefon? A gdzie tu jest telefon?

– Idź z tym panem. Zaprowadzi cię.

Mój przewodnik był właścicielem jedynego telefonu w okolicy, mieszkał parę domów dalej. Weszliśmy do środka i wskazał mi słuchawkę leżącą obok aparatu. Podniosłam ją niechętnie.

Halo!

– Halo, Waris! – dzwonili z mojej agencji w Londynie. Przepraszam, że ci zawracam głowę, ale dzwonili do nas z BBC. Chcą się z tobą pilnie skontaktować, mają zamiar zrobić o tobie film dokumentalny.

– A niby co ma być w tym filmie?

– Jak zostałaś modelką, skąd pochodzisz, jak ci się teraz wiedzie i tak dalej.

– To się nie nadaje na film. Czy oni, na litość boską, nie mają ciekawszych tematów?

– No cóż, jak uważasz. Ale powiedz im to sama.

– Posłuchaj, z nikim nie będę rozmawiać.

– Ale oni bardzo tego chcą. I strasznie im się spieszy.

– No dobra. Powiedz im, że się odezwę, jak będę w Londynie, ale najpierw muszę lecieć do Nowego Jorku. Jak tam wszystko załatwię, zadzwonię do nich.

– Dobrze, przekażę im.

Jednak następnego dnia, kiedy byłam na mieście, znowu przyszedł człowiek od telefonu. Ciocia Monica powiedziała mi, że mam zadzwonić do agencji. Zignorowałam to. Kiedy kolejnego dnia znowu wezwał mnie nasz uprzejmy sąsiad, poszłam z nim, bo gdybym dalej się upierała, zamęczyliby biedaka tym bieganiem na posyłki. Oczywiście to znowu była moja londyńska agencja.

– Słucham, o co chodzi?

– Waris, to znowu chodzi o BBC. Zadzwonią do ciebie jutro o tej samej godzinie. Mówią, że to bardzo pilne.

– Posłuchaj, ja tu odpoczywam. Zrozumiano? Chcę mieć wreszcie trochę spokoju, więc odczep się ode mnie i przestań zawracać głowę temu biednemu człowiekowi.

– Chcą ci zadać tylko parę pytań.

Westchnęłam.

– Dobrze. Powiedz im, że mogą jutro zadzwonić.

Zadzwonił reżyser filmu, Gerry Pomeroy. Z miejsca zaczął wypytywać o moje życie. Odprawiłam go krótko:

– Po pierwsze, nie mam zamiaru rozmawiać o tym teraz. Zdaje się, że jestem tu na wakacjach – słyszałeś może o tym?

– Przepraszam, ale musimy szybko podjąć ostateczną decyzję, czy kręcimy, czy nie, i potrzebne mi są do tego pewne szczegóły.

Tak więc stojąc w cudzym korytarzu na Trynidadzie opowiedziałam obcemu facetowi w Londynie swój życiorys.

– Wspaniale, Waris. Odezwiemy się niedługo.

Niedługo znaczyło za dwa dni.

– Robimy to, Waris. To będzie półgodzinny film z cyklu „Dzień, który zmienił moje życie".

Między pierwszym a ostatnim telefonem przemyślałam sobie to i owo, więc odpowiedziałam mu:

– Dobrze, Gerry, ale musisz pójść ze mną na pewien układ. Zgodzę się, jeśli zawieziecie mnie do Somalii, żebym odnalazła matkę.

Bardzo mu się spodobał ten pomysł. Uważał, że to będzie świetne zakończenie mojej historii. Umówiliśmy się na dogranie wszystkich szczegółów w Londynie.

Po tej rozmowie nie byłam już w stanie myśleć o niczym innym. Odkąd wyjechałam z Mogadiszu, była to pierwsza szansa, by pojechać do Somalii. Wyprawa z BBC pozwalała ominąć trudności z paszportem i wojny plemienne, ale nie miałam wcale pewności, że w ogóle odnajdę swoją rodzinę. Nie mogłam przecież zadzwonić na pustynię i powiedzieć mamie, żeby czekała na mnie na lotnisku.

Szybko uporałam się ze sprawami zawodowymi i pojechałam do Londynu. Spędziliśmy mnóstwo czasu z Gerrym i Colmem, jego asystentem. Trzeba było wszystko dobrze zaplanować, no i oczywiście spisać historię mojego życia. Zdjęcia do filmu zaczęliśmy od razu. Wróciłam na stare śmieci, zaczynając od domu wuja Mohammeda – BBC dostała pozwolenie na zdjęcia od ambasady somalijskiej. Kręciliśmy też pod szkołą kościoła Wszystkich Świętych, gdzie zobaczył mnie po raz pierwszy Malcolm Fairchild, który też pokazał się przed kamerą. Zostałam sfilmowana podczas sesji zdjęciowej u Terence'a Donovana. Potem nagrali wywiad z moją bliską przyjaciółką Sarą Doukas, szefową agencji Storma w Londynie.

Szum wokół filmu znacznie się nasilił, kiedy ludzie z BBC

postanowili mi towarzyszyć podczas telewizyjnego programu „Soul Train", przedstawiającego najlepszą czarną muzykę, w którym miałam zapowiadać artystów. Myśl, że nigdy czegoś takiego nie robiłam, wykańczała mnie nerwowo. Do tego jeszcze przed podróżą do Los Angeles potwornie się przeziębiłam i ledwo mogłam mówić. Filmowali mnie przez cały czas: kiedy wycierałam nos, czytałam scenariusz, w samolocie, w samochodzie – od samego Londynu. Chodzili za mną jak cień. Ta chorobliwa, w moim odczuciu, sytuacja jeszcze się pogorszyła po wejściu do studia telewizyjnego, bo jeśli nie chciałabym czegoś dokumentować, to właśnie tego, co tam wyrabiałam. Jestem pewna, że byłam najgorszym zapowiadaczem w historii „Soul Train", jednak prowadzący program Don Cornelius i cała ekipa produkcyjna okazali mi maksimum cierpliwości. Zaczęliśmy o dziesiątej rano, skończyliśmy o dziewiątej wieczorem – to był najdłuższy dzień w moim życiu. Kłopoty z czytaniem dręczyły mnie nie mniej niż podczas filmowego debiutu w Bondzie. Co prawda od tamtego czasu podciągnęłam się nieco w angielskim, ale nadal miałam trudności z czytaniem na głos. Musiałam czytać podpowiedzi przed rażącymi w oczy reflektorami, w obecności dwóch ekip filmowych, tuzinów tancerzy i całej grupy sławnych muzyków – zadanie ponad moje siły.

Reżyser wrzeszczy:

– Ujęcie dwudzieste szóste!

Muzyka zaczyna grać, tancerze ruszają do akcji, a ja potykam się już po paru linijkach tekstu.

– Cięcie!

Tancerze zastygają w pół ruchu, potem powoli opuszczają ręce wzdłuż ciała i patrzą na mnie niechętnie – zupełnie jakby mówili: Co to za głupia cipa! Skądeście ją wytrzasnęli? Chcemy do domu...

– Ujęcie dwudzieste siódme!... Cięcie!... – I tak dalej.

Między innymi miałam zapowiedzieć Donnę Summer, co uważałam za wielki zaszczyt, bo od zawsze była moją ulubioną wykonawczynią.

– Panie i panowie! Proszę o oklaski! Powitajmy wielką damę soulu Donnę Summer!!!

– Cięcie!

– Co znowu?

– Zapomniałaś powiedzieć, jaką wytwórnię reprezentuje. Czytaj wszystko, Waris!

– Cholera!!! Możesz trzymać to gówno wyżej? Wyżej! Nie widzę tego. I nie opuszczaj. Trzymaj to wyżej, bo mnie światło oślepia.

Don Cornelius zaprowadził mnie w kąt studia.

– Odetchnij sobie i powiedz mi, co się dzieje.

Wyjaśniłam, że tekst napisany jest w sposób, do którego nie przywykłam.

– No to jak inaczej chcesz to zrobić? Lecimy dalej. Opanuj się i czytaj wszystko.

Był zdumiewająco cierpliwy i spokojny. Odpoczęłam trochę, opanowałam się i wspólnymi siłami dobrnęliśmy jakoś do końca. Najlepsze, co z tego wyszło, to podarowana mi przez Donnę Summer i osobiście przez nią podpisana płyta z jej największymi przebojami.

Potem przenieśliśmy się do Nowego Jorku. Ekipa BBC towarzyszyła mi podczas sesji zdjęciowej, chodziłam w deszczu po ulicach Manhattanu ubrana w czarną halkę i płaszcz przeciwdeszczowy, z parasolką w ręku. Kolejnego wieczoru operator siadł sobie w kąciku kuchni mojego mieszkania w Harlemie i filmował, jak robię jedzenie dla grupki zaproszonych przyjaciół. Bawiliśmy się tak dobrze, że nikt na niego nie zwracał uwagi.

Wreszcie przyszła pora na to, żeby polecieć do Afryki i po raz pierwszy od chwili ucieczki spotkać się z rodziną. Pracownicy BBC poszukiwali jej bez przerwy podczas naszych zdjęć w Londynie, Los Angeles i Nowym Jorku. Przed wyjazdem przejrzałam z nimi mapy i wskazałam rejony, po których zazwyczaj podróżowaliśmy. Spisałam im wszystkie nazwiska plemienne i klanowe, często bardzo mylące, zwłaszcza dla ludzi Zachodu. Szukali przez trzy miesiące. Bez rezultatu.

Nasz plan przewidywał, że mam spokojnie pracować w Nowym Jorku, dopóki nie znajdzie się moja mama. Mieliśmy wtedy polecieć do Afryki i nakręcić szczęśliwe zakończenie mojej historii. Już parę dni po rozpoczęciu poszukiwań zadzwonił Gerry:

– Znaleźliśmy twoją mamę!

– Cudownie!

– To znaczy, wydaje się nam, że to ona.

– Co to znaczy, że się wam wydaje?

– No cóż, znaleźliśmy tę kobietę i spytaliśmy, czy ma córkę imieniem Waris. Powiedziała, że owszem i że ta córka mieszka w Londynie. Ale plącze się w szczegółach i nasi ludzie w Afryce nie bardzo wiedzą dlaczego. Może to matka jakiejś innej Waris albo co?

Po dalszych pytaniach zdyskwalifikowali ją jako moją matkę, ale to był dopiero początek. Nagle na pustyni zaroiło się od kobiet utrzymujących, że mają córki imieniem Waris mieszkające w Londynie. Sprawa wyglądała cokolwiek dziwnie, bo w życiu nie spotkałam nikogo o moim imieniu.

Wyjaśniłam Garry'emu:

– Zrozum, ci ludzie są rozpaczliwie biedni. Liczą na to, że jeśli ci powiedzą, że są moją rodziną, to przyjedziesz do ich wioski zrobić film i przy tej okazji zarobią trochę pieniędzy albo przynajmniej się przy tobie pożywią. Te kobiety udają moje matki, bo mają nadzieję mieć z tego jakąś korzyść. Nie wiem, skąd im przyszło do głowy, że to się nie wyda, ale próbują.

Niestety, nie miałam zdjęcia mamy, ale Gerry wpadł na inny pomysł:

– Potrzebujemy jakiegoś waszego sekretu, czegoś, co wiesz tylko ty i twoja matka.

– Jest coś takiego, mama przezywała mnie Avdohol, co znaczy: małe usta.

– Będzie to pamiętała?

– Z pewnością.

Od tej chwili ekipa BBC miała swoje tajne hasło: Avdohol. Teraz odpadały już wszystkie kobiety, które przebrnęły przez pierwsze kilka pytań. Jakie miała przezwisko? – i do widzenia. Pewnego dnia znowu zadzwonili z Afryki:

– Chyba ją mamy. Ta kobieta nie pamięta twojego przezwiska, ale mówi, że jej córka Waris pracowała u ambasadora w Londynie.

Wyleciałam z Nowego Jorku już nazajutrz, ale ekipa filmowa potrzebowała jeszcze kilku dni, żeby się przygotować. Mieliśmy polecieć normalnym rejsem do Addis Abeby w Etiopii, a potem do granicy etiopsko-somalijskiej wynajętą awionetką. Ostatnia część podróży była już dość niebezpieczna. Z powodu wojen plemiennych nie mogliśmy wjechać do Somalii, więc moja rodzina musiała przedostać się do nas przez granicę. Miejsce lądowania wypadło w samym środku pustyni – żadnego pasa startowego, tylko skały i krzaki.

Czekałam na odlot w hotelu w Londynie. Pewnego dnia odwiedził mnie Nigel. Starałam się utrzymywać z nim w miarę ciepłe stosunki ze względu na swoją delikatną sytuację paszportową. Spłacałam hipotekę jego domu w Cheltenham, bo nie miał pracy i odmawiał jej podjęcia. Znalazłam mu nawet jakąś robotę u pewnych ludzi, których znałam z Greenpeace, ale zachowywał się tak nienormalnie, że go wywalili po trzech tygodniach i zabronili wracać. Odkąd tylko dowiedział się o filmie, naprzykrzał się, żebym go zabrała do Afryki.

– Chcę z tobą jechać, żeby mieć pewność, że jesteś bezpieczna.

– Nie, nie pojedziesz – odpowiedziałam. – Jak ja mam cię pokazać swojej matce? Za kogo ty się uważasz?

– Przecież jestem twoim mężem!

– Nie, nie jesteś! Zapomnij o tym. W porządku? Zapomnij i już! Nigel nie był osobą, którą bym chciała przedstawiać matce. A już na pewno nie jako męża.

Przyczepił się już podczas pierwszych spotkań w Londynie, kiedy dopiero powstawały plany filmu, i wszędzie włóczył się za mną. Gerry miał go wkrótce dosyć. Zazwyczaj omawialiśmy sprawy filmu podczas kolacji. Pewnego dnia Gerry zadzwonił wcześniej i powiedział:

– Niech on dzisiaj z tobą nie przychodzi, dobrze? Odstaw go od tego, proszę.

Nigel przyszedł do mnie do hotelu i zaczął się znowu napraszać, żebym go zabrała do Afryki. Dobrze wiedział, że mamy lecieć za parę dni, więc kiedy odmówiłam, ukradł mi paszport. Za nic nie mogłam go przekonać, żeby go oddał. Cała roztrzęsiona, powiedziałam o tym pewnego wieczora Gerry'emu. Gerry oparł czoło na dłoniach i zamknął oczy.

– O, Boże! Już mi się to przejadło. Rzygać mi się chce od motania się z tym gnojem. Po prostu mam dosyć.

Gerry i inni faceci z BBC próbowali przemówić Nigelowi do rozumu.

– Zachowuj się jak dorosły, bądź mężczyzną. Już prawie skończyliśmy nasz projekt – nie możesz nam tego zrobić. Musimy tę historię zakończyć w Afryce, co znaczy, że musimy tam zabrać Waris. Więc prosimy cię, na litość boską...

Ale Nigela to nie obchodziło. Wrócił do Cheltenham z moim paszortem.

Pojechałam do Cheltenham sama, żeby ubłagać go osobiście. Sprawa wyglądała beznadziejnie. Uparł się, że ma z nami jechać, i już. Modliłam się o możliwość zobaczenia matki przez piętnaście lat, ale z Nigelem u boku nie miało to żadnego sensu. Z kolei bez paszportu w ogóle nigdzie nie mogłam się ruszyć.

– Nigel, nie możesz tam z nami jechać i grać wszystkim na nerwach. Zrozum, to dla mnie pierwsza szansa od piętnastu lat, żeby zobaczyć matkę!

– Jesteś wobec mnie cholernie nieuczciwa!

Był strasznie rozgoryczony, że mamy jechać do Afryki bez niego. W końcu jednak dał się przekonać obietnicą, że pojedziemy tam we dwoje po zakończeniu filmu. Nie byłam zbyt dumna z tego marnego oszustwa – obiecałam mu coś, czego nigdy nie miał dostać – ale przyzwoitością i rozsądkiem nic bym nie zdziałała.

* * *

Kiedy koła podwozia dotknęły usianej kamieniami czerwonej powierzchni pustyni, myślałam, że samolot zaraz się rozleci. Dwusilnikowa awionetka wylądowała w Etiopii – w Galadi, malutkiej wiosce, gdzie gromadzili się ludzie, którzy uciekli przed wojną domową w Somalii. Szkoda, że nie mogliście zobaczyć długiego na całe mile tumanu pyłu, który zaczął się do nas zbliżać. To cała wioska wybiegła nam na spotkanie – nigdy w życiu nie widzieli lądującego samolotu. Wydostaliśmy się z kabiny i zaczęły się próby porozumienia z witającymi nas ludźmi. Usiłowałam dogadać się po somalijsku, ale bez rezultatu, bo mimo że część witających nas pochodziła z Somalii, to mówili dialektem, którego nie rozumiałam. Dałam sobie spokój już po paru minutach.

Poczułam woń rozpalonego powietrza i piasku. Wróciły wspomnienia utraconego dzieciństwa. Zapomniane dawno szczegóły napłynęły całą falą. Pobiegłam przed siebie. Ekipa zaczęła wrzeszczeć:

– Dokąd się wybierasz, Waris?"

– Róbcie, co chcecie!... Zaraz wracam!

Pędziłam ledwo dotykając ziemi. Czułam, jak piasek przeciska się między palcami moich stóp. Dobiegłam do grupy drzew. Dotknęłam pnia – był suchy i cały pokryty pyłem, ale wiedziałam, że jest pora deszczowa i wszystko niedługo rozkwitnie. Wciągnęłam głęboko powietrze. Przypomniałam sobie wszystkie zapachy dzieciństwa, wszystkie lata spędzone na pustyni, kiedy te drzewa i ten piasek były moim domem. O, Boże! To właśnie jest moje miejsce na Ziemi. Zaczęłam krzyczeć z radości, że znów tu jestem. Usiadłam pod drzewem. Ogarniało mnie szczęście, bo wróciłam do miejsca, którego byłam częścią, i smutek, bo je utraciłam. Patrzyłam wokoło i nie mogłam się nadziwić, że zdołałam tak długo bez tego wszystkiego wytrzymać. Zupełnie jakbym otworzyła drzwi, do których nie śmiałam się zbliżyć aż do dzisiejszego dnia, i odnalazła za nimi zapomnianą część samej siebie. Kiedy wróciłam do wioski, wszyscy tłoczyli się wokół mnie; każdy chciał uścisnąć mi rękę – „Witaj, siostro!".

Wkrótce okazało się, że nic się nie zgadza z naszymi oczekiwaniami. Kobieta twierdząca, że jest moją matką, była kimś zupełnie obcym i nikt nie miał pojęcia, gdzie można znaleźć moją rodzinę. Chłopaki z BBC mocno się zmartwiły, bo budżet filmu był na wyczerpaniu i mowy nie było o tym, żeby tu jeszcze raz przyjeżdżać. Gerry aż się za głowę łapał.

– Nooo nie! Przecież bez tego kawałka nie ma zakończenia, a bez zakończenia cała historia do kitu. Tyle roboty na marne! Co my z tym mamy zrobić?

Buszowaliśmy po wiosce, pytając każdego napotkanego człowieka o cokolwiek, co mogłoby mieć związek z moją rodziną. Wszyscy chcieli pomagać i już wkrótce cała wioska znała cel naszej wyprawy. Pod koniec dnia podszedł do mnie starszy człowiek i zapytał:

– Pamiętasz mnie?

– Nie.

– Nazywam się Ismail, pochodzę z plemienia twojego ojca. Przyjaźnimy się.

Nagle go sobie przypomniałam i zawstydziłam się bardzo, że sprawiłam mu przykrość. Ostatnio jednak widziałam go jako mała dziewczynka.

– Chyba wiem, gdzie znaleźć twoją rodzinę. Myślę, że uda mi się przywieźć ci matkę, ale potrzebuję pieniędzy na benzynę.

Trochę mnie to spłoszyło. Pomyślałam sobie: „Och, nie. Czy mogę temu facetowi zaufać? Czy oni wszyscy nie próbują nas zrobić w konia? Dam mu pieniądze, a on zwieje i nigdy więcej go nie zobaczę.

– Mam ciężarówkę, ale to nie wystarcza... – Wskazał na stojącego w pobliżu pikapa.

Oprócz Afryki i złomowisk w Stanach nigdzie na świecie nie zobaczycie nic podobnego. W przednich szybach były ogromne dziury, co znaczyło, że podczas jazdy wszystkie muchy i piasek bez przeszkód biły podróżnych po twarzy. Od ciągłej jazdy po kamieniach felgi kół były całe pogięte, a opony poszarpane. Karoseria sprawiała wrażenie, jakby ktoś katował ją młotem kowalskim.

Pokręciłam głową.

– Poczekaj chwilę. Muszę naradzić się z kolegami.

Podeszłam do Gerry'ego.

– Ten człowiek mówi, że potrafi odnaleźć moją rodzinę. Ale potrzebuje pieniędzy na benzynę.

– To świetnie, tylko czy możemy mu ufać?

– To chyba jedyna szansa. Nie mamy wyboru.

Gerry zgodził się ze mną i dał Ismailowi trochę gotówki. Ten wskoczył od razu do swojego pikapa i odjechał w tumanach pyłu. Widziałam, jak Gerry patrzy za nim ze smutną miną, zupełnie jakby mówił: odjechały kolejne stracone pieniądze.

Klepnęłam go w plecy i pocieszyłam:

– Nie przejmuj się. Moja matka przyjedzie za trzy dni.

Moja przepowiednia nie za bardzo podniosła na duchu naszą drużynę. Do powrotu samolotu mieliśmy jeszcze osiem dni i ani jednego dnia więcej. Nie można było powiedzieć pilotowi: No wiesz, hmmm... nie jesteśmy jeszcze gotowi, wpadnij po nas w przyszłym tygodniu. Mieliśmy też rezerwację z Addis Abeby do Londynu. Trzeba było wracać w wyznaczonym terminie – czy to z mamą, czy bez niej.

Czas oczekiwania spędzałam w gościnie u mieszkańców Galadi. Odwiedzałam ich chaty, gawędziliśmy i dzieliliśmy się naszym jedzeniem. Ja bawiłam się świetnie. Gorzej było z Angolami. Znaleźli sobie pusty budynek z oknami bez szyb i rozłożyli tam swoje śpiwory. Mieli trochę książek i lampy turystyczne, ale prawie nie spali, bo po zmierzchu potwornie cięły komary. Żywili się puszkowaną fasolą. Narzekali, że to podłe żarcie, ale nie wzięli nic innego.

Pewien Somalijczyk zlitował się nad nimi i przyprowadził pięknego koziołka. Cała ekipa BBC zbiegła się, żeby go głaskać. Somalijczyk zabrał zwierzę, ale wkrótce przyniósł z powrotem, tyle że bez skóry i wypatroszone.

– To wasza kolacja – oznajmił z dumą.

Angole patrzyli wstrząśnięci, ale żaden się nie odezwał. Pożyczyłam kociołek, rozpaliłam ognisko i zrobiłam z koziołka potrawkę z ryżem. Kiedy Somalijczyk odszedł, usłyszałam:

– Chyba nie myślisz, że będziemy to jedli.

– A dlaczego by nie?

– Och, daj spokój, Waris.

No to dlaczego nie mówiliście nic przedtem?

Zaczęli się tłumaczyć, że nie chcieli być nieuprzejmi, bo przecież ten człowiek wyświadczył im wielką grzeczność, ale po tym jak pogłaskali koziołka, to już jeść go nie będą. I rzeczywiście, niczego nie tknęli.

Trzydniowy termin odnalezienia mamy kończył się, a Gerry stawał się coraz bardziej ponury. Próbowałam go pocieszyć, że mama na pewno się znajdzie, ale myślał, że sobie z niego żartuję. Odpowiedziałam mu na to:

– Posłuchaj! Obiecuję ci, że będzie tutaj jutro o szóstej wieczorem.

Nie wiem, skąd mi się wzięła ta godzina. Po prostu coś mnie naszło, więc tak powiedziałam.

Gerry i jego koledzy wyśmiali mnie.

– Co? Na pewno? Skąd wiesz? No tak, Waris to potrafi,

wszystko przepowie. Ona po prostu wie! Na przykład wie, kiedy spadnie deszcz – chodziło im o to, że dzień wcześniej powiedziałam im, iż poznaję po zapachu zbliżającą się ulewę, i faktycznie niedługo spadł deszcz.

– No dobrze, padało czy nie padało? – próbowałam się bronić.

– Daj spokój, Waris. Miałaś szczęście i tyle.

– To nie ma nic wspólnego ze szczęściem. Ja po prostu znam to miejsce, jestem jego częścią. Tu można przeżyć tylko dzięki takim przeczuciom, moi przyjaciele! – Zaczęli na siebie spoglądać.

– Dobra. Nie wierzycie mi, ale się przekonacie, jutro o szóstej.

Następnego dnia rozmawiałam właśnie z pewną starszą panią, kiedy przybiegł Gerry – była za dziesięć szósta.

– Nie uwierzysz – wydyszał.

– W co?

– Twoja matka... Zdaje się, że to ona.

Wstałam i uśmiechnęłam się.

– Ale nie jesteśmy pewni. Ten facet wrócił i przywiózł jakąś kobietę. Mówi, że to twoja mama. Chodź, to sama zobaczysz.

Wiadomość szerzyła się po wiosce jak pożar w buszu. Zakończenie naszego małego dramatu było dla nich zapewne największym wydarzeniem od Bóg wie kiedy. Każdy chciał się przekonać, czy to prawdziwa matka Waris, czy kolejna uzurpatorka. Było już prawie ciemno, wokół mnie cisnął się taki tłum, że ledwo mogłam iść. Gerry prowadził mnie wzdłuż jakiejś alejki między domami. Na jej końcu zobaczyłam znaną ciężarówkę z dziurami w szybach, z której wychodziła kobieta. Nie widziałam jej twarzy, ale po sposobie ułożenia zawoju od razu poznałam matkę. Podbiegłam do niej i przytuliłam się.

– Och, mamo!

A ona na to:

– Tłukłam się całe mile w tej okropnej ciężarówce. Boże, cóż to była za jazda! Dwa dni i dwie noce! I tylko po to?

Spojrzałam na Gerry'ego i roześmiałam się.

– To na pewno ona!

Powiedziałam Gerry'emu, żeby zostawili nas na parę dni same, a on chętnie na to przystał. Rozmowa z mamą okazała się bardzo trudna. Odkryłam, że mój somalijski z biegiem czasu stał się po prostu śmieszny. Co gorsza, po piętnastu latach spędzonych osobno stałyśmy się sobie obce. Z początku rozmawiałyśmy tylko o zwykłych, codziennych sprawach. Jednak radość z ponownego spotkania przełamywała barierę obcości – cieszyłam się choćby z tego, że siedzę koło niej. Jechali z Ismailem bez przerwy przez dwie doby i widać było po mamie, jak bardzo ją to wyczerpało. Przez te piętnaście lat postarzała się bardziej, niżby to wynikało z jej wieku – niewątpliwy skutek bezwzględnie twardego życia na pustyni.

Kiedy Ismail przyjechał po mamę, ojca przy niej nie było, poszedł szukać wody. Mama powiedziała, że też się postarzał. Nadal potrafił gonić za chmurami w poszukiwaniu wody, ale rozpaczliwie poszukiwał okularów, bo wzrok miał już bardzo słaby. Kiedy mama wyjeżdżała do mnie, ojca nie było od ośmiu dni, i bała się, że zabłądził. Już sam jej lęk świadczył o tym, jak wiele się zmieniło. Kiedy byłam dzieckiem, ojciec potrafił nas odnaleźć niezależnie od tego, czy czekaliśmy na niego, czy ruszyliśmy w drogę – nawet w bezksiężycową noc.

Mama zabrała ze sobą Alego, mojego małego braciszka, oraz jednego z kuzynów. Ali nie był już mały – mierzył ponad metr dziewięćdziesiąt i wydawał się nie mieć końca. Przytuliłam go, a on zaczął wrzeszczeć:

– Odwal się! Już nie jestem dzieckiem. Jestem żonaty!

– Żonaty? A ile ty masz lat?

– A bo ja wiem? Wystarczająco dużo, żeby się ożenić.

– Nic mnie to nie obchodzi. Dla mnie dalej jesteś moim małym braciszkiem. No, chodź tutaj... Pociągnęłam go i zaczęłam drapać po głowie.

Na ten widok roześmiał się kuzyn. Opiekowałam się nim, kiedy jako mały chłopczyk odwiedzał nas z rodziną. On niedługo też miał się żenić. Odwróciłam się do niego:

– Zaraz stłukę ci tyłek!

– Tak? No to spróbuj! – Dźgał mnie paluchem, skacząc na-około.

– Och, nie! – krzyczałam. – Bo ci zaraz przyłożę! Jeżeli chcesz dożyć wesela, to mnie nie zaczepiaj!

Tej nocy mama spała w chacie jednego z mieszkańcow Galadi, który nas do siebie zaprosił. Ja i Ali jak za dawnych lat ułożyliśmy się na zewnątrz. Znów poczułam spokój i szczęście rodzinnego ogniska. Patrzyliśmy w gwiazdy, rozmawiając do późna w nocy.

– Pamiętasz, jak związaliśmy nową żonę ojca? – Oboje ryk-nęliśmy śmiechem.

Ali z początku trochę się boczył, ale później zwierzył się:

– Wiesz, bardzo za tobą tęskniłem. Aż dziw bierze, że teraz jesteśmy już dorośli.

Cudowne uczucie: być znowu z rodziną, rozmawiać, śmiać się i przekomarzać w ojczystym języku. Wszyscy mieszkańcy wioski przyjęli nas bardzo serdecznie. Każdego dnia kto inny zapraszał nas do swojej chaty na posiłki. Wszyscy chcieli nas poznać i usłyszeć, co się nam przydarzyło. Och, daj spokój, musisz odwiedzić moje dzieciaki i babcię... – mówili i ciągnęli mnie ze sobą. Nic im nie wspominałam o „supermodelce". Dla nich byłam nomadą, który wrócił do domu.

Mimo że tłumaczyłam jej i tak, i siak, moja kochana matka nie mogła zrozumieć, z czego się utrzymuję.

– Jak ty tam mówisz? Modelowanie? Co robisz? Co to znaczy?

Kiedyś dostała od przejezdnego gościa „Sunday Timesa" z moim zdjęciem na tytułowej stronie. Somalijczycy są w ogóle bardzo dumni, ale zobaczyć somalijską kobietę w angielskiej gazecie – to dopiero była przyjemność! Mama spojrzała na zdjęcie i wykrzyknęła:

– To Waris! O, moja córeczka! – Pokazywała gazetę wszyst-kim naokoło.

Już następnego dnia po spotkaniu mama przełamała wszelkie zahamowania i zaczęła mnie ustawiać:

– Nie tak się to gotuje, Waris. Chodź tu, zaraz ci pokażę, jak się to robi. Czy ty w ogóle coś gotujesz tam u siebie?

Potem i brat zaczął mnie wypytywać, co myślę o tym i tamtym. Drażniłam się z nim:

– Zamknij się, Ali. Jesteś głupkiem z buszu i nic o tym nie wiesz. W ogóle nie wiesz, o czym mówisz!

– Tak? Wydaje ci się, że jak jesteś sławna, to możesz we wszystko się wtrącać ze swoimi zachodnimi bzdurami? Że jak mieszkasz na Zachodzie, to już wiesz wszystko?

Kłóciliśmy się tak całymi godzinami. Nie chciałam ranić jego uczuć, ale byłam przekonana, że jeśli ja mu o pewnych rzeczach nie powiem, to nie powie mu tego nikt.

– Dobra, nie wiem wszystkiego, ale zobaczyłam i nauczyłam się dużo więcej, niż gdybym się stąd nie wyrwała. I to nie dotyczy krów i wielbłądów. Muszę ci powiedzieć o czym innym.

– To znaczy o czym?

– Na przykład, że wycinając wszystkie drzewa, niszczysz to, od czego zależy twoje życie. Wycinacie wszystko, zanim dobrze urośnie, bo potrzebne są wam patyki do tych głupich zagród dla zwierząt. – Wskazałam na stojącą obok kozę. – To nie w porządku.

– Co masz na myśli?

– Że ten cały kraj jest pustynią, bo wycięliśmy wszystkie drzewa.

– Tu jest pustynia, bo nie ma deszczu, Waris. Na północy pada deszcz i tam drzewa są.

– Tam deszcz pada właśnie dlatego, że są drzewa. A ty wycinasz każdą gałązkę i dlatego tu nigdy nie będzie żadnego lasu.

Nie wiedzieli, czy mają wierzyć, czy nie w te dziwaczne wymysły, ale był jeden temat, który uważali za bezdyskusyjny. Zaczęła matka:

– Dlaczego nie wyszłaś za mąż?

Dotknęła tym rany otwartej od wielu lat. Od kiedy pojawiła się kwestia małżeństwa, wiązały się z nią same straty. Przez to straciłam dom i rodzinę. Wiedziałam, że ojciec chciał dobrze, ale postawił mnie przed strasznym wyborem: poślubić jakiegoś starca i związać sobie życie albo uciekać z domu, porzucając wszystko, co kocham. Cena, jaką zapłaciłam za wolność, była ogromna, więc miałam nadzieję, że już nikt nigdy nie będzie na mnie wymuszał tak ciężkich decyzji.

– Mamo, czy ja muszę mieć męża? Czy naprawdę muszę? Czy nie wolisz widzieć, że mi się powiodło, że jestem silna i niezależna? Skoro nie jestem mężatką, to widocznie nie spotkałam jeszcze właściwego mężczyzny! Mój czas nadejdzie, kiedy takiego spotkam!

– Dobrze, ale ja chcę doczekać wnuków.

Wsiedli na mnie wszyscy, łącznie z kuzynem, który stwierdził krótko:

– Jest za stara. Kto by się chciał z nią ożenić? Za stara i już.

Aż się zatrząsł ze zgrozy na myśl o ożenku z dwudziestoośmioletnią kobietą.

– A kto by się chciał wydawać na siłę? Dlaczego się ożeniliście, wy dwaj? – Wskazałam na Alego i kuzyna. – Założę się, że ktoś was do tego popchnął.

– O, nie, nie, nie! – tu byli zgodni.

– Może i nie, ale tylko dlatego, że byliście chłopcami. Dziewczynie nikt by nie dał wyboru. Miałabym wyjść za mąż za kogoś, kogo mi wskażesz, wtedy gdy mi na to pozwolisz? A co to za pomysł? Kto by na to poszedł?

– Zamknij się, Waris – jęknął mój brat.

– Sam się zamknij.

Dwa dni szybko minęły i Gerry postanowił, że czas zacząć kręcić film. Na początek miały pójść moje wspólne ujęcia z matką. Nigdy nie stała przed kamerą i bardzo jej się to nie spodobało. Powiedziała do operatora:

– Odsuń to sprzed mojej twarzy. Nie chcę tego. – Zamierzyła się na niego. – Waris, powiedz mu, żeby się odsunął. – Uspokajałam ją, że to nic złego. – Na kogo on patrzy? Na mnie czy na ciebie?

– Na nas obie, mamo.

– Dobra, to mu powiedz, że ja nie chcę patrzeć na niego. Czy on nie słyszy, co do niego mówię?

Chciałam wytłumaczyć jej, o co w tym wszystkim chodzi, ale to było beznadziejne.

– On słyszy wszystko, co mówisz – odpowiedziałam i zaczęłam się śmiać.

Kamerzysta zapytał, co mnie tak śmieszy.

– Przecież to zupełny absurd...

Przez resztę dnia filmowali już tylko mnie. Chodziłam sobie po pustyni, potem zobaczyłam przy studni chłopca z wielbłądem. Poprosiłam, żeby pozwolił mi go napoić. Trzymałam wiadro wysoko, żeby pysk wielbłąda dobrze wypadł przed kamerą. Z trudnością wstrzymywałam łzy.

Dzień przed wyjazdem kobiety pomalowały mi paznokcie henną. Podniosłam rękę do kamery. Palce wyglądały, jakby ktoś je posmarował krowim łajnem, ale czułam się jak królowa, bo taka ozdoba tradycyjnie przysługuje pannie młodej w dniu ślubu. Wieczorem urządziliśmy uroczyste pożegnanie – mieszkańcy Galadi tańczyli, klaskali i śpiewali. Znowu wróciły wspomnienia z dawnych czasów, kiedy świętowaliśmy nadejście deszczu. – Miałam to samo poczucie niepohamowanej radości i swobody.

Rano przed odlotem wstałam wcześnie, żeby zjeść z matką śniadanie. Spytałam ją, czy chce pojechać ze mną i zamieszkać w Anglii albo w Stanach.

– A co ja bym tam robiła? – odparła.

– I o to właśnie chodzi. Nie chcę, żebyś robiła cokolwiek. Chyba się już dość w życiu napracowałaś? Teraz trzeba odpocząć. Chciałabym cię trochę porozpieszczać.

– Nie, nie mogę. Przede wszystkim twój ojciec szybko się starzeje. Potrzebuje mnie i chcę z nim być. Poza tym muszę opiekować się dziećmi.

– Jakimi dziećmi? Przecież wszyscy jesteśmy dorośli!

– Dziećmi twojego ojca. Pamiętasz tę... Jak jej tam było? No, tę dziewczynkę, z którą się ożenił?

– T-a-a-a-k.

– No więc ona urodziła piątkę dzieci. Ale już jej z nami nie ma. Chyba to życie na pustyni było dla niej za ciężkie albo nie mogła wytrzymać z twoim ojcem. W każdym razie uciekła. Znikła i już.

– Mamo, wybacz, ale chyba jesteś już na to za stara! W twoim wieku nie powinnaś się uganiać za dziećmi.

– No cóż, ojciec jest coraz starszy i mnie potrzebuje. A poza tym, nie potrafię tak tylko siedzieć. Jak spocznę, to się zestarzeję do cna. Gdybym po tym wszystkim zaczęła odpoczywać, tobym oszalała. Muszę się ruszać. Jeżeli chcesz coś dla mnie zrobić, to znajdź mi jakieś miejsce w Afryce, w Somalii, gdzie bym mogła zamieszkać, kiedy rzeczywiście przestanę sama sobie radzić. Mój dom jest tutaj. Tu jest wszystko, co znam.

Uścisnęłam ją mocno.

– Kocham cię, mamo i wrócę po ciebie, pamiętaj. Wrócę po ciebie...

Uśmiechnęła się i pomachała mi na pożegnanie.

Kiedy wsiedliśmy do samolotu, jakby coś we mnie pękło. Nie wiedziałam, czy ją jeszcze kiedykolwiek zobaczę. Płakałam patrząc przez okno samolotu na znikającą w dole wioskę, potem na przesuwającą się pod nami pustynię. Chłopaki pilnie filmowały moją twarz w dużym zbliżeniu.

16

Wielkie Jabłko*

Film skończyliśmy na wiosnę 1995 roku. W BBC dali mu tytuł *Nomada w Nowym Jorku*. Nadal byłam nomadą, bo trudno mi było powiedzieć, gdzie tak naprawdę jest mój dom. Ciągle przenosiłam się za pracą: Nowy Jork, Londyn, Paryż, Mediolan. Wszędzie zatrzymywałam się u przyjaciół albo w hotelach. Te parę rzeczy, które posiadałam – jakieś zdjęcia, książki i płyty – leżało w domu Nigela w Cheltenham. Najwięcej pracy miałam w Nowym Jorku, więc w końcu wynajęłam pierwsze mieszkanie – kawalerkę na Soho. Potem przeniosłam się do Greenwich Village, potem do domu na Zachodnim Broadwayu. Nie lubiłam jednak żadnego z tych miejsc. Mieszkanie na Broadwayu doprowadzało mnie do szaleństwa. Miałam wrażenie, że każdy samochód zamiast po ulicy przejeżdża przez środek mojego pokoju. Na rogu była remiza strażacka i przez całą noc wyły syreny. Trudno było w takich warunkach mówić o wypoczynku, więc po dziesięciu miesiącach męki wróciłam do koczowniczego trybu życia.

---

* Pieszczotliwa nazwa Nowego Jorku, chętnie używana przez jego mieszkańców (przyp. tłum.).

Na jesieni 1995 roku zaliczyłam pokazy mody w Paryżu, po czym zdecydowałam się na powrót prosto do Nowego Jorku. Czułam, że najwyższa pora znaleźć sobie jakieś stałe miejsce i pozostać w nim na trochę. Zatrzymałam się w domu jednego z moich najbliższych przyjaciół, George'a, w Greenwich Village i szukałam odpowiedniego mieszkania.

Pewnego wieczoru wpadła do nas Lucy, przyjaciółka George'a. Chciała gdzieś na mieście uczcić z nami swoje urodziny. George powiedział, że jest bardzo zmęczony i musi iść wcześnie rano do pracy, więc poszłyśmy tylko we dwie. Wyszłyśmy z domu bez żadnego pomysłu na to, dokąd pójść. Na Ósmej Alei zatrzymałam się i pokazałam Lucy, gdzie miałam kiedyś mieszkanie.

– Mieszkałam nad tym klubem jazzowym. Nieźle grali, ale nigdy nie byłam w środku. Wejdziemy?

– Nieee... Chcę iść do Nella.

– Och, przestań. Tylko tam wpadniemy i zobaczymy, jak jest. Podoba mi się ich muzyka. Kiedy jej słucham, czuję się, jakbym tańczyła.

Lucy, choć niezbyt chętnie, zgodziła się. Zeszłyśmy po schodkach do małego klubu. Zespół grał naprzeciwko wejścia. Najpierw rzucił mi się w oczy perkusista – w ciemnej sali tylko na niego padało światło. Walił w swoje bębny, a ja stałam i patrzyłam na jego ogromną fryzurę afro rodem z lat siedemdziesiątych. Lucy pociągnęła mnie z powrotem. Odwróciłam się w jej stronę.

– Nie, nie. Zostajemy. Siądź i zamów drinka. Pobędziemy tu trochę.

Zespół grał tak odjazdowo, że zaczęłam tańczyć jak szalona. Lucy dołączyła do mnie i wkrótce tańczyli wszyscy na sali, choć dotychczas siedzieli oklapnięci i tylko słuchali.

Rozgrzana i spragniona, stanęłam z drinkiem w ręku za jakąś kobietą i odezwałam się do niej:

– Świetna muzyka. A tak w ogóle to co to za zespół?

– Nie mają nazwy, bo grają ze sobą od niedawna. Mój mąż to ten na saksie.

– Aha... A kto to jest ten, co gra na bębnach?
Uśmiechnęła się szeroko.
– Przykro mi, ale nie wiem.
Po paru minutach zespół zrobił sobie przerwę. Kiedy bębniarz przechodził koło nas, moja znajoma chwyciła go za ramię.
– Przepraszam, koleżanka chciałaby cię poznać.
– Tak? A która to?
– Ta. – Wypchnęła mnie przed siebie.
Byłam tak zakłopotana, że nie wiedziałam, co powiedzieć. Stałam jak kołek przez parę chwil, aż wreszcie wykrztusiłam:
– Cześć.
„Spokojnie, Waris, rozegraj to na zimno" – przemknęło mi przez głowę.
– Fajna muzyka.
– Dzięki.
– Jak masz na imię?
– Dana – odpowiedział i rozejrzał się spłoszonym wzrokiem.
– Ooo, tak?
Ale on zwyczajnie odwrócił się i poszedł sobie. Cholera! Nie miałam zamiaru tak po prostu go sobie odpuścić. Poszłam za nim do stolika, gdzie już siedział z kumplami z zespołu, przysunęłam krzesło i siadłam obok. Obejrzał się, zobaczył mnie i aż podskoczył z wrażenia. Odezwałam się zrzędliwie:
– Rozmawiałam z tobą, a ty sobie poszedłeś. Nie uważasz, że to było niegrzeczne? Dana popatrzył na mnie z niedowierzaniem, a potem tak się zaczął śmiać, że aż padł na stolik.
– Jak masz na imię? – zapytał.
– To nie ma znaczenia – odpowiedziałam najbardziej zaczepnym tonem, na jaki mnie było stać, i równie zaczepnie przysuwając twarz w jego stronę. Już po chwili rozmawialiśmy o różnych tam takich, aż zespół zaczął się zbierać do kolejnego wyjścia na scenę.
– Nie wychodzisz jeszcze? Z kim tutaj jesteś? – zapytał Dana.
– Z przyjaciółką. Stoi tam, w tłumie.

Podczas następnej przerwy Dana powiedział, że mają jeszcze tylko dwa wyjścia i jeśli chcę, możemy się potem gdzieś przejść. Siedzieliśmy, gadając o wszystkim i o niczym, w końcu powiedziałam:

– Strasznie tu dużo dymu. Nie mam czym oddychać. Może wyjdziemy na zewnątrz?

– Dobra, możemy usiąść na schodach.

Kiedy doszliśmy do szczytu schodów, Dana zatrzymał się.

– Czy mógłbym cię o coś poprosić? Przytulisz się do mnie?

Spojrzałam, jakby poprosił mnie o coś najbardziej oczywistego na świecie, jakbym znała go przez całe życie. Przycisnęłam się mocno i wiedziałam, że to jest właśnie to, o co mi chodziło – tak jak to było z wyjazdem do Londynu i pracą modelki. Wiedziałam, że nieśmiały bębniarz z afro na głowie jest właśnie moim mężczyzną. Kiedy skończyli grać, było już zbyt późno, żeby się gdzieś wybierać. Dałam mu numer do domu George'a i kazałam zadzwonić jutro.

– Rano mam parę spotkań, zadzwoń do mnie o trzeciej. Chciałam po prostu zobaczyć, czy mnie posłucha.

Jak mi później powiedział, w drodze do domu w Harlemie zobaczył na stacji metra ogromną planszę reklamową z moim zdjęciem. Nigdy przedtem jej nie zauważył, mimo że zawsze z tej stacji odjeżdżał.

Następnego dnia telefon zadzwonił dziesięć po trzeciej.

– Spóźniłeś się!!!

– Przepraszam. Nie spotkałabyś się ze mną na kolacji?

Poszliśmy z Daną do kafejki w Greenwich Village i gadaliśmy, gadaliśmy, gadaliśmy. Teraz wiem, że to było zupełnie do niego niepodobne, bo zawsze gdy spotka kogoś obcego, milczy jak zaklęty. W pewnej chwili zaczęłam się śmiać.

– Co jest grane? – znowu się spłoszył.

– Pomyślisz, że mam świra.

Wal śmiało, już i tak o tym wiem.

– Mam zamiar mieć z tobą dziecko.

Nie wyglądało na to, że jest szczególnie zadowolony z tego, co usłyszał, o nie. Patrzył na mnie wzrokiem, który wyraźnie mówił: tej kobiecie naprawdę odbiło, i to na dobre.

– Wiem, że ci się to wydało dziwne, ale po prostu chciałam ci to powiedzieć. Nie przywiązuj do tego wagi. Zapomnij o tym.

Siedział, gapiąc się na mnie w milczeniu. Widziałam, że jest wstrząśnięty. I nic dziwnego – nie znałam nawet jego nazwiska. Później powiedział mi, że myślał wtedy tylko o jednym: „Nie chcę jej więcej widzieć. Muszę dać sobie z nią spokój. Jest jak ta walnięta baba z *Fatalnego zauroczenia*. Odprowadził mnie po kolacji do domu, ale po drodze prawie nic nie mówił.

Następnego dnia czułam do siebie obrzydzenie. Nie mogłam uwierzyć, że mi się coś takiego wypsnęło, jednak mówiąc to, miałam wrażenie, że to równie normalne jak rozmowa o pogodzie. Nic dziwnego, że Dana nie odezwał się do mnie przez tydzień. W końcu nie wytrzymałam i sama zadzwoniłam.

– Gdzie jesteś? – zapytał.

– U koleżanki. A co, chcesz się spotkać?

– Boże! Tak, owszem. Możemy pójść na lunch.

– Kocham cię.

– Ja ciebie też.

Odłożyłam słuchawkę w całkowitym osłupieniu. Przysięgałam sobie, że już będę grzeczna, a tu nagle mówię temu facetowi, że go kocham. Miało nie być o żadnych dzieciach i tak dalej, a tu masz – miłość! Waris, co się z tobą dzieje? Dotychczas, kiedy tylko jakiś mężczyzna zaczynał okazywać mi zainteresowanie, znikałam mu z pola widzenia. Teraz sama ganiam za facetem, którego ledwo znam. Tego wieczora, kiedy poznałam Danę, miałam na sobie zielony sweter, a na głowie rozkudłane afro. Powiedział mi później, że gdziekolwiek się wtedy w klubie obrócił, wszędzie napotykał wzrokiem afro i zielony sweter. Wyjaśniłam mu, że gdy mi się coś spodoba, chodzę za tym do upadłego, a wtedy po raz pierwszy w życiu spodobał mi się mężczyzna.

Nie potrafiłam jednak sobie wyjaśnić, dlaczego poczułam od razu, jakbym znała go całe życie.

Spotkałam się z Daną na lunchu i znowu gadaliśmy i gadaliśmy o wszystkim na świecie. Dwa tygodnie później przeprowadziłam się do jego mieszkania w Harlemie. Po sześciu miesiącach postanowiliśmy się pobrać.

Byliśmy już ze sobą prawie rok, kiedy pewnego dnia Dana niespodziewanie powiedział:

– Zdaje mi się, że jesteś w ciąży.

– O czym ty mówisz, na litość boską? – wrzasnęłam.

– Chodź, idziemy do apteki.

Opierałam się, ale on nie dawał za wygraną. Wróciliśmy z apteki z pudełkiem testów ciążowych. Test wypadł dodatnio.

– Masz do tego zaufanie? – spytałam. On jednak wyciągnął kolejny pasek.

– Zrób to jeszcze raz.

– To samo, dodatni.

Co prawda trochę mnie mdliło, ale zawsze miałam mdłości przed miesiączką. Tym razem było dużo gorzej – czułam się po prostu fatalnie. Do głowy mi jednak nie przyszło, że jestem w ciąży, za to wpadłam na pomysł, że toczy mnie jakaś śmiertelna choroba. Poszłam do lekarza i wyjaśniłam, co się ze mną dzieje. Pobrał mi krew i kazał dowiedzieć się o wynik za trzy dni. Trzy dni?!

– Do diabła! Wykrył coś potwornego i nie chce mi o tym powiedzieć, zanim się nie upewni.

– Doktor dzwonił – powiedział Dana któregoś popołudnia po moim powrocie do domu.

Strach chwycił mnie za gardło.

– O, Boże! I co powiedział?

– Powiedział, że chce z tobą porozmawiać.

– Nie pytałeś go o nic?

– Słuchaj, powiedział, że zadzwoni do ciebie jutro między jedenastą a dwunastą.

To była najdłuższa noc w moim życiu. Nie mogłam zasnąć. Zastanawiałam się, co mnie czeka.

Następnego dnia poderwałam słuchawkę już po pierwszym dzwonku. Doktor oznajmił:

– Mam dla pani nowinę. Nie jest pani sama.

„Tu cię mam – o to chodziło! Nie sama, bo pełno we mnie raka!" – pomyślałam i wykrztusiłam:

– „Och, nie! Co pan ma na myśli?

– Jest pani w ciąży. Od jakichś dwóch miesięcy.

Czułam się, jakbym wygrała bilet na Księżyc. Dana też był rozradowany, bo zawsze chciał być ojcem. Od razu wiedzieliśmy, że to będzie chłopiec. Ale zaraz zaczęłam bać się o jego zdrowie. Poszłam do tej samej pani ginekolog, u której byłam, zanim zaczęliśmy się starać, żebym zaszła w ciążę. Położyła mnie i zaczęła badać ultrasonografem.

– Proszę mi nie mówić, czy to chłopiec, czy dziewczynka, tylko czy wszystko z nim w porządku.

– Zdrowe dziecko, wspaniałe – odpowiedziała.

Nic więcej mi nie było trzeba.

Oczywiście na drodze do małżeństwa z Daną stała pewna przeszkoda, i to wysoka: Nigel. Kiedy byłam w czwartym miesiącu ciąży, postanowiliśmy wybrać się z Daną do Cheltenham i rozmówić z Nigelem definitywnie.

Gdy przyjechałam do Londynu, męczyły mnie nie tylko poranne nudności, ale i potworne przeziębienie. Zatrzymaliśmy się w domu przyjaciół. Odpoczęłam parę dni i zebrałam w sobie dość sił, żeby zadzwonić do Nigela. Ten jednak powiedział, że też jest przeziębiony, i musiałam odłożyć wizytę.

Czekaliśmy z Daną tydzień, zanim Nigel poczuł się na tyle dobrze, żeby spotkać się ze mną. Powiedziałam mu, o której przyjedzie mój pociąg, żeby odebrał mnie ze stacji, i na koniec dodałam:

– Chcę, żebyś wiedział, że będzie ze mną Dana. I ma nie być żadnych kłopotów, dobrze?

– Uprzedzam, że nie chcę go widzieć. To jest sprawa tylko między tobą a mną.

– Nigel...

– Mam to gdzieś. To nie ma z nim nic wspólnego.

– To ma z nim dużo wspólnego. Jest moim narzeczonym i chcę za niego wyjść za mąż. Cokolwiek mam do załatwienia, załatwię to razem z nim.

– Nie chcę go widzieć i już. – Nigel wbił sobie w głowę, że mam przyjechać do Cheltenham sama.

Czekał na parkingu przed stacją, oparty o słupek, i jak zwykle palił papierosa. Wyglądał gorzej, niż gdy go ostatnio widziałam. Włosy miał jeszcze dłuższe, do tego ciemne plamy pod oczami.

Powiedziałam do Dany:

– Dobra, jest tutaj. Tylko spokojnie.

Podeszliśmy do niego, lecz zanim zdążyłam się odezwać, Nigel zaczął:

– Mówiłem ci, że nie chcę go widzieć. Powiedziałem to chyba zupełnie wyraźnie. Chcę się widzieć tylko z tobą.

Dana cisnął bagaże na chodnik.

– Słuchaj no! Nie odzywaj się do niej w ten sposób i do mnie też nie próbuj. Dlaczego chcesz się widzieć z nią sam? O co ci chodzi? Chcesz zostać z nią sam? Fajnie, ale ja tego nie chcę. I jeśli jeszcze raz o tym wspomnisz, to cię skopię!

Nigel zrobił się jeszcze bledszy niż zwykle.

– No dobra... ale w moim wozie nie ma dla wszystkich miejsca.

– Chrzanię twój wóz. Weźmiemy taksówkę. Skończmy z tym wreszcie.

Ale Nigel biegł już do samochodu, rzucając nam przez ramię:

– O, nie, nie. Tak tego nie załatwimy.

Wskoczył do środka, zapalił silnik i przemknął z piskiem opon obok nas. Staliśmy przy bagażach patrząc, jak znika w głębi ulicy.

Trzeba było sobie znaleźć jakiś nocleg. Na szczęście zaraz obok stacji był pensjonat – przygnębiająca buda, ale tym akurat przejmowaliśmy się najmniej. Poszliśmy do indyjskiej restauracji, ale tak nam się odechciało jeść, że tylko siedzieliśmy, wpatrując się w milczeniu w talerze, i w końcu nie tknąwszy niczego, wróciliśmy do pensjonatu

Rano zadzwoniłam do Nigela.

– Chcę tylko zabrać swoje rzeczy. W porządku? Jeśli nie masz zamiaru załatwić reszty naszych spraw, to zapomnijmy o tym. Oddaj tylko, co moje.

– Nic z tego.

Przenieśliśmy się więc do hotelu. Nie tylko dlatego, że pensjonat był na okrągło zarezerwowany. Wyglądało też na to, że trzeba będzie tu jeszcze trochę pobyć, więc i wygoda nabrała znaczenia. Z hotelu zadzwoniłam znowu.

– Posłuchaj, dlaczego zachowujesz się jak dupek? Po co ci to? Ile to już trwa? Siedem, osiem lat? Skończ z tym wreszcie.

– Dobra. Chcesz się ze mną widzieć? Nie ma sprawy. Ale masz być tylko ty. Zabiorę cię z hotelu, ale jeśli on się pojawi – koniec. Już jadę. Tylko ty.

Westchnęłam ciężko, lecz wiedziałam, że inaczej nie skończę z tym bałaganem, więc zgodziłam się.

Odwiesiłam słuchawkę i wyjaśniłam sytuację:

– Proszę cię, Dana, pozwól, pojadę tam sama i zobaczę, czy uda mi się z nim rozmówić. Zrób to dla mnie.

– Jeżeli uważasz, że to zadziała, nie ma sprawy. Ale jeśli cię tylko dotknie, ma przechlapane. Nie znoszę tego gnoja, ale jeśli chcesz tak zrobić, nie mogę cię zatrzymywać.

Obiecałam mu, że zadzwonię, jeśli będę go potrzebowała.

Nigel przywiózł mnie do domku, który wynajmował. Weszliśmy do środka, Nigel zaczął robić kawę. Odezwałam się:

– Posłuchaj, Nigel. To jest facet, za którego chcę wyjść i z którym jestem w ciąży. Wygląda na to, że naprawdę już koniec z tymi bzdurami ze świata twojej fantazji, gdzie jestem twoją cenną żonką i żyjemy sobie razem. Koniec z tym. Chwytasz? Daj sobie spokój i załatwmy, co jest do załatwienia. Chcę mieć rozwód w tym tygodniu. Nie wyjadę do Nowego Jorku, dopóki nie posprzątamy tego śmietnika.

– Dobra. Przede wszystkim nie dam ci rozwodu, dopóki nie oddasz mi pieniędzy, które mi jesteś winna.

– Jestem ci winna jakieś pieniądze? Ile? Kto pracował na te pieniądze, które dostawałeś przez te wszystkie lata?

– Poszły na twoje jedzenie.

– Ach, tak? Przecież nawet mnie tu nie było. No cóż, skoro tak ci zależy na tych pieniądzach, to o jaką sumę chodzi?

– Przynajmniej czterdzieści tysięcy funtów.

– Ha!!! Skąd mam wziąć tyle forsy? Bo na razie jej nie mam.

– Nie obchodzi mnie to. Nie obchodzi mnie to. Nie obchodzi mnie to. Jest, jak jest. Jesteś mi winna pieniądze, więc nigdzie nie pójdę, nie dam ci rozwodu ani niczego innego. Nigdy się nie uwolnisz, dopóki nie oddasz mi pieniędzy, które jesteś winna. Przez ciebie musiałem sprzedać dom.

– Musiałeś go sprzedać, bo nie spłacałeś hipoteki, a mnie też się to przejadło. Jedyne, co powinieneś był zrobić, to znaleźć sobie robotę, ale ci się nigdy nie chciało.

– Co? Jaką robotę? Co za robotę bym dostał? W McDonald's?

– Jeśliby ci wystarczyło na raty hipoteki, czemu nie?

– Ale to nie jest to, co robię najlepiej.

– A co ty, cholera, robisz najlepiej?

– Znam się na ochronie środowiska.

– Tak, zgadza się. Znalazłam ci pracę w Greenpeace, ale cię wyrzucili i zabronili ci wracać. I nie ma kogo za to obwiniać, oprócz ciebie samego. Mnie w to już nie wrabiaj. Nie dam ci ani pensa. Wiesz co? Weź sobie ten głupi paszport i wsadź... Nie widzę sensu gadać z tobą o czymkolwiek. Nigdy nie byliśmy prawdziwym małżeństwem, nigdy nie doszło między nami do zbliżenia, więc nasz ślub jest nieważny.

– To nieprawda. Jeszcze nie. Prawo mówi co innego. Jesteś moją żoną i nigdy nie pozwolę ci odejść, Waris. Twoje dziecko będzie bękartem do końca życia.

Siedziałam i patrzyłam, a cała litość, jaką kiedykolwiek do niego czułam, zmieniała się w dziką nienawiść. Zdawałam sobie sprawę, że sytuacja jest beznadziejna. Kiedy zdecydowałam się wziąć z nim ślub, był taki chętny, by pomagać mi „z woli Allacha". Jego siostra była świetną przyjaciółką, więc sądziłam, że nawet jeśli będą z nim jakieś kłopoty, ona wstawi się za mną. Ale ostatnio widywałam ją tylko w szpitalu psychiatrycznym. Kompletnie zwariowała. Toczyła wokół szalonym wzrokiem, opowiadała mi niestworzone historie o ludziach, którzy ścigają ją, żeby ją zamordować. Serce mi pękało z bólu na ten widok, ale wszystko wskazywało na to, że szaleństwo było u nich rodzinne.

– Rozwiodę się, Nigel. Za twoją zgodą albo i bez niej. Nie mamy już o czym rozmawiać.

Patrzył na mnie uważnie przez jakąś minutę, a potem cicho powiedział:

– Dobrze. Nie mam ciebie, nie mam nic. Zabiję ciebie, a potem siebie.

Zamarłam, zastanawiając się, co robić dalej, i zaczęłam blefować.

– Dana już tu po mnie jedzie. Na twoim miejscu nic takiego bym nie robiła.

Wiedziałam, że muszę się stąd natychmiast wynosić, bo tym razem on mówi całkiem serio. Kiedy schyliłam się po torbę, Nigel popchnął mnie z całej siły. Padłam twarzą na radio stojące na półce, potoczyłam się po podłodze i zatrzymałam na plecach, nieruchoma ze strachu.

– O Boże! Moje dziecko! – Powoli zaczęłam się podnosić.

– O cholera! Nic ci się nie stało? – Nigel też się chyba przestraszył.

– Nie, nic się nie stało – odpowiedziałam spokojnie. Dopiero teraz zdałam sobie sprawę, z jakim świrem zgodziłam się tu przyjść sama. Chciałam już tylko opuścić jego dom w jednym kawałku. Nic mi nie jest.

Pomógł mi wstać. Udając opanowanie, włożyłam żakiet.

– Odwiozę cię. Wsiadaj do wozu. – Znowu zaczął być zły.

Podczas jazdy pomyślałam nagle: „Nienawidzi tego dziecka i nic by go bardziej nie uszczęśliwiło niż jego śmierć. Może spróbuje nas wszystkich zrzucić z urwiska?". Zapięłam pasy, a on cały czas krzyczał, klął i wyzywał mnie od ostatnich. Siedziałam jak odrętwiała, ze wzrokiem utkwionym w przednią szybę; bałam się odezwać, żeby mnie znowu nie uderzył. Nie chodziło mi o mnie, ale o dziecko. Gdyby coś mu się stało, to znając moją wojowniczość, myślę, że urwałabym Nigelowi jaja.

Kiedy dojeżdżaliśmy pod hotel, rozdarł się na całego:

– I to już wszystko? Siedzisz tu i nic nie gadasz? Po tym wszystkim, co dla ciebie zrobiłem?

W jednej chwili zatrzymał samochód, przechylił się na moją stronę, otworzył drzwi i wypchnął mnie na jezdnię. Jedna noga zaplątała mi się w dywanik i utknęła w samochodzie. Wyszarpnęłam ją w końcu i uciekłam na górę do pokoju.

Kiedy Dana otworzył drzwi, łzy płynęły mi po policzkach.

– Co się stało? Co on ci zrobił?

Wiedziałam jedno: jeśli powiem, Dana zabije Nigela, wsadzą go do więzienia i zostaniemy z dzieckiem sami.

– Nic. Zachował się jak dupek, jak zwykle. Nie oddał mi moich rzeczy. – Wydmuchałam nos.

– I dlatego płaczesz? Waris, zapomnij o tym gnoju. Nie warto przez niego płakać.

Po powrocie do Londynu złapaliśmy najbliższy samolot do Nowego Jorku.

Kiedy byłam w ósmym miesiącu, pewien afrykański fotograf dowiedział się, że jestem w ciąży, i zaproponował, żebym mu pozowała. Musiałam więc polecieć do Hiszpanii, bo tam miał studio. Czułam się wtedy świetnie i nie bałam się podróży. Co prawda linie lotnicze nie wpuszczają do samolotów kobiet powyżej szóstego miesiąca ciąży, ale założyłam luźny sweter i jakoś się przesmyknęłam. Zrobiliśmy fantastyczne zdjęcia dla ,,Marie Claire''.

Jednak dwadzieścia dni przed terminem porodu musiałam polecieć jeszcze raz – do Omaha w stanie Nebraska, do rodziców Dany, którzy mieli się mną opiekować po urodzeniu się dziecka. Dana miał umówione występy w klubach, więc zaplanował, że dołączy do mnie za tydzień. Niedługo po przyjeździe do Omaha wstałam rano i poczułam, że coś dziwnego dzieje się z moim brzuchem. Zastanawiałam się, co takiego mogłam zjeść wieczorem, że aż tak mi to zaszkodziło. Do końca dnia zapomniałam o dolegliwościach. Następnego poranka sprawa zaczęła wyglądać poważnie. Doszło w końcu do mnie, że to chyba nie jest zwykła niestrawność, ale że zaczynam rodzić.

Zadzwoniłam do mamy Dany do pracy i powiedziałam:

– Słuchaj, mam jakieś dziwne bóle, raz są, a raz ich nie ma, i to od wczoraj. Dzisiaj jest dużo gorzej. Nie wiem, może tylko coś zjadłam.

– Na litość boską, Waris! Ty masz skurcze!

– O! – Ucieszyłam się bardzo, bo już wprost nie mogłam się doczekać dziecka.

Zadzwoniłam do Nowego Jorku do Dany:

– Zdaje się, że niedługo będę rodzić!

– Nie, nie, nie! Nie możesz urodzić, dopóki nie przyjadę do ciebie! Wstrzymaj się z tym!!! Już jadę, zaraz wsiadam do samolotu.

– Sam się wstrzymaj! Jak mam to zrobić? Zatrzymać poród?

Boże, jacy ci mężczyźni są głupi! Jednak ja też chciałam, żeby

Dana był obecny przy porodzie, i byłabym bardzo rozczarowana, gdyby tak się nie stało. W tym samym czasie matka Dany zadzwoniła do szpitala, a oni przysłali położną, żeby zobaczyła, co się ze mną dzieje. Położna powiedziała, że jeśli chcę szybko urodzić, to muszę dużo chodzić. Wykombinowałam sobie, że skoro chodzenie ma wywołać poród, to leżenie powinno go powstrzymać, i leżałam nieruchomo w łóżku.

Dana przyleciał następnego dnia wieczorem, więc kiedy ojciec pojechał po niego na lotnisko, ja miałam skurcze już trzecią dobę. Kiedy na niego czekałam, zaczęło się na poważnie. Co parę minut dyszałam:

– Och, och! Ach, ach! O Boże!

– Oddychaj, Waris, oddychaj! – wrzeszczała mama Dany. Wiedziałyśmy, że czas jechać do szpitala, ale samochód wiózł właśnie Danę z lotniska. Kiedy wreszcie przyjechali, nawet nie zdążyli wysiąść, a już byłyśmy w środku, krzycząc:

– Do szpitalaaaa!!!

Przyjechaliśmy tam o dziesiątej wieczorem, ale o dziesiątej rano następnego dnia poród jeszcze trwał. Wrzeszczałam:

– Zaraz wejdę na drzewo i skoczę!

Był to czysto zwierzęcy odruch – w taki właśnie sposób ułatwiają sobie poród małpy. Kręcą się w kółko, siadają, kucają, wreszcie wchodzą na drzewo i – hop! Tego dnia Dana przezwał mnie Małpą. Krzyczał później cienkim falsetem:

– Och, och, chcę sobie skoczyć z drzewa!

Jednak na sali porodowej krzyczał co innego:

– Oddychaj, kochanie, oddychaj!

– Odwal się! – naprawdę byłam prawie gotowa go zastrzelić. Miałam wrażenie, że umieram, ale przed śmiercią chciałam się upewnić, że on pierwszy padł trupem.

Skończyło się o północy. Błogosławiłam doktora Macrae z Londynu – nawet nie chciałam sobie wyobrażać, jak by ten poród wyglądał, gdybym nadal była zaszyta. Po dziewięciu miesiącach i trzech dobach męczarni stał się cud. Uff! Jak ja się cieszyłam, że moje maleństwo jest już na zewnątrz! Był przepiękny z tymi swoimi jedwabistymi, czarnymi włoskami, malutkimi ustami i drobnymi paluszkami. Mierzył ponad pięćdziesiąt centymetrów, a ważył trzy kilogramy. Mój synek zaraz się odezwał: „Ach", i zaczął rozglądać się zaciekawiony po sali. Jego spojrzenie mówiło: I to wszystko? To o to chodziło? Czy to jest to światło? Musiało go nieźle ucieszyć po dziewięciu miesiącach spędzonych w ciemności.

Poprosiłam personel, żeby położyli mi go na piersi – jeszcze nie umytego. Kiedy go poczułam i zobaczyłam, uwierzyłam w opowiadania wszystkich matek: zapomniałam zupełnie o bólu. Czułam tylko radość.

Nazwałam go Aleeke, co znaczy po somalijsku: mocarny lew. Na razie, z wygiętymi w łuk usteczkami, pulchnymi policzkami i wiankiem włosków, wyglądał raczej jak Kupido niż jak lew. Jego szerokie, gładkie czoło było zupełnie takie jak moje. Kiedy odezwałam się do niego, stulił usta jak ptaszek uczący się śpiewu. Już od urodzenia był niesamowicie ciekawy wszystkiego, co się wokół niego dzieje.

Kiedy byłam dziewczynką, cały dzień czekałam na chwilę, gdy po powrocie do domu będę mogła usiąść mamie na kolanach, ona będzie drapała mnie po głowie i ogarnie mnie ten niepowtarzalny spokój i poczucie bezpieczeństwa. Teraz ja robię tak z Aleeke, a on też to uwielbia. Drapię go w główkę, a on zasypia mi na rękach.

Od dnia gdy go urodziłam, moje życie uległo przemianie. Szczęście, jakie mi daje Aleeke, jest dla mnie wszystkim. Odsunęłam od siebie wszelkie głupstwa, którymi tak się przejmowałam. Zdałam sobie sprawę, że są to rzeczy zupełnie bez znaczenia. Znaczenie ma tylko życie – dar życia.

17

Moja misja

W społeczności, w której się wychowałam, po urodzeniu dziecka kobieta darzona jest szczególnym szacunkiem. Oto przyniosła na ten świat kolejną ludzką istotę, przyniosła dar życia. Kiedy urodziłam Aleeke, też stałam się Mamą, kobietą godną szacunku. Po przejściu całego procesu stawania się kobietą dojrzałą – od przedwczesnego początku związanego z obrzezaniem w wieku pięciu lat aż po urodzenie dziecka około trzydziestki – nabrałam jeszcze większego szacunku dla własnej matki. Zrozumiałam, jak wielkiej siły potrzeba, żeby udźwignąć ciężar bycia kobietą w Somalii. Żyjąc na Zachodzie, zawsze starałam się robić, co było do zrobienia, ale często zdawało mi się, że już nie dam rady. Było tak, gdy szorowałam podłogi w McDonald's podczas miesiączek tak bolesnych, że mdlałam z bólu; gdy miałam się operować, żeby w końcu móc normalnie oddawać mocz; gdy po trzech dniach skurczów myślałam, że umrę na sali porodowej. Ale tak naprawdę to nie miałam się na co uskarżać. Bo czy mogłam się porównać z dziewczynką, która musi biegać za swoimi kozami przez pustynię, gdy okaleczona, prawie nie może ustać na nogach z bólu wywołanego miesiączką? Albo z kobietą, która zaraz po urodzeniu dziecka zostaje zaszyta jak kawałek starej szmaty tylko po to, żeby jej pochwa była wystarczająco ciasna dla męża? Albo z ciężarną w dziewiątym miesiącu, która musi ruszać w busz, żeby znaleźć coś do jedzenia dla jedenaściorga wygłodzonych dzieci? Co z tymi, które jak moja matka idą rodzić samotnie na pustyni? Niestety, znam odpowiedź na to ostatnie pytanie: wiele z nich wykrwawia się na śmierć i wtedy jedyne szczęście, jakie może je spotkać, to to, że ich mężowie odnajdą ciało zanim zajmą się nim hieny i sępy.

Problemy zdrowotne, które mnie dręczyły od chwili obrzezania, dotyczą milionów dziewcząt i kobiet na świecie. Z powodu rytuału tkwiącego swymi korzeniami w zabobonie miliony afrykańskich kobiet wiodą życie wypełnione bólem. Kto im pomoże – tym, które jak moja matka żyją na pustyni, ubogie i bezsilne? Ktoś musi przemówić za ten cierpiący w milczeniu tłum. Uważam, że to właśnie moje przeznaczenie.

Nie potrafię wyjaśnić, jak to się stało, że tak wiele szczęścia spotkało mnie w życiu przez czysty przypadek. Bo tak naprawdę to nie wierzę w przypadki – naszym życiem musi kierować coś więcej. Gdy Bóg uchronił mnie przed lwem po ucieczce z domu, poczułam, że kryje się za tym jakiś Jego zamiar, jakiś plan. Jeżeli stało się to nie bez powodu, to co to był za powód?

Jakiś czas temu umówiła się ze mną na wywiad dziennikarka z magazynu mody „Marie Claire". Przed spotkaniem bardzo długo zastanawiałam się, co chcę przekazać czytelnikom. Spotkałam się z Laurą Ziv na lunchu i polubiłam ją od razu. Powiedziałam jej:

– Nie wiem, jakiego rodzaju historii ode mnie oczekujesz, ale o całej tej modzie było już z milion razy. Jeżeli obiecasz mi, że to opublikujesz, dam ci coś prawdziwego.

– Tak? No cóż, postaram się – odpowiedziała i włączyła magnetofon.

Zaczęłam opowiadać jej o moim obrzczaniu. W połowie wywiadu Laura wybuchnęła płaczem i zatrzymała taśmę.

– Co ci się stało? – spytałam.

– To potworne... to obrzydliwe. Nie miałam pojęcia, że w dzisiejszych czasach zdarzają się podobne rzeczy.

– I o to właśnie mi chodzi, że ludzie Zachodu o tym nie wiedzą. Czy myślisz, że uda ci się to wcisnąć do twojego magazynu, między ten przepych i błyskotki przeznaczone dla subtelnych pań?

– Obiecuję, że zrobię, co będę mogła. Ale decyzja należy do szefa.

Przez cały następny dzień zastanawiałam się, co to właściwie da. Teraz każdy będzie się babrał w moich najintymniejszych sprawach. Nawet najbliższe przyjaciółki nie wiedziały, co mi zrobiono w dzieciństwie – zgodnie z somalijskim zwyczajem nie ujawniałam spraw tak osobistych. A teraz będą o tym gadać miliony zupełnie obcych osób. W końcu jednak postanowiłam: niech się stanie, co ma się stać. Jeśli nawet stracę nieco godności, trudno. Odrzuciłam wstyd i dumę, jakbym zrzucała jakieś ubranie. Jednak obawiałam się reakcji Somalijczyków. Już sobie wyobrażałam te komentarze: Jak ona śmie krytykować odwieczną tradycję? Było w tym echo spotkania z rodziną w Etiopii: „Myślisz, że jak żyjesz na Zachodzie, to już wiesz wszystko?".

Po długim namyśle zdałam sobie sprawę, że muszę opowiedzieć o moim obrzezaniu z dwóch powodów: przede wszystkim dlatego, że dotknęło mnie to bardzo głęboko. Nie chodzi tylko o wynikające z obrzezania kłopoty zdrowotne, ale i o to, że nigdy nie będzie mi dane poznać tej części radości z seksu, którą utraciłam. Czuję się niepełna, okaleczona i bezradna, bo nic na to nie mogę poradzić.

Kiedy zakochałam się w Danie, zapragnęłam poznać radość seksu z mężczyzną. Ale jeśli mnie dzisiaj spytacie, czy mi to sprawia przyjemność, odpowiem wam, że tak, jednak nie w powszechnym rozumieniu tych spraw. Po prostu cieszę się z fizycznej bliskości człowieka, którego kocham.

Całe życie próbowałam wymyślić racjonalny powód zwyczaju obrzezywania kobiet. Być może, gdybym znalazła taki powód, pogodziłabym się z tym, co mi zrobiono. Ale nic takiego nie da się wymyślić. Im dłużej szukałam powodu, tym bardziej narastała we mnie złość. Musiałam z kimś porozmawiać o swojej tajemnicy, bo dusiłam ją w sobie przez całe życie. Nie miałam z kim podzielić swego gniewu, bo nie było przy mnie nikogo, kto by to zrozumiał – ani matki, ani sióstr. Nie znoszę słowa „ofiara", bo kojarzy się z nim bezradność i beznadzieja. Jednak właśnie ofiarą byłam, gdy szlachtowała mnie stara znachorka. Teraz, jako dojrzała kobieta, już ofiarą nie byłam i mogłam coś z tym zrobić. Zamieszczając artykuł w „Marie Claire" chciałam, żeby ludzie popierający tę torturę dowiedzieli się przynajmniej, co się wtedy czuje, chociaż od jednej z kobiet, które to dotknęło – bo reszta, żyjąca w moim kraju, nie ma prawa głosu.

A teraz drugi powód. Wydawało mi się, że kiedy ludzie dowiedzą się o moim sekrecie, będą patrzeć na mnie z obrzydzeniem. Powiedziałam sobie, że nie dbam o to, bo chcę uświadomić ludziom, że obrzezywanie stosuje się powszechnie po dziś dzień i że trzeba pomóc tym wszystkim dziewczynkom, których to jeszcze nie spotkało. A są ich nie setki, nie tysiące, lecz miliony. Dla mnie już za późno, ale może przynajmniej części z nich uda się pomóc.

Wywiad ukazał się pod tytułem „Tragedia obrzezywania kobiet". Był to wielki akt odwagi ze strony „Marie Claire", a Laura wykonała świetną pracę. Reakcja była dramatyczna: zarówno sam magazyn, jak i organizacja walki o prawa kobiet, Equality Now, zostały zasypane listami pełnymi wyrazów poparcia. Czytelnicy byli równie przerażeni jak Laura, gdy przeprowadzała wywiad.

W marcowym wydaniu „Marie Claire" przeczytałam potworną historię o obrzezywaniu kobiet. Wprost nie mieści mi się to w głowie. Trudno mi uwierzyć, że ktokolwiek, kobieta czy mężczyzna, może przejść obojętnie obok czegoś tak okrutnego i nieludzkiego – i że wymyślił to gatunek stworzony na podobieństwo Boże. Biblia mówi, że „mężowie mają miłować żony swoje". Nawet żyjąc w kulturze bez Boga, trzeba wiedzieć, że ból, okaleczenie i śmierć związane z tym obyczajem to samo zło. Jak można pozwolić na zrobienie czegoś podobnego swoim córkom i siostrom? Przecież dla każdego jest oczywiste, że się je w ten sposób niszczy!

Boże, dopomóż nam, żebyśmy coś z tym zrobili. Budzę się myśląc o tym, kładę się myśląc o tym, a przez cały dzień z tego powodu płaczę! Z pewnością World Vision lub jakaś inna organizacja mogłyby tym ludziom powiedzieć, że części ciała, z którymi kobiety przychodzą na świat, są równie potrzebne jak części ciała mężczyzn i bardzo by zyskało życie intymne i małżeńskie zarówno mężczyzn, jak i kobiet, gdyby je pozostawiono w spokoju.

I inny list:

Skończyłam właśnie czytać wasz artykuł o Waris Dirie i cierpię na duszy, że takim torturom, okaleczeniom poddaje się małe dziewczynki. Trudno mi uwierzyć, że w dzisiejszych czasach praktykuje się coś tak pełnego sadyzmu. Problemy, jakie to stwarza, są wręcz niewyobrażalne. Tradycja to czy nie, to wszechobecne pastwienie się nad kobietami musi się skończyć. Gdyby tak pocięto genitalia jakiegoś mężczyzny i niezdarnie go pozszywano, to zaręczam, że skończyłoby się na jednym razie. Jak można chcieć obcować fizycznie z kobietą, której ból nigdy się nie kończy? Ta historia doprowadziła mnie do łez i napisałam do Equality Now z prośbą o informację, jak mogłabym pomóc.

A teraz list adresowany do mnie:

Wiele opowiedziano już tragicznych historii i zapewne jeszcze wiele będzie opowiedzianych, ale w całych dziejach kultury nie znajdzie się, Waris, czegoś bardziej potwornego niż to, co ci ludzie robią swoim dzieciom. Płaczę i głęboko im współczuję, kiedy o tym czytam. Chcę zrobić coś, żeby im pomóc, ale nie wiem, co mogłaby zrobić pojedyncza osoba.

Ogrom wyrazów wsparcia natchnął mnie otuchą. Dostałam tylko dwa listy krytykujące mnie. Nie zdziwiłam się, że zostały wysłane z Somalii.

Udzielałam kolejnych wywiadów, przemawiałam w szkołach i organizacjach międzynarodowych – wszędzie, gdzie tylko mogłam nagłośnić ten problem.

Nastąpiło kolejne zrządzenie losu. Pewna wizażystka przeczytała w samolocie mój wywiad z „Marie Claire” i pokazała go swojej szefowej Barbarze Walters*. Barbara powiedziała mi później, że tak nią to wstrząsnęło, iż nie była w stanie dokończyć swojego artykułu. Uznała, że należy zająć się tym problemem, i postanowiła włączyć moją historię do swojego programu „20/20”. Producentem została Ethel Bass Weintraub. Wywiad pod tytułem „Uzdrawiająca podróż” zdobył nagrodę.

Podczas wywiadu z Barbarą zachciało mi się płakać, bo poczułam się, jakbym była naga. Wywiad prasowy daje poczucie dystansu; kiedy rozmawiałam z Laurą, byłyśmy po prostu dwiema kobietami siedzącymi w restauracji. Podczas kręcenia

---

* Czołowa amerykańska dziennikarka telewizyjna, prowadząca talk-shows o niebywałej oglądalności (przyp. tłum.).

„20/20" tymczasem miałam opowiadać najgłębsze tajemnice mojego życia, stojąc oko w oko z kamerą, i to w zbliżeniach – zupełnie jakby mnie ktoś rozpruł i ujawnił moją duszę. „Uzdrawiająca podróż" poszła w eter w lecie 1997 roku. Wkrótce potem zadzwonili z mojej nowojorskiej agencji, że szukają mnie ludzie z Organizacji Narodów Zjednoczonych. Obejrzeli „20/20" i koniecznie chcą ze mną rozmawiać.

Fundacja Ludnościowa ONZ zaprosiła mnie do udziału w walce przeciwko obrzezywaniu kobiet. We współpracy ze Światową Organizacją Zdrowia opracowała dane statystyczne przedstawiające faktyczny rozmiar problemu. Kiedy przyjrzałam się tym liczbom, stało się dla mnie jasne, że to rzeczywiście nie tylko mój problem. Obrzezywanie kobiet albo, bardziej uczenie, okaleczanie żeńskich organów płciowych* praktykowane jest w dwudziestu ośmiu krajach Afryki. Według szacunków ONZ, na świecie żyje 130 milionów obrzezanych kobiet, a 2 miliony rocznie, czyli 6 tysięcy dziennie pada ofiarą tej praktyki. Zabieg w większości wypadków wykonywany jest w prymitywnych warunkach przez akuszerki i inne wiejskie kobiety. Nie są stosowane żadne środki znieczulające. Dziewczynki są cięte tym, co jest pod ręką: żyletkami, nożami, kawałkami szkła, ostrymi kamieniami, a w niektórych rejonach – zębami. Zasięg zabiegu jest różny w zależności od rejonu i miejscowych zwyczajów. Usuwana jest przynajmniej żołądź łechtaczki, co ma pozbawić kobietę przyjemności z seksu do końca życia. Czym innym jest infibulacja, wykonywana u 80 procent kobiet somalijskich – to właśnie spotkało mnie. Bezpośrednim skutkiem infibulacji może być wstrząs krwotoczny, uszkodzenie cewki moczowej i odbytu, tężec, posocznica, zakażenie HIV i wirusem zapalenia wątroby typu B oraz, rzecz jasna, śmierć. Powikłania odległe to przewlekłe zakażenia tkanek sromu, układu moczowego i miednicy

---

* Female genital mutilation, w skrócie FGM (przyp. tłum.).

małej, które mogą prowadzić do niepłodności, tworzenia się ropni i torbieli okolic sromu; sprawiające ból nerwiaki, zaburzenia oddawania moczu i miesiączkowania, oziębłość płciowa i depresja.

Serce mi pęka, gdy myślę, że również w tym roku dwa miliony dziewczynek przejdą przez to samo, przez co ja przeszłam. Zdaję sobie jednak sprawę, że każdego dnia trwania tych tortur przybywa kobiet rozgniewanych tak jak ja, kobiet, które nigdy nie odzyskają tego, co im zabrano.

Liczba okaleczanych dziewcząt rośnie z roku na rok. Wielu Afrykanów, którzy wyemigrowali do Europy i Stanów, zabrało ten zwyczaj ze sobą. Centers for Disease Control and Prevention* szacuje, że 27 tysięcy kobiet w Nowym Jorku zostało lub zostanie poddanych obrzezaniu. Z tego też powodu wiele stanów wprowadza przepisy zabraniające FGM. Prawodawcy uznali, że pilnie potrzebne są tutaj szczegółowe rozwiązania, bo rodziny dziewczynek utrzymują, iż mają nakaz religijny okaleczania. Wielokrotnie dochodzi do tego, że afrykańskie społeczności specjalnie zbierają pieniądze na opłacenie kobiety takiej jak moja znachorka, żeby obrzezała całą grupę dziewcząt – zdarza się to również w Ameryce. Jeżeli nie jest to możliwe, biorą sprawy w swoje ręce. Pewien ojciec w Nowym Jorku włączył głośną muzykę, żeby sąsiedzi nie słyszeli krzyków, a potem porżnął córkę nożem do steków.

Z wielką dumą przyjęłam propozycję ONZ, abym została ich specjalnym ambasadorem i wzięła udział w walce. Jednym z największych zaszczytów, jakie się z tym wiążą, jest współpraca z kobietami takimi jak doktor Nafis Sadik, dyrektor Fundacji Ludnościowej ONZ. Jest jedną z pierwszych kobiet, które pod-

---

* Amerykańska agencja rządowa odpowiedzialna za sprawy sanitarno-epidemiologiczne (przyp. tłum.).

jęły walkę z obrzezywaniem: przedstawiła tcn problem na Międzynarodowej Konferencji Ludnościowej w Kairze w 1994 roku. Wkrótce wracam do Afryki, aby opowiadać o swoich losach i wspierać wysiłki ONZ.

Od ponad czterech tysięcy lat Afrykanie okaleczają swoje kobiety. Wielu myśli, że tak nakazuje Koran, bo obrzezywanie praktykuje się we wszystkich muzułmańskich krajach Afryki. Nic z tych rzeczy, ani Koran, ani Biblia nic nie wspominają o okaleczaniu kobiet. Obrzezywanie popierają i żądają go mężczyźni – ciemni, samolubni mężczyźni – chcący w ten sposób uzyskać potwierdzenie swojej wyłączności na czerpanie seksualnych korzyści z żony. Matki godzą się na obrzezanie swoich córek ze strachu, że te nie znajdą sobie mężów. Nie obrzezana kobieta uważana jest bowiem za nieczystą, nadmiernie skupioną na sprawach seksu, niezdolną do zamążpójścia, a w koczowniczej kulturze, w jakiej wyrosłam, nie ma miejsca dla kobiet niezamężnych. Matki czują się w obowiązku zapewnić swoim córkom jak najlepszy los – tak jak w kulturze Zachodu rodziny uważają za swój obowiązek posyłać córki do szkoły. Oprócz ciemnoty i przesądu nie ma żadnych innych powodów okaleczania milionów dziewczynek rocznie. Spuścizna bólu, cierpienia i śmierci jest z pewnością wystarczającym powodem, aby to powstrzymać.

Praca ambasadora ONZ jest spełnieniem marzenia tak szalonego, że nigdy o nim nawet nie śniłam. Chociaż od najmłodszych lat czułam swoją odrębność w stosunku do członków mojej rodziny i innych nomadów, nawet bym nie śmiała oczekiwać, że zostanę przedstawicielem organizacji rozwiązującej problemy całego świata. ONZ robi w skali międzynarodowej to, co matka robi w skali rodziny – troszczy się o byt i bezpieczeństwo. I tak widzę swoją rolę w tej organizacji.

Dawnymi czasy przyjaciele przezywali mnie Mama – dokuczali mi, bo każdemu z nich chciałam matkować. Ci sami przyjaciele obawiają się dzisiaj, że jakiś fanatyk religijny może próbować mnie zabić w Afryce. Ostatecznie występuję przeciwko zbrodni, którą wielu uważa za święty obrzęd. Wiem, że moja praca może okazać się niebezpieczna, i przyznaję, iż nęka mnie strach, zwłaszcza, że mam swojego malutkiego chłopczyka. Ale moja wiara mówi mi, że muszę być silna, że to Bóg wyznaczył mi tę ścieżkę. To moja misja. Wierzę, że Bóg wybrał dzień mojej śmierci na długo przedtem, zanim się urodziłam. Na razie jednak podejmę wyzwanie, bo robiłam tak zawsze.

18

Myśli o domu

Ponieważ poddaję krytyce okaleczanie kobiet, wielu ludzi myśli, że za nic mam kulturę, w której wyrosłam. Mylą się bardzo. Każdego dnia dziękuję Bogu za to, że urodziłam się w Afryce, każdego dnia. Jestem dumna z tego, że pochodzę z Somalii, jestem dumna ze swojego kraju. Wiem, że ludzie innych kultur mogą sobie pomyśleć, iż to bardzo afrykański sposób myślenia – no wiecie, duma bez szczególnego powodu. Jakbyście to wy powiedzieli: arogancja.

Nie licząc kwestii obrzezania, nie oddałabym niczego, co mnie spotkało w dzieciństwie. Żyjąc w Nowym Jorku, bez przerwy słyszę o wartościach rodzinnych, ale nic z tego nie widzę. Nie widzę rodzin, które zbierałyby się tak jak my, śpiewających, klaszczących, śmiejących się. Ludzie tutaj nie są ze sobą niczym związani, nie mają żadnego poczucia przynależności.

Kolejną moją korzyścią ze wzrastania w Afryce jest to, że byliśmy częścią natury, czystego życia. Znam życie, i to prawdziwe – nie ten erzac z telewizji, gdzie pokazują życie innych ludzi. Od urodzenia był we mnie instynkt przeżycia, dane mi było poznać i radość, i ból. Poznałam, że szczęście to nie to, co mam, bo nie miałam nic, a byłam szczęśliwa. Najcenniejsze chwile mojego życia to czas spędzony z rodziną, kiedy byliśmy razem. Myślę tu o wieczorach, gdy siadaliśmy po jedzeniu przy ognisku, żeby śmiać się z byle czego. I o chwilach kiedy spadł deszcz, a my świętowaliśmy odrodzenie życia.

Ceniliśmy w Somalii rzeczy podstawowe, na przykład deszcz. Kto w Nowym Jorku martwi się o wodę? Niech sobie leci z kranu, kiedy ty zajmujesz się czymś innym. I tak będziesz ją mieć, kiedy ci będzie potrzebna. Fru! – przekręcasz kurek i już płynie. Czy potrafisz się tym cieszyć? My nie mieliśmy nic, więc cieszyliśmy się ze wszystkiego.

Moja rodzina trudziła się cały dzień, żeby zdobyć jedzenie. Kupno worka ryżu – to dopiero było wydarzenie! A w tym kraju ilość i rozmaitość jedzenia jest dla przybysza z krajów Trzeciego Świata wręcz przytłaczająca. To smutne, jak wielu Amerykanów martwi się z powodu nadmiaru jedzenia. W jednej stronie świata ludzie męczą się, żeby się wyżywić, a w drugiej płacą za to, żeby zgubić wagę. Oglądam w telewizji reklamówkę o cudownym sposobie odchudzania i wrzeszczę:

– Chcecie schudnąć? To do Afryki! Co wy na to? Co wy na to, żeby stracić wagę pomagając innym? Dwie pieczenie przy jednym ogniu – lepszy wygląd i lepsze samopoczucie. Obiecuję, że po takim wyjeździe trochę wam się w umysłach przejaśni.

Do dzisiaj cenię rzeczy proste i zwyczajne. Codziennie spotykam ludzi, którzy mają piękne domy, często wiele domów, samochody, jachty, biżuterię, ale myślą tylko o jednym – żeby mieć jeszcze więcej. Zupełnie jakby za cenę kolejnej rzeczy mieli osiągnąć spokój ducha. Ja nie potrzebuję pierścionka z diamentem, żebym się poczuła szczęśliwa. Ludzie twierdzą: tak, łatwo ci to powiedzieć, bo masz już tyle, że cię stać na wszystko. Ale ja nie chcę niczego. Najcenniejszą rzeczą w życiu – oprócz samego życia – jest zdrowie. A ludzie je sobie rujnują martwiąc się bezsensownymi drobiazgami: „Ojej, znowu rachunek, o, i tu rachunek, lecą ze wszystkich stron... Jak ja je wszystkie zapłacę?". USA to najbogatszy kraj świata, a wszyscy się tu czują jak biedacy.

I wszyscy, oprócz tego że na bankructwo finansowe, cierpią

na bankructwo czasu. Nikt nie ma czasu. W ogóle. „Zejdź mi z drogi, człowieku! Spieszę się!". Ulice wypełniają tłumy biegające tu i tam, goniące za Bóg wie czym.

Czuję wdzięczność, że było mi dane doświadczyć obydwu tych dróg życia – i tej wolnej, i tej szybkiej. Gdybym nie wyrosła w Afryce, nie wiem, czy potrafiłabym się cieszyć z rzeczy prostych. Dzieciństwo spędzone w Somalii ukształtowało na zawsze moją osobowość w taki sposób, że nie biorę poważnie tak trywialnych spraw jak sława i sukces, za którymi pogoń owładnęła tak wielu ludźmi. Często mnie pytają: jak się czujesz jako osoba sławna? – a ja się po prostu śmieję. Jedyne, co wiem, to że myślę na afrykańską modłę i nigdy się to nie zmieni.

Jedną z największych zalet świata Zachodu jest pokój i nie wiem, czy wielu z was zdaje sobie sprawę, jakie to błogosławieństwo. Oczywiście zdarzają się zbrodnie, ale to nie to samo co być w samym środku kotłującej się wojny. Jestem wdzięczna, że mogę tu wychowywać swoje dziecko, bo w Somalii walki trwają bez przerwy, odkąd rebelianci obalili Siada Barre w 1991 roku. Rywalizujące plemiona walczą o panowanie nad krajem i nikt nie wie, ilu jeszcze ludzi zginie. Mogadiszu, piękne miasto pełne białych budynków we włoskim stylu kolonialnym, zostało zniszczone. Prawie wszędzie widać ślady nieustannych walk: zburzone domy i odpryski po kulach. W całym mieście nawet krztyny porządku – żadnej władzy, żadnej policji, żadnych szkół.

Przygnębia mnie świadomość, że moja rodzina nie zdołała tego wszystkiego uniknąć. Brat matki, wujek Wolde'ab, taki zabawny, zginął w Mogadiszu. Stał przy oknie, gdy seria z karabinu maszynowego posiekała jego dom.

Nomadów też wojna nie oszczędziła. Przed naszym spotkaniem w Etiopii mój brat Ali został postrzelony w ramię, gdy wpadł ze swoim stadem w zasadzkę złodziei bydła. Przeżył tylko dzięki temu, że udał martwego.

Matka powiedziała mi w Etiopii, że ciągle nosi w klatce piersiowej kulę, która ją trafiła podczas jakiejś strzelaniny. Siostra zabrała ją do szpitala w Arabii Saudyjskiej, ale tam powiedzieli jej, że w tym wieku operacja jest zbyt niebezpieczna i że może skończyć się śmiercią. Jednak kiedy się z nią spotkałam, wyglądała na silną jak wielbłąd. "Tak, tak, mam ją tutaj. Nic mnie to nie obchodzi. Może się już rozpuściła?".

Plemienne wojny wywołało to samo, co dało początek obrzezaniu – rozdęte ego, zarozumialstwo i agresja mężczyzn. Nienawidzę tak mówić, ale to prawda. Oba te działania mają swoje źródło w męskiej obsesji na punkcie obrony terytorium, obrony własności. Mężczyźni traktują kobiety jak własność, domenę swojej aktywności. Gdyby im obciąć ich intymne części ciała i puścić swobodnie, żeby wykrwawili się na śmierć albo przeżyli, może by zrozumieli, co robią swoim kobietom, uspokoiliby się i stali bardziej wrażliwi na świat. Bez ciągłych rzutów testosteronu nie byłoby wojen, zabijania, złodziejstwa i gwałtów.

Moim celem jest pomóc kobietom w Afryce. Chcę, żeby były silne, a obrzezanie osłabia je fizycznie i emocjonalnie. Kobiety to kręgosłup Afryki, to one wykonują większość prac. Lubię sobie wyobrażać, co mogłyby osiągnąć, gdyby nie szlachtowano ich jako dzieci i gdyby potem nie musiały żyć jako kaleki.

Mimo gniewu wywołanego tym, co mi zrobiono w dzieciństwie, nie winię swoich rodziców. Kocham moją matkę i mojego ojca. Matka nie miała nic do gadania w sprawie mojego obrzezania, bo decydowanie to w ogóle nie była jej sprawa. Po prostu zrobiła mi to, co zrobiono jej, co zrobiono jej matce i matce matki. Ojciec nie miał pojęcia, jakie cierpienia mi zadano – wiedział tylko, że jeśli w somalijskiej społeczności chce się wydać córkę za mąż, to musi być ona obrzezana. Rodzice byli ofiarami tradycyjnego wychowania, zwyczajowych praktyk wykonywanych od tysiącleci. Skoro jednak wiemy dzisiaj, że chorobom można zapobiegać dzięki szczepieniom, to wiemy także, że kobiety to nie zwierzęta owładnięte popędami i że ich lojalność wynika z zaufania i uczucia, a nie z dopełnienia barbarzyńskiego rytuału. Przyszedł czas, żeby zejść z tej starej ścieżki naznaczonej cierpieniem.

Uważam, że Bóg stworzył moje ciało wystarczająco doskonałym w takim kształcie, jaki miało po urodzeniu. Potem człowiek obrabował mnie, osłabił i zostawił kaleką. Okradziono mnie z kobiecości. Gdyby Bóg chciał mnie czegoś pozbawić, to po co by to przedtem tworzył?

Modlę się, żeby nadszedł dzień, kiedy żadna kobieta nie doświadczy tego bólu. I taki dzień kiedyś nadejdzie. Ludzie będą mówić: Słyszeliście? W Somalii zabronili obrzezywania kobiet! A potem następny kraj, i następny, i następny, aż wreszcie na całym świecie kobiety będą bezpieczne. Jakiż to będzie szczęśliwy dzień i jak wiele pracy przede mną. *In'shallach* – jeśli Bóg tak zechce, tak się stanie.

Dołącz do walki z okaleczaniem żeńskich narządów płciowych (FGM)

Jeżeli chcesz nam pomóc w walce z okaleczaniem milionów dziewczynek, możesz wesprzeć finansowo specjalny fundusz, który utworzono, by zlikwidować praktykę obrzezywania kobiet. Środki z fuduszu służą celom uświadamiania i pomocy, realizowanym w ramach programu obejmującego dwadzieścia trzy kraje. Więcej informacji o tym programie uzyskasz pod adresem:

The Campaign to Eliminate FGM
UNFPA (United Nations Population Fund)
220 E. 42nd Street
New York, NY 10017
USA

Spis treści